Lisa Kleypas

Elle est née en 1964 aux États-Unis. Après des études de sciences politiques, elle publie son premier roman à 21 ans. Elle a reçu les plus hautes récompenses, et notamment le prix de la meilleure romance historique pour *L'amant de lady Sophia*. Ses livres sont traduits en quatorze langues.
Son ton, la légèreté de son style et ses héros, souvent issus d'un milieu social défavorisé, caractérisent son œuvre.
Depuis peu, elle s'est lancée dans la romance contemporaine avec *La saga des Travis* également disponible aux Éditions J'ai lu.

Les blessures du passé

Du même auteur
aux Éditions J'ai lu

Dans la collection :
Aventures et Passions

PAR PURE PROVOCATION
N° 3945
L'ANGE DE MINUIT
N° 4062
PRINCE DE L'ÉTERNITÉ
N° 4426
LA LOTERIE DE L'AMOUR
N° 4915
UN JOUR TU ME REVIENDRAS
N° 5263
PARCE QUE TU M'APPARTIENS
N° 5337
L'IMPOSTEUR
N° 5524
COURTISANE D'UN SOIR
N° 5808
FRISSONS INTERDITS
N° 6085
SOUS L'EMPRISE DU DÉSIR
N° 6330
L'AMANT DE LADY SOPHIA
N° 6702
LIBRE À TOUT PRIX
N° 6990

La ronde des saisons

1 – SECRETS D'UNE NUIT D'ÉTÉ
N° 9055
2 – PARFUM D'AUTOMNE
N° 9171
3 – UN DIABLE EN HIVER
N° 9186
4 – SCANDALE AU PRINTEMPS
N° 9277
5 – RETROUVAILLES
N° 9409

Les Hathaway

1 – LES AILES DE LA NUIT
N° 9424
2 – L'ÉTREINTE DE L'AUBE
N° 9531
3 – LA TENTATION D'UN SOIR
N° 9598
4 – MATIN DE NOCE
N° 9623
5 – L'AMOUR L'APRÈS-MIDI
N° 9736

Dans la collection :
Promesses

La saga des Travis

1 – MON NOM EST LIBERTY
N° 9248
2 – BAD BOY
N° 9307
3 – LA PEUR D'AIMER
N° 9362

LISA
KLEYPAS

Les blessures du passé

Traduit de l'américain
par Myra Bories

Titre original
AGAIN THE MAGIC

Éditeur original
Avon Books, Inc., New York

1

Hampshire, 1832

Un palefrenier n'est pas même censé adresser la parole à une fille de comte : alors, grimper à sa fenêtre ! Dieu sait ce qui arriverait au malheureux surpris dans cette position délicate. Le fouet probablement, puis la porte, à coups de pied dans le derrière.

McKenna grimpa le long d'une colonne, puis saisit prestement la rampe en fer forgé du balcon du premier étage ; il y resta un instant suspendu, puis balança les jambes et, avec un grognement, réussit à accrocher le bord du balcon avec le talon. Ensuite, il enjamba la rampe.

Il s'accroupit devant les portes-fenêtres et, les mains en visière, colla le nez au carreau. Une unique lampe brûlait à l'intérieur. Une jeune fille, debout devant la coiffeuse, brossait ses longs cheveux sombres. On a beau être garçon d'écurie, on ne reste pas de marbre face à un tel spectacle…

Lady Aline Marsden, fille aînée du comte de Westcliff. Optimiste, chaleureuse et belle à tous égards.

Et libre comme une pouliche sauvage, par la faute de parents négligents et sans cesse absents. Depuis l'enfance, Aline faisait ce qu'elle voulait dans le somptueux domaine familial du Hampshire, car lord et lady Westcliff avaient trop à faire pour s'occuper vraiment de leurs trois enfants. Cette attitude n'était pas rare chez les gentlemen-farmers demeurant dans des propriétés comme Stony Cross Park. La taille du domaine était telle qu'il était difficile de faire manger, dormir et jouer les enfants sous les yeux de leurs parents. De surcroît, la responsabilité parentale ne rapprochait en aucune façon le comte et la comtesse. Ni l'un ni l'autre ne se passionnaient pour des rejetons issus d'une union de convenance, conclue sans amour.

McKenna travaillait sur le domaine depuis l'âge de huit ans ; cela faisait dix ans qu'avec Aline il grimpait aux arbres, nageait dans la rivière et courait partout pieds nus. Nul ne trouvait à redire à leur amitié, car c'étaient des enfants. Puis ils avaient grandi. Un garçon en pleine possession de ses moyens ne peut être indifférent à la plus jolie fille de la création…

Aline était prête à se coucher. Elle portait une chemise de nuit de coton blanc joliment froncée. Tandis qu'elle allait et venait dans la pièce, la lumière de la lampe en contre-jour découpait à travers le tissu diaphane les formes généreuses de sa poitrine et de ses hanches, et éclairait les magnifiques boucles sombres de sa chevelure. Elle était d'une splendeur à couper le souffle. Les traits de son visage étaient d'une finesse parfaite, toujours animés par l'éclat radieux d'émotions contenues. Enfin, la nature avait signé son œuvre en la gratifiant d'un minuscule grain de beauté à la commissure des lèvres. McKenna en avait rêvé des nuits entières : embrasser cette bouche, encore et encore jusqu'à ce que la jeune fille s'abandonne, pantelante entre ses bras !

Maintes fois, il s'était demandé comment un couple aussi terne et banal que le comte et la comtesse avait pu engendrer une fille comme Aline. Par un curieux effet du sort, elle avait hérité juste ce qu'il fallait de chacun de ses parents. Leur fils, Marcus, avait été beaucoup moins heureux sur le plan physique : il avait le large visage de son père, taillé à coups de serpe, et ses épaules de lutteur. Quant à la petite Livia – dont on attribuait la paternité à l'un des nombreux amants de sa mère –, elle était jolie mais sans excès, et n'avait certes pas l'éclat ravissant de sa sœur.

Comme il observait Aline, McKenna se dit que l'heure de la séparation approchait. Bientôt, leur familiarité deviendrait dangereuse, à supposer qu'elle ne le fût pas déjà. Il prit son courage à deux mains et tapota la vitre de la porte-fenêtre.

Aline pivota, le reconnut et fronça les sourcils. Sans ouvrir la fenêtre, elle articula silencieusement les mots « va-t'en ».

McKenna se demandait ce que diable il avait fait pour mériter cela. Ils ne s'étaient pas disputés, pas plus qu'il ne lui avait fait de farce ; et cet après-midi, il l'avait attendue deux heures au bord de la rivière.

Il fit un geste de dénégation, prit la poignée de la porte et la secoua légèrement. Elle savait comme lui que, s'il se faisait surprendre sur ce balcon, c'est lui qui en subirait les conséquences. Et c'est pour cette raison – pour lui sauver la mise, en somme – qu'à contrecœur elle déverrouilla la porte et ouvrit. Il ne put retenir un sourire, mais elle ne se dérida pas.

— Tu as oublié que nous avions rendez-vous cet après-midi ? demanda le palefrenier sans préambule.

Il s'appuya de l'épaule contre le chambranle de bois et sourit aux yeux noisette qui le regardaient. Il avait beau être déhanché, Aline devait lever la tête pour croiser son regard.

— Non, je n'ai pas oublié, répondit-elle, agacée.

— Eh bien, où étais-tu ?

— Quelle importance ?

— Je t'ai donné rendez-vous à la rivière parce que je voulais te voir.

— J'ai supposé que tu avais changé d'avis... vu que tu sembles préférer la compagnie d'autres filles à la mienne.

Comme McKenna n'avait pas l'air de comprendre, elle précisa :

— Je t'ai vu au village ce matin, quand je suis allée avec ma sœur chez la modiste.

Il acquiesça vaguement : effectivement, le maître d'écurie l'avait envoyé porter une paire de bottes chez le cordonnier. En quoi cela pouvait-il offenser Aline ?

— Ah, ne fais pas l'imbécile ! s'exclama-t-elle. Je t'ai vu avec une fille du village, McKenna. Tu l'as embrassée en pleine rue, devant tout le monde !

Le visage du garçon s'illumina. C'était la pure vérité. Mary, la fille du boucher. Il lui avait fait un brin de cour le matin même, comme il faisait d'ailleurs avec toutes les filles, à chaque occasion. Elle l'avait taquiné, cela l'avait fait rire et il lui avait volé un baiser. Ni Mary ni lui-même n'y attachaient grande importance, et il avait tout de suite oublié l'affaire.

Mais Aline la ruminait encore, par jalousie.

— Aline, protesta-t-il en levant les mains pour les poser sur ses épaules.

Il se ravisa et ne la toucha pas.

— Ce que je fais avec les autres filles n'a rien à voir avec nous. Toi et moi, nous sommes amis. Pour rien au monde je ne... Enfin, avec toi... ce n'est pas pareil. Je n'ai pas besoin de te faire un dessin !

Aline le considéra longuement, pensive, avant de demander :

— Et si j'étais une fille du village, tu ferais pareil avec moi ?

Pour la première fois de sa vie, McKenna resta sans voix. Son excellente intuition lui permettait en général de deviner ce que les gens attendaient de lui, et il avait la repartie facile. Cela contribuait à son charme, qualité qu'il utilisait de temps en temps pour soutirer un petit pain au lait à la femme du boulanger, ou échapper à la cravache du maître d'écurie. Mais la question de la jeune fille était épineuse : qu'il réponde oui ou non, il se mettait en danger.

— Ce n'est pas comme cela que je te vois, avoua-t-il enfin en la regardant droit dans les yeux.

— Les autres garçons, si, riposta-t-elle.

Devant son air ahuri, Aline poursuivit d'un ton égal :

— La semaine dernière, quand les Harewood sont venus en visite, leur fils William m'a coincée contre le mur, au promontoire, et il a essayé de m'embrasser.

— Ce petit morveux arrogant ? gronda McKenna, outré.

Il se souvenait de ce garçon trapu, criblé de taches de rousseur, qui n'avait pas caché l'effet que lui faisait Aline.

— Je vais lui arracher la tête, la prochaine fois. Pourquoi ne me l'as-tu pas dit ?

— Il n'est pas le seul à avoir essayé, renchérit-elle pour jeter de l'huile sur le feu. Il n'y a pas si longtemps, mon cousin Elliot a eu le toupet de me proposer de nous embrasser…

Elle s'interrompit avec un haut-le-corps lorsque McKenna l'empoigna par les bras.

— Au diable ton cousin Elliot ! s'écria-t-il. Au diable tous ces freluquets !

Il avait eu tort de la toucher. Elle avait les bras si souples et si chauds sous ses doigts que ce contact le troubla. Pourtant, il avait envie de la toucher davantage, de se pencher sur elle, d'emplir ses narines de sa douce odeur… le discret parfum de sa peau, un soupçon d'eau de rose, et surtout l'odeur si intime de son haleine. Tout son instinct lui criait de l'attirer contre lui et de coller sa bouche dans la courbe veloutée de son cou. Au prix d'un effort, il la lâcha et resta les mains en l'air. Il avait du mal à respirer, à réfléchir.

— Je n'ai laissé personne m'embrasser, annonça la jeune fille. C'est toi que je veux. Et toi seul ! Mais au train où tu vas, j'aurai quatre-vingt-dix ans quand tu t'y risqueras.

McKenna se mordit la lèvre.

— Non. Ça changerait tout entre nous. Je ne veux pas que cela arrive.

D'un geste délicat, Aline lui frôla la joue du bout des doigts. Sa main était presque aussi familière à McKenna que la sienne. Il en connaissait la moindre griffure, la moindre fossette. Quand elle était petite, elle avait des mains potelées et souvent sales. À présent, elle avait de longues mains blanches, aux ongles parfaits.

— J'ai remarqué la façon dont tu me regardes, depuis quelque temps, insista Aline en s'empourprant. Je connais tes pensées, comme tu connais les miennes. Au nom des sentiments que je ressens pour toi, au nom de ce que tu représentes pour moi... n'ai-je pas droit à un moment de – comment dire ? – à un moment d'illusion ?

— Non, rétorqua-t-il sombrement. Car l'illusion n'a qu'un temps, et plus dure sera la chute. Pour toi comme pour moi !

La jeune fille détourna le visage, les poings serrés.

— Je préférerais mourir plutôt que te faire du mal, continua McKenna. Si je me permets un baiser, il y en aura bientôt un autre, puis toute une kyrielle. Et nous ne saurons plus nous arrêter.

— Tu n'en sais rien.

— Oh, que si !

Il resta impassible, la défiant du regard. Il la connaissait : si elle entrevoyait une faille, elle n'hésiterait pas à s'y engouffrer.

— Bon ! soupira-t-elle, morose.

Elle fit mine de se résigner, provisoirement.

— On se voit demain au coucher du soleil à la rivière, McKenna ? On fera des ricochets, on bavardera, on taquinera le goujon, comme d'habitude. Ça ira comme ça ?

— Ça ira, répondit-il après un silence.

C'était tout ce qu'il pouvait posséder d'elle, et c'était mille fois mieux que rien.

Elle eut un tendre sourire résigné.

— Il vaut mieux que tu t'en ailles, avant de te faire surprendre. Mais d'abord, penche-toi que je te recoiffe un peu. Tu es tout ébouriffé.

Si McKenna avait eu tous ses esprits, il aurait rétorqué qu'il n'avait pas besoin d'être bien coiffé pour retourner dans sa chambre au-dessus des écuries : les chevaux qui y logeaient n'avaient que faire de son apparence. Mais il se pencha sans réfléchir, habitué qu'il était à répondre docilement au moindre désir d'Aline.

Celle-ci, au lieu de lisser les boucles noires, se hissa sur la pointe des pieds, glissa la main derrière sa nuque et porta la bouche à ses lèvres.

Ce baiser l'électrisa. Sous le choc, il se figea. Les lèvres de la jeune fille, si délicates, frémissaient contre les siennes. Aline le savait, il ne pouvait se dégager. Tétanisé, il se laissa faire passivement, cherchant à maîtriser le torrent de sensations qui l'envahissaient. Il l'aimait, il la désirait avec la ferveur d'un adolescent. Le faible empire qu'il avait sur lui-même mit moins d'une minute à rendre les armes et, avec un gémissement, il l'enlaça.

Le souffle court, il prolongea et multiplia ce baiser, grisé par la douceur de ses lèvres. Aline y répondait avec élan. Si grand était son plaisir que McKenna ne put s'interdire d'appuyer son baiser jusqu'à ce que, innocemment, les lèvres de la jeune fille s'entrouvrent. Il poussa tout de suite son avantage, explora le bord des dents, la douceur soyeuse de la bouche. Surprise, elle hésita. Il le sentit et glissa la main derrière sa tête, suivant des doigts la courbe de la nuque, tout en engageant sa langue plus avant. Aline eut un haut-le-corps et s'agrippa à ses épaules. Il avait envie de l'embrasser, de la combler. Il avait déjà connu le désir et, malgré son manque d'expérience, il avait déjà fait l'amour. Mais il n'avait jamais éprouvé ce mélange grisant d'émotion et d'appétit physique, tentation brûlante à laquelle il ne fallait surtout pas s'abandonner.

McKenna interrompit le baiser et enfouit le visage dans les profondeurs de sa chevelure.

— Pourquoi as-tu fait ça ? gronda-t-il.

Aline eut un rire bref.

— Tu es tout pour moi. Je t'aime. Je t'ai toujours...

— Chut !

Il la secoua doucement pour la faire taire. Il la tint à bout de bras et scruta le visage radieux de la belle aristocrate, rouge d'excitation.

— Ne dis plus jamais ça, sinon je quitte Stony Cross.

— Nous fuirons ensemble, riposta-t-elle, téméraire, dans des lieux où nul ne pourra nous trouver.

— Par tous les saints du ciel ! Tu te rends compte que tu es complètement folle ?

— Folle, moi ?

— Tu t'imagines que je vais gâcher ta vie comme ça ?

— Je t'appartiens, s'obstina-t-elle. Je ferai tout ce qu'il faut pour être avec toi.

Elle était sincère, McKenna le lisait sur son visage. Cela lui brisait le cœur, tout en le faisant enrager. Car enfin, leur différence de statut social était insurmontable, elle devait s'y résigner. Il n'avait pas le droit de rester là, exposé à des tentations permanentes tout en sachant que cela les conduirait à leur perte.

Il cueillit son visage entre ses paumes, caressant des deux pouces ses joues d'une merveilleuse douceur. Comme pour nier la tendresse de ce contact, il prononça des mots durs :

— Je veux bien croire que tu aies envie de moi aujourd'hui. Mais ça changera. Un jour, tu verras comme il est facile de m'oublier. Je ne suis qu'un bâtard. Un domestique, et du plus bas rang.

— Tu es l'autre moitié de moi-même.

Bouleversé, McKenna ferma les yeux. Ces paroles auraient dû le faire bondir de joie…

— Sacrebleu ! Tu te rends compte que dans ces conditions, il m'est impossible de rester à Stony Cross ?

Aline fit un bond en arrière, livide.

— Non ! Ne t'en va pas ! Je suis désolée : je ne dirai plus rien. Je t'en supplie, McKenna… Tu resteras, n'est-ce pas ?

Brusquement, il eut un avant-goût de la douleur inévitable de son départ : un jour, il subirait une blessure mortelle, celle de quitter Aline pour toujours. Elle avait à présent dix-neuf ans… Bientôt, d'ici à un an peut-être, elle ferait son entrée dans le monde, et McKenna deviendrait pour elle un souvenir dangereux, une tache à effacer. Elle s'efforcerait d'oublier ce qui venait de se passer. Elle extirperait de ses souvenirs les mots doux adressés à un garçon d'écurie, sur un balcon au clair de lune. Mais en attendant…

— Je resterai aussi longtemps que possible, promit-il d'un ton bourru.

— Et demain ? On se voit demain ?

— À la rivière, au coucher du soleil, confirma le jeune homme, las de ce supplice de Tantale.

Il enjamba la rampe et descendit souplement par où il était monté. Un mot d'Aline cascada vers lui comme une poignée de pétales de rose :

— Pardon…

Dès que McKenna disparut dans l'ombre, Aline rentra dans sa chambre sur la pointe des pieds et se toucha les lèvres. C'était comme si elle tentait de garder le baiser sur sa peau. Elle avait la bouche étrangement chaude, avec un goût de pomme délicieux : McKenna avait dû chaparder un fruit au verger. Elle avait imaginé ce baiser des milliers de fois, mais rien ne l'avait préparée à la sensualité qu'elle venait de découvrir.

Voilà longtemps qu'elle brûlait de ne plus être une simple amie pour McKenna, mais une femme ; enfin, elle avait réussi. Or, en cet instant, elle n'éprouvait nul sentiment de triomphe, mais une douleur tranchante comme une lame de couteau. D'après lui, elle ne comprenait pas la complexité de la situation. Alors que c'était tout le contraire : elle la comprenait mieux que lui !

Depuis le berceau, on avait enseigné à Aline que l'on ne s'aventure pas hors des limites de son milieu. Pour une demoiselle Marsden, les jeunes roturiers comme McKenna étaient interdits à jamais. Du haut en bas de la société, tout le monde acceptait cette réalité. Le fait de suggérer qu'il pût en être autrement mettait les gens mal à l'aise. McKenna et elle auraient pu appartenir à deux espèces différentes, pensa-t-elle amèrement.

Aux yeux d'Aline, pourtant, il sortait du lot. Il avait beau ne pas être de haute naissance, il était plus qu'un simple garçon d'écurie. S'il était né dans une famille de la noblesse, il en aurait été la fierté. Quelle injustice ! Il était beau, intelligent, sérieux. Il était l'être le plus merveilleux sur cette terre.

Elle le revoyait, le jour où il était arrivé à Stony Cross Park, petit garçon aux cheveux noirs mal coupés et dont les yeux n'étaient ni bleus ni verts, mais quelque chose entre les deux. À en croire les servantes, c'était l'enfant d'une fille du village, né hors mariage ; celle-ci s'était enfuie à Londres, avait eu des ennuis et était morte en couches. Le malheureux bébé avait été envoyé à Stony Cross, où ses grands-parents l'avaient élevé jusqu'au moment où ils étaient devenus trop vieux pour pouvoir s'en occuper. Alors, à l'âge de huit ans, McKenna avait été engagé à Stony Cross Park comme domestique. Il cirait les chaussures des autres serviteurs, aidait les soubrettes à monter les cruches d'eau, lavait les pièces de monnaie afin que le comte et la comtesse ne touchent jamais d'argent sale.

Son nom complet était John McKenna, mais il y avait déjà trois John sur le domaine. On décida donc d'appeler provisoirement l'enfant par son nom de famille... et cela lui resta. Au début, les domestiques ne faisaient guère attention à lui, si ce n'est la gouvernante, Mme Faircloth. C'était une femme bonne aux joues rebondies, et la seule qui témoigna jamais à McKenna des sentiments maternels. En vérité, même Aline et sa cadette Livia avaient plus volontiers recours à Mme Faircloth qu'à leur propre mère quand elles avaient du chagrin. La brave femme était toujours disponible pour les enfants, qu'il s'agisse de panser une écorchure, d'admirer un nid tombé à terre ou de recoller le visage en porcelaine d'une poupée.

Elle dispensait parfois McKenna de ses tâches pour le laisser jouer avec Aline. Il avait gardé le souvenir de ces après-midi de liberté, où il échappait aux multiples interdits qui entravent la vie d'un enfant de domestique.

— Sois gentil avec McKenna, avait ordonné Mme Faircloth à Aline, un jour que celle-ci était venue se plaindre qu'il avait cassé le berceau de sa poupée. Il n'a aucune famille, il n'a que de mauvais vêtements et pas grand-chose à manger. Pendant que toi tu joues, lui travaille pour gagner sa pitance. S'il fait des bêtises ou si on estime qu'il est un méchant garçon, il se fera renvoyer : tu ne le reverras jamais.

Aline avait bien compris la portée de ces mots et, à partir de ce jour, elle s'appliqua à protéger McKenna. S'il faisait une sottise, elle s'en accusait sans hésiter ; quand son grand frère lui rapportait des friandises, elle les partageait avec le petit domestique, et elle lui enseignait même les leçons que sa préceptrice lui donnait. En retour, McKenna lui apprit à nager, à faire des ricochets, à monter à cheval, à siffler en serrant un brin d'herbe entre les pouces…

Contrairement à ce que tout le monde pensait – même Mme Faircloth –, Aline n'avait jamais considéré McKenna comme un frère. L'affection fraternelle qu'elle éprouvait pour Marcus n'avait rien à voir avec son sentiment vis-à-vis de McKenna. Et, lorsqu'elle devint jeune fille, elle ressentit pour lui un attrait physique. Comment aurait-elle fait exception, alors que tout ce qui portait jupon soupirait après le jeune homme ? McKenna était un grand gaillard au charme redoutable. Ses cheveux noirs lui tombaient en désordre sur le front tandis que ses étranges yeux pers étaient ombrés par des cils d'une longueur invraisemblable. Par-dessus le marché, il possédait un sens de l'humour espiègle qui faisait de lui la coqueluche du domaine et de tout le village.

Forte de son amour pour McKenna, Aline voulait l'impossible. Elle voulait être sans cesse avec lui, être la famille qu'il n'avait jamais eue. Alors qu'elle aurait dû accepter la vie que ses parents avaient choisie pour elle. Dans la haute société, les mariages d'amour n'étaient plus aussi impensables qu'autrefois, mais les Marsden appartenaient à l'ancienne école. Aline savait de façon précise ce qui l'attendait. On la marierait à un aristocrate ennuyeux à mourir, qui se servirait d'elle comme d'une jument poulinière et saurait se montrer complaisant quand, d'aventure, elle prendrait un amant pour se distraire en son absence. Chaque année, elle irait passer la saison à Londres, puis l'été dans sa propriété à la campagne, et participerait aux chasses à courre pendant l'automne. Chaque année, elle verrait les mêmes visages, entendrait les mêmes ragots. Même les plaisirs de la maternité lui seraient interdits. On confierait ses enfants à des nourrices puis, dès qu'ils grandiraient, on les mettrait en pension. C'est ainsi qu'on avait élevé Marcus.

Des décennies d'ennui l'attendaient. Mais le pire serait de savoir que McKenna vivrait quelque part, pas très loin, et qu'il partagerait avec une autre ses pensées, ses rêves…

— Mon Dieu, que faire ? soupira Aline, au bord des larmes, en se jetant sur son couvre-lit de brocart.

Elle étreignit fougueusement un oreiller et enfonça le menton dans ses profondeurs duveteuses. De folles idées lui traversaient l'esprit. Elle ne pouvait se résoudre à perdre McKenna. Elle en tremblait, elle aurait voulu crier !

Écartant l'oreiller, elle se retourna sur le dos, les yeux grands ouverts braqués sur le baldaquin. Comment garder McKenna dans sa vie ? En le prenant comme amant, une fois mariée ? Sa propre mère avait eu des liaisons… comme tant de dames de la noblesse : tant que ces passades restaient discrètes, nul n'y trouvait à redire. Mais Aline connaissait McKenna : jamais il n'accepterait ce type d'arrangement. Il n'était pas homme à se contenter de demi-mesures : il ne tolérerait pas de la partager. Domestique peut-être, mais fier et jaloux comme pas un !

Aline ne savait que faire, si ce n'est profiter de chaque instant goûté ensemble, jusqu'à ce qu'un sort impitoyable les sépare.

2

À partir de son dix-huitième anniversaire, McKenna se mit à changer à toute vitesse. Il grandissait si vite que Mme Faircloth, feignant l'exaspération, disait qu'il était inutile de lui allonger ses pantalons : il fallait recommencer la semaine suivante. Le jeune homme mangeait comme quatre, il avait toujours faim.

— Il promet, ce garçon, observa fièrement Mme Faircloth en discutant avec Salter, le maître d'hôtel.

Ils étaient dans le hall, mais leur conversation n'échappa pas à Aline, qui était sur le palier du premier. Sachant qu'ils parlaient de McKenna, elle s'immobilisa.

— Certes ! confirma Salter. Il mesure déjà près d'un mère quatre-vingts… À mon avis, il sera bientôt assez grand pour être valet de pied.

— Peut-être faudrait-il songer à le retirer de l'écurie pour qu'il apprenne le service.

Aline esquissa un sourire. Avec son air de ne pas y toucher, Mme Faircloth faisait son possible pour arracher McKenna à ses humbles tâches de garçon d'écurie, et le faire monter dans la hiérarchie.

— Dieu sait, continua la gouvernante, que nous n'aurions pas de trop d'une autre paire de bras pour monter le charbon, briquer l'argenterie et polir les miroirs.

— Hum, je crois que vous avez raison, madame Faircloth. Je vais recommander au comte de promouvoir McKenna. S'il accepte, je lui ferai faire une livrée...

Le comte accepta. Mais, en dépit d'une augmentation de salaire et du privilège de dormir dans la maison des maîtres, le jeune homme ne goûta guère son nouveau statut. En effet, il aimait les chevaux et, tant qu'il était à l'écurie, on le laissait tranquille. Désormais, il lui fallait passer au moins la moitié de son temps dans le manoir, en grande tenue : hauts-de-chausses noirs, gilet moutarde et habit gorge-de-pigeon. Pire, il était tenu d'accompagner tous les dimanches la famille à l'église pour ouvrir le banc, en ôter la poussière et y placer les missels.

Aline trouvait plutôt drôles les plaisanteries amicales dont McKenna faisait l'objet de la part des garçons et filles du village qui attendaient devant l'église. Le spectacle de leur ami en grande tenue de valet leur fournissait une occasion irrésistible de se moquer, notamment de ses jambes en bas blancs. Ils se demandaient avec des rires sonores si le galbe de ses jambes était dû à ses seuls muscles, ou aux sortes de prothèses que certains valets glissaient dans leurs bas pour donner du volume à leurs pattes de poulet. McKenna demeurait – conformément aux exigences du service – impassible, mais leur décochait des regards vengeurs qui les faisaient hurler de joie.

Par bonheur, le reste de son emploi du temps était consacré au jardinage et au nettoyage des voitures. Il retrouvait alors ses habituels pantalons informes et son ample chemise blanche. Sa peau bronzée témoignait de son appartenance aux classes laborieuses, mais soulignait l'éclat de ses yeux pers, et la blancheur éblouissante de ses dents.

McKenna attirait inévitablement l'attention des visiteuses sur le domaine : l'une d'elles tenta même de le recruter. Malgré les efforts qu'elle déploya pour le convaincre, il déclina son offre avec discrétion. Hélas, les autres domestiques, toujours à l'affût d'une occasion de rigoler, taquinèrent McKenna au point de le faire rougir. Aline elle-même voulut en savoir davantage sur les conditions offertes par la lady en question. Dès que se présenta l'occasion d'être seule avec lui, elle le questionna. Ce fut à midi, au moment où McKenna finissait de travailler dehors. Il jouissait alors de quelques précieuses minutes de liberté, avant d'endosser sa livrée pour travailler dans le manoir.

Ils flânèrent tous les deux jusqu'à leur endroit préféré au bord de la rivière, dans une prairie qui descendait jusqu'à la berge. Ils s'assirent sur des roches plates au bord de l'eau ; de hautes herbes empêchaient qu'on ne les voie de loin. L'air sentait la tourbière et la bruyère chauffée par le soleil : ces fragrances excitaient les sens d'Aline.

— Pourquoi n'es-tu pas allé avec elle ? demanda-t-elle.

Elle remonta ses genoux sous ses jupes et croisa les bras par-dessus. S'étirant de tout son long, McKenna s'appuya sur un coude.

— Avec qui ?

— Avec lady Brading, celle qui voulait t'embaucher. Pourquoi as-tu refusé ?

— Parce que c'est à ce domaine que j'appartiens.

— C'est-à-dire, à moi ?

McKenna lui sourit en soutenant son regard. Ils échangeaient ainsi de tendres sentiments, aussi réels que l'air qu'ils respiraient, sans avoir à prononcer le moindre mot.

Aline avait envie de se pelotonner contre lui, pour prendre le soleil tel un chat qui fait la sieste. Il lui fallut un effort de volonté pour ne pas bouger.

— J'ai entendu un valet dire que tu pouvais doubler ton salaire... à condition d'offrir des prestations que l'on n'exige pas de toi ici.

— Je parie que c'est James. Quelle commère, celui-là ! De toute façon, qu'est-ce qu'il en sait ?

Amusée, la jeune fille observa son compagnon qui rougissait. Puis elle comprit. Cette femme voulait embaucher McKenna pour l'attirer dans son lit. Alors qu'elle avait le double de son âge ! Aline se sentit rougir à son tour. Son regard glissa sur ses larges épaules et sur sa grande main qui reposait sur la mousse.

— Elle avait envie de coucher avec toi, dit-elle enfin pour rompre un silence embarrassant.

— Non, je ne crois pas, rétorqua McKenna en haussant les épaules.

Aline, le cœur battant, comprit que ce n'était pas la première fois qu'il bénéficiait de ce genre d'opportunité. Elle n'avait jamais vraiment réfléchi à la vie sexuelle du jeune homme, cela lui faisait trop mal. C'est à elle qu'il appartenait, et elle ne pouvait imaginer qu'il s'adresse à une autre pour satisfaire des désirs qu'elle brûlait de combler. Hélas, hélas...

Étouffant de jalousie, elle gardait le regard posé sur les grandes mains calleuses. Assurément, une autre femme connaissait McKenna mieux qu'elle ; elle connaissait le poids de son grand corps sur elle, en elle ; elle avait goûté la chaleur brûlante de sa bouche, ses caresses sur sa peau. D'ailleurs, il y en avait peut-être eu plus d'une : deux? cinq? dix?

De sa main fine, Aline écarta une mèche qui lui tombait devant les yeux.

— Quand... quand as-tu fait ça pour la première fois? demanda-t-elle sans pouvoir nommer ce qu'elle désignait.

McKenna ne répondit pas tout de suite. Il semblait perdu dans la contemplation d'un scarabée qui gravissait avec effort un brin d'herbe.

— À mon avis, mieux vaut que nous évitions ce sujet.

— Je ne te reproche pas de coucher avec des filles. Je dirai même que c'est normal... Seulement... j'aurais tellement voulu être à leur place! acheva-t-elle tout à trac.

McKenna inclina la tête, le soleil fit miroiter ses beaux cheveux noirs. Il soupira, tendit le bras et remit en place cette mèche de cheveux rebelle qui retombait tout le temps sur la joue d'Aline. Du pouce, il frôla le grain de beauté au coin de sa bouche.

— Je ne pourrai jamais être à toi, murmura-t-il.

Elle secoua la tête, les yeux embués de larmes.

— McKenna, je...

— Chut! Ne dis rien, Aline.

— Qu'est-ce que cela change, que je le dise ou pas? J'ai envie de toi. J'ai envie d'être avec toi.

— Non...

— Quel effet cela te ferait-il que je couche avec un homme? questionna-t-elle sèchement. Qu'il me donne le plaisir que tu ne peux pas me fournir, qu'il me serre dans ses bras toute la nuit et...

McKenna gronda et, d'un élan souple, roula vivement sur elle, l'allongeant sous lui, sur le sol dur.

Subjuguée par sa force, Aline eut le réflexe d'écarter les jambes, sous ses jupes.

— Je le tuerais ! Je ne pourrais le supporter.

Il observa le visage en pleurs de la jeune fille, puis son regard glissa vers la gorge et vers le mouvement haletant des seins qui tendaient l'étoffe en cadence. Aline eut un sentiment de triomphe mêlé d'inquiétude quand elle vit l'étincelle du désir s'allumer dans ses yeux. Elle mesurait l'énergie qui irradiait de son corps. Il était excité : elle sentait entre ses cuisses une bosse dure, insistante.

Il ferma les yeux, pour essayer de reprendre la maîtrise de lui-même.

— Il faut que je te lâche, dit-il entre ses dents.

— Pas encore ! soupira-t-elle en se tortillant.

Elle fit basculer ses hanches pour les coller contre les siennes, et ce mouvement lui causa une sensation délicieuse au plus profond du bas-ventre.

McKenna gémit, penché au-dessus d'elle.

— Arrête !

Il y avait dans sa voix de la colère, quelque chose de contraint, et puis autre chose... qui ressemblait à de l'excitation.

De nouveau, Aline se déhancha, emportée par un étrange sentiment d'urgence. Elle avait envie de choses dont elle ignorait le nom. Elle voulait sa bouche, ses mains, son corps... elle voulait le posséder et qu'il la possédât. Elle sentait son propre corps gonflé de désir, le point sensible entre ses jambes pris d'une exquise douleur à chaque frottement contre la crête virile.

— Je t'aime, affirma-t-elle, ne sachant comment exprimer l'immensité de son désir. Je t'aimerai jusqu'au jour de ma mort. Jamais je ne désirerai un autre homme, McKenna, jamais...

Elle se tut quand il prit sa bouche dans un doux baiser. Il se lança dans une tendre exploration, fouillant de la pointe de la langue le revers délicat de ses lèvres. Vorace, elle glissa les mains sous la chemise de McKenna, grisée de sentir sous ses doigts le jeu des muscles du dos, et sa peau toute lisse. Il avait un corps dur et sculptural, des muscles ciselés sur une charpente d'acier.

Il aventurait sa langue avec une audace croissante, et elle gémit devant la subtile escalade du désir. Il l'entoura de ses bras, s'appuyant sur les coudes pour ne pas l'écraser, tout en continuant de la dévorer avec ses baisers étourdissants qui n'en finissaient pas. Il avait le souffle court et rapide, comme s'il avait couru des kilomètres. Aline pressa ses lèvres contre la gorge de son amoureux, elle y découvrit une palpitation accordée au rythme de son propre cœur. Ils savaient tous les deux que chaque moment d'intimité volé leur coûterait cher un jour, beaucoup trop cher.

Pourtant, McKenna posa la main sur les boutons fermant le devant de la robe, puis il hésita, comme saisi de remords.

— Vas-y ! haleta Aline, dont le cœur battait la chamade.

Elle lui embrassa le menton, les joues, toutes les parties du visage à sa portée. Elle trouva un point sensible dans le cou et se concentra sur cet endroit vulnérable, jusqu'à faire vibrer McKenna de la tête aux pieds.

— Continue, implora-t-elle fébrilement. Continue donc ! Personne ne nous voit ! McKenna, prends-moi, je t'en supplie ! Prends-moi !

Ces supplications eurent raison de la détermination du jeune homme, dont les doigts habiles défirent à toute vitesse la rangée de boutons. Elle ne portait pas de corset, mais une simple chemise de batiste qui épousait les formes généreuses de sa poitrine. Il écarta largement les deux pans de la robe, puis fit glisser le décolleté de la chemise vers le bas, dénudant les mamelons rose tendre de ses seins. À ce spectacle, il afficha un air à la fois absorbé et passionné qui ravit Aline. Il effleura les deux seins tour à tour en courbant joliment les doigts, le pouce passant et repassant avec délicatesse sur l'éminence des mamelons, qui se contractèrent. Puis il se pencha et se mit à dessiner du bout de la langue des cercles lents autour de la petite pointe durcie. Aline hoquetait de plaisir, ses pensées s'enflammaient tandis que McKenna attirait le sein tout entier dans sa bouche. Entre ses cuisses, elle sentait une palpitation insistante, un brasier. Avec un soupir, il appuya la joue contre la courbure admirable du sein nu.

Incapable de se maîtriser davantage, Aline glissa les doigts jusqu'à la ceinture du pantalon du jeune homme, défit les boutons de ses bretelles. Sous la peau douce comme du satin, elle sentait le relief des muscles et, plus bas que le nombril, le contact rêche de sa toison virile. Sa main chercha le premier bouton du pantalon.

— J'ai envie de te toucher, j'ai envie de te sentir, là…

— Tu es folle ! bougonna McKenna en lui saisissant les poignets pour les remonter près de sa tête.

Ses yeux pers brillaient d'un feu ardent.

— Bon sang, c'est tout juste si j'arrive à me retenir, ajouta-t-il. Si tu me touches, je ne réponds plus de rien.

Clouée sur la mousse, elle se tortillait.

— Je te veux !

McKenna se pencha pour essuyer sur sa manche son front perlé de sueur, sans lâcher les poignets de sa compagne.

— Je sais ce que tu veux, et c'est non. Il faut que tu restes vierge.

Aline se débattait comme si elle était en colère.

— Je fais ce que je veux, et au diable ce qu'en diront les gens !

— Facile à dire ! Mais je voudrais bien savoir ce que tu expliqueras à ton mari lors de ta nuit de noces, quand il s'apercevra que tu as fauté.

En l'entendant parler de « faute », Aline ébaucha un sourire malgré son égarement. La virginité... voilà tout ce que l'on attendait d'elle. Elle se détendit. Pour elle, le monde n'était qu'obscurité ; la seule lumière était ce beau visage penché sur elle.

— Mon mari, ce sera toi et personne d'autre, McKenna, promit-elle. Et si tu m'abandonnes, je demeurerai fille pour le reste de mes jours.

— Aline, je ne te quitterai que si tu me demandes de le faire.

De nouveau, sa bouche descendit vers la gorge offerte. Elle se cambra d'instinct. Elle eut un petit cri quand il reprit entre ses lèvres le mamelon épanoui. Il se mit à taquiner avec la langue le petit bouton de chair rose, il le tournait en tout sens, passait et repassait sur l'endroit sensible.

— McKenna, gronda-t-elle avec désespoir, j'ai trop envie... Je t'en supplie, fais-moi quelque chose : je le veux.

Il se laissa glisser et lui retroussa les jupes. Son membre viril tendait le tissu de son pantalon, alors qu'il s'appuyait contre la hanche d'Aline. Celle-ci mourait d'envie de le toucher, d'explorer ce corps radieux avec la même tendresse qu'il lui témoignait, mais il ne la laisserait pas faire. Il fouillait dans les jupons de mousseline et finit par trouver le cordon de sa culotte. De ses doigts lestes, il défit le nœud, puis s'arrêta pour plonger dans ses yeux mi-clos.

— Je ferais mieux d'en rester là, observa-t-il. C'est un jeu dangereux auquel nous jouons, Aline.

Il posa son front contre le sien ; leurs sueurs et leurs souffles se mêlèrent.

— Mon Dieu ! Que je t'aime, avoua-t-il d'une voix rauque.

D'instinct, elle écarta les cuisses et se recula, pour essayer d'amener les doigts de McKenna là où son désir les appelait. Avec délicatesse, il coula sa main sous le voile de coton léger. Il taquina un instant la touffe de boucles, ses doigts continuant tendrement à fouiner jusqu'à son mont de Vénus. Aline eut un haut-le-corps quand, prudemment, il écarta les doux replis. Elle brûlait à la fois de gêne et d'excitation. McKenna connaissait les secrets de la chair des femmes, il savait exactement où était l'endroit le plus sensible. Avec une légèreté inconcevable, le bout de ses doigts glissait sur la petite saillie presque douloureuse. Ses doigts rugueux frottaient les replis humides, déchaînant des sensations si exquises qu'elle poussa un cri.

— Chut ! murmura-t-il. On pourrait nous entendre.

Il continuait ses caresses circulaires autour du précieux petit bouton, tout en levant la tête pour surveiller la prairie, derrière les hautes herbes.

Aline se mordit les lèvres pour lui obéir, mais de petits gémissements sortaient de sa gorge. De la pointe du majeur, il arriva au contact de l'hymen et se mit à effleurer la fragile membrane, jusqu'à ce qu'elle s'assouplisse. La jeune fille, les yeux fermés, n'offrit nulle résistance quand McKenna, avec les genoux, lui écarta davantage les cuisses. Il glissa le doigt plus avant, et elle tressaillit de surprise. Il lui baisa le front, qui était embué de sueur.

— Chérie... je ne te ferai aucun mal.

— Je sais, c'est juste que...

Elle se contraignit à une immobilité totale, tandis qu'elle sentait le doigt expert du jeune homme se glisser encore plus profond.

— C'est... merveilleux, soupira-t-elle.

McKenna s'était à présent enfoncé de deux phalanges. Il sentait palpiter cette intimité féminine comme un petit oiseau prisonnier. Il cala la paume de sa main contre le bouton de rose frémissant.

— Oh, McKenna ! implora Aline en se cambrant.

Il glissa son bras libre en dessous du dos de sa compagne, soulevant ses seins qu'il embrassa de nouveau. Aline, envahie de sensations inconnues, gémissait. Du bout des dents, il agaça les mamelons qui devenaient de plus en plus durs et rouges.

La jeune fille ne vivait que pour ce doigt toujours plus enfoncé en elle, ce plaisir qui serpentait dans ses reins, réverbérait jusque dans son dos. Petit à petit, elle perdait conscience du réel : il n'y avait plus que ces mains, cette bouche, ce corps en équilibre sur elle. Elle imagina le membre de McKenna plongeant en elle, pour la déchirer, l'emplir. Soudain, elle fut tétanisée par des ondes de volupté, des vagues déferlantes. Il se hâta de lui masquer la bouche pour étouffer son cri. Secouée de spasmes et de sanglots, elle courut au-devant du plaisir qui la submergea comme un ouragan.

Murmurant des mots doux, McKenna ne cessa de la caresser jusqu'à ce qu'elle s'alanguisse. Puis il commença à retirer le doigt de sa cachette inondée de plaisir, mais elle posa sa main sur la sienne pour l'en empêcher.

— Viens en moi, chuchota-t-elle. Je le veux, McKenna. Prends-moi.

— Non ! rétorqua-t-il, les dents serrées.

Il se laissa rouler de côté.

— Rhabille-toi. Je ne peux te toucher davantage. Baisse tes jupes, allons !

— Mais... je te veux, implora-t-elle.

— Dépêche-toi. Je ne plaisante pas, Aline.

Elle n'osa désobéir, car le ton du jeune homme était sans réplique. Avec un gros soupir, elle remit de l'ordre dans ses vêtements. McKenna la regardait faire. Il semblait avoir recouvré son sang-froid, mais ses yeux brûlaient toujours d'une ardente passion.

Aline secoua la tête avec un sourire mélancolique.

— Personne ne me regardera jamais comme tu le fais. C'est comme si tu m'aimais de toute ton âme.

Il leva lentement le bras et remit en place sa mèche rebelle.

— Toi aussi, tu me regardes comme ça.

Elle lui prit la main, la baisa.

— Promets-moi que nous serons toujours ensemble.

Mais il garda le silence car – ils le savaient tous les deux – cette promesse-là, il n'avait pas le droit de la faire.

Aline aurait voulu se dire que ces moments de passion vécus au bord de la rivière n'avaient jamais existé. Mais c'était impossible. Dès que McKenna était à proximité, elle sentait son corps s'éveiller. De puissantes émotions jaillissaient en elle, l'atmosphère était chargée d'électricité. Elle n'osait croiser en public son regard, tant elle craignait de se trahir.

Le beau valet de pied, quant à lui, réussissait mieux à donner le change. Toutefois, malgré son flegme, quelques-uns des domestiques – dont Mme Faircloth – remarquèrent que, depuis une semaine, il était fort silencieux. Aux yeux de ceux qui le connaissaient bien, il était manifestement soucieux.

— C'est l'âge, j'imagine, confia Mme Faircloth à Salter, le maître d'hôtel. Les jeunes gens sont inconstants : rieurs un jour, rebelles le lendemain.

— Quels que soient ses états d'âme, McKenna a intérêt à faire bien son travail, répondit Salter, ou je le colle aux écuries pour le restant de ses jours.

Aline répéta cette conversation à McKenna, un après-midi qu'il faisait briller la peinture laquée d'une voiture. Il éclata de rire. Le garage était vide et silencieux; on n'entendait que les chevaux qui hennissaient et s'ébrouaient dans leurs stalles, de l'autre côté de la cour.

L'ardeur qu'il mettait à sa tâche le faisait transpirer, et sa chemise collait à son dos musclé. Ses solides épaules allaient et venaient tandis qu'il étendait la cire sur la laque noire et la frottait jusqu'à ce qu'elle brille comme un miroir. Aline s'était proposée pour l'aider, mais il avait catégoriquement refusé.

— C'est mon travail : assieds-toi là et regarde.

Aline ne s'était pas fait prier pour obéir, et mieux admirer la grâce virile de ses mouvements. McKenna exécutait sa tâche avec un soin méticuleux. On lui avait enseigné depuis l'enfance qu'un travail consciencieux donne de grandes satisfactions; comme de surcroît il manquait totalement d'ambition, il était un parfait serviteur. C'était le seul point qu'Aline lui reprochait : le fait d'accepter si facilement sa condition, d'être résigné à un sort que rien ne semblait pouvoir changer. Sans elle, songea-t-elle avec dépit, McKenna serait parfaitement heureux de son sort. En effet, la belle aristocrate était la seule chose qu'il ait voulue sans pouvoir l'obtenir. Elle se sentait bien égoïste de le garder ainsi attaché à elle, mais elle ne pouvait se résoudre à le libérer. Il lui était aussi nécessaire que l'air qu'elle respirait.

— Tu n'as pas envie de rester un domestique au bas de l'échelle toute ta vie, n'est-ce pas ? s'enquit-elle.

— Je préfère ça plutôt que travailler en livrée au manoir, rétorqua-t-il.

— Mme Faircloth estime que tu pourrais devenir premier valet de pied, et même valet de chambre.

Aline s'abstint de préciser que la gouvernante avait ajouté qu'avec son physique de dieu grec, il avait malheureusement peu de chances de le devenir. En effet, aucun maître ne supporterait d'être servi par un subalterne plus beau que lui. Un garçon du physique de McKenna était condamné à une place secondaire.

— En plus, tu serais mieux payé.

— Je n'en ai que faire, bougonna le jeune homme en appliquant une nouvelle couche de cire sur la porte du cabriolet. À quoi cela me servirait-il d'avoir plus d'argent ?

— À acheter une petite ferme, afin de pouvoir cultiver ton propre champ.

McKenna s'arrêta d'astiquer et se retourna vers la jeune fille, une lueur polissonne dans les yeux.

— Et qui vivra avec moi, dans ma petite ferme ?

Aline sourit.

— Moi, bien sûr !

Il accrocha son chiffon à la lampe de la voiture et s'approcha lentement de la jeune fille, qui frémit.

— Il faudrait d'abord que je fasse fortune. Tu coûtes cher.

— Mais je ne dépense rien ! protesta-t-elle avec indignation.

— Un seul ruban pour tes cheveux suffirait à me mettre sur la paille.

Elle grimaça.

— Peut-être, mais je te donnerais des compensations !

McKenna se pencha, la mit debout et glissa les mains autour de sa taille. Baignée par son odeur virile, Aline avait la gorge sèche. Elle sortit de sa manche un petit mouchoir brodé de roses et tamponna son front baigné de sueur.

Il lui prit des mains le morceau d'étoffe et observa la broderie de soie rose et vert.

— C'est toi qui l'as fait ? C'est mignon.

— Oui, pendant les veillées. Une dame ne doit jamais rester assise à ne rien faire.

McKenna glissa le mouchoir sous la ceinture de son pantalon et jeta un coup d'œil autour d'eux. Ils étaient seuls. Il enlaça la jeune fille et posa les mains au bas de ses reins pour l'appliquer contre lui avec une précision sensuelle.

— Et tu m'attendras tous les soirs, dans notre petite ferme ?

Elle acquiesça et se laissa aller contre lui.

— Et tu me frotteras le dos quand je rentrerai des champ, las et couvert de poussière ?

Aline l'imagina en train de se glisser dans un demi-tonneau en bois, soupirant d'aise à la chaleur de l'eau, son dos bronzé brillant à la lueur du foyer.

— Oui, soupira-t-elle. Et pendant que tu te délasseras, je pendrai la marmite à la crémaillère. Je te raconterai comment je me suis chamaillée avec le meunier parce qu'il m'a volé de la farine, avec sa balance truquée.

McKenna eut un petit rire, tandis qu'il effleurait sa gorge du bout des doigts.

— Le scélérat ! Attends un peu qu'il fasse jour : j'irai le trouver pour lui apprendre à rouler ma femme… En attendant, au lit. J'ai envie de te serrer contre moi toute la nuit.

La perspective de partager un lit douillet, nus l'un contre l'autre, faisait vibrer Aline.

— Tu tomberas endormi comme une souche, à peine la tête sur l'oreiller ! Les travaux des champs, ça fatigue.

— Je ne serai jamais trop fatigué pour t'aimer ! jura-t-il en se penchant pour lui frôler la joue de ses lèvres de velours. Je t'embrasserai partout, de la tête aux orteils. Et je m'arrêterai seulement quand tu me supplieras de te prendre. Alors je te comblerai jusqu'à ce que tu sois saturée de plaisir, alanguie entre mes bras.

Aline glissa les doigts derrière sa nuque musclée pour l'attirer contre elle. Les lèvres de McKenna se collèrent aux siennes. La vie qu'ils venaient d'évoquer, elle en mourait d'envie. Elle la préférait mille fois à l'avenir doré qui lui était destiné. Hélas, cette vie-là était promise à une autre, une femme qui partagerait ses journées et ses nuits.

— McKenna, gémit-elle en s'arrachant à son baiser, promets-moi…

— Demande ce que tu veux, je promettrai.

— Si tu en épouses une autre, promets-moi de toujours m'aimer, moi.

— Petite égoïste chérie, murmura-t-il avec tendresse. Mon cœur est à toi pour toujours.

— Tu m'en veux pour cela ?

Il soupira.

— Je devrais. Si tu n'existais pas, j'aurais pu me contenter d'une vie ordinaire. Avec une fille ordinaire.

— Pardon ! s'exclama-t-elle en l'étreignant avec fougue.

— Es-tu si contrite ?

— Non, reconnut-elle en riant.

Amusé, McKenna l'embrassa. Sa bouche était ferme, exigeante. Aline en avait des faiblesses dans les genoux. Elle s'accrocha à lui, sans laisser un millimètre d'espace entre eux. Il la tenait presque soulevée de terre, coincée entre ses cuisses, sa grande main sur sa nuque. La pression de ses lèvres changea quand il se mit à jouer de sa langue.

Brusquement, elle eut la déception de le sentir s'écarter d'un coup.

— Qu'est-ce qu'il y a ? demanda-t-elle, étourdie.

Il la fit taire en lui posant l'index sur les lèvres. Il observait la porte du garage.

— J'ai cru entendre quelque chose.

Inquiète, elle le vit gagner la grande porte voûtée, sans faire le moindre bruit. Il étudia la cour : elle était vide. Il haussa les épaules et revint vers Aline.

Celle-ci l'enlaça sans hésiter.

— Encore !

— Non, répliqua-t-il avec un sourire. Rentre à la maison. Je ne peux pas travailler si tu es là.

— Je me tiendrai tranquille, promit-elle avec une moue coquine. Tu ne t'apercevras même pas de ma présence.

— Oh, que si ! rétorqua-t-il en baissant le regard sur le témoignage encombrant de son émoi. Et c'est difficile de travailler dans un état pareil.

— Je pourrais arranger ça, roucoula-t-elle en posant une main audacieuse sur son érection. Il suffit que tu m'expliques comment faire…

Avec un rire gêné, McKenna l'embrassa brièvement sur les lèvres et s'écarta.

— Je t'ai déjà dit comment faire : tu rentres à la maison !

— Tu grimperas à mon balcon, ce soir ?

— Peut-être.

Elle lui lança un dernier regard complice. McKenna lui sourit et retourna à sa tâche.

Tous deux étaient conscients de la nécessité d'être prudents mais, à toute occasion, ils filaient à leurs rendez-vous : dans les bois, au bord de la rivière ou sur son balcon, le soir. McKenna refusait obstinément de franchir le seuil de la chambre d'Aline. Il lui avait déjà dit que, s'il se trouvait avec elle à proximité d'un lit, il ne répondait plus de rien. Il avait appris, bien plus qu'Aline, l'art de maîtriser ses élans. Mais elle se rendait compte des efforts que cela lui coûtait, et à quel point le désir le brûlait lui aussi.

Deux fois encore, il la conduisit au sommet du plaisir à force de baisers, d'étreintes et de caresses jusqu'à ce que, comblée, elle s'abandonne.

Un beau jour, presque au coucher du soleil, alors qu'ils étaient étendus près de la rivière, il l'autorisa enfin à le satisfaire. Cette scène resterait pour elle le souvenir le plus érotique de sa vie : McKenna haletant, gémissant son nom, son membre viril doux comme la soie sous sa caresse ; son corps d'athlète sans défense, soumis à ses mains encore peu expertes. Aline goûta l'orgasme de son ami encore plus que le sien : elle était fière d'avoir pu l'entraîner jusqu'à l'extase.

Si ces jours avaient été paradisiaques, ils étaient néanmoins comptés. Aline savait que cette liaison ne pouvait durer ainsi.

Ce qu'elle n'avait pas prévu, c'est la façon brutale dont elle allait s'achever…

Un soir après dîner, son père la convoqua dans son bureau, ce qu'il n'avait jamais fait auparavant. En effet, le comte n'avait pas de raison de converser en particulier avec Aline, ni avec sa sœur Livia. Il n'accordait son attention qu'à Marcus, son fils. Les deux filles n'enviaient d'ailleurs pas leur frère aîné pour ce privilège. En effet, le comte était maladivement exigeant : il demandait la perfection en tout, et préférait se servir du bâton plutôt que de la carotte. Le plus étrange était que Marcus, malgré la violence des châtiments qu'il subissait, restait un brave garçon au naturel heureux. Aline espérait qu'il ne ressemblerait jamais à leur père.

En se rendant à cette convocation, elle n'avait donc pas de doute quant au sujet qui allait être abordé : le comte était au courant de sa liaison avec McKenna. Pour tout autre motif, il serait passé par l'entremise de sa femme ou de Mme Faircloth. Le fait qu'il se donne la peine de parler directement avec Aline prouvait qu'il s'agissait d'une affaire d'importance. Fébrilement, elle essayait de prévoir la façon dont elle allait réagir, afin de protéger au mieux McKenna. Elle était prête à faire et à promettre n'importe quoi pour le soustraire à la colère du comte.

Elle entra dans l'imposante pièce lambrissée, occupée par un énorme bureau d'acajou où se traitaient la majorité des affaires du domaine. Une lampe brûlait à l'intérieur. Elle trouva son père debout à côté du bureau. Le comte n'était pas beau :

il avait un visage large et dur, comme si la nature s'était arrêtée à l'ébauche, sans poursuivre son œuvre dans les détails. S'il avait eu la moindre trace de chaleur ou d'esprit, ou le moindre soupçon de gentillesse, on aurait pu lui trouver une sorte de rudesse non dépourvue d'attrait. Hélas, il était radicalement privé de sens de l'humour. Il ne prenait plaisir à rien, surtout pas à sa famille, laquelle ne représentait pour lui qu'une somme de fardeaux astreignants. Les seuls témoignages de satisfaction qu'il eût jamais adressés à Aline – non sans réticence, d'ailleurs – concernaient sa beauté physique, dont ses amis lui faisaient souvent compliment. Quant aux pensées de sa fille, son caractère, ses espoirs ou ses craintes, il n'en connaissait rien et ne s'en souciait pas davantage. Pour lui, elle n'était destinée qu'à faire un beau mariage.

La jeune fille se demanda comment elle pouvait éprouver si peu de sentiments envers son géniteur. L'un des nombreux liens qui l'attachaient à McKenna était le fait que ni lui ni elle ne savaient ce qu'était l'amour d'une mère ou d'un père. Seule Mme Faircloth leur avait laissé entrevoir ce que pourrait être l'affection de parents attentifs.

Elle lut dans les yeux de son père rien de moins que de la haine, la même qu'il affichait vis-à-vis de cette pauvre Livia, dont le seul péché était d'avoir été engendrée par l'un des amants de la comtesse.

— Vous m'avez fait demander, père ? murmura-t-elle d'une voix blanche.

La lumière de la lampe jetait des ombres cruelles sur le profil du comte de Westcliff, qui lui lança un regard glacial.

— Jamais, jusqu'à ce jour, je n'avais mesuré à quel point les filles sont une malédiction pour leur père.

Aline feignit de ne pas comprendre.

— On t'a vue avec le garçon d'écurie, poursuivit le comte. Vous vous embrassiez, vous vous enlaciez...

Il eut un rictus hideux, et fit un effort pour reprendre contenance.

— Ainsi, tu as hérité du tempérament de ta mère. Comme elle, tu as une inclination pour les hommes du peuple. Elle, au moins, a assez de goût pour s'offrir des valets de pied, mais toi, tu n'as rien trouvé de mieux qu'un rebut d'écurie.

Aline blêmit sous l'insulte. Elle aurait voulu frapper ce visage détestable, le faire souffrir jusqu'au tréfonds de son âme – s'il en avait une. Elle fixa un angle du lambris et resta de marbre, sursautant à peine lorsqu'il la saisit brutalement par la mâchoire.

— T'a-t-il déflorée ? beugla-t-il.

Elle croisa son regard.

— Non.

Il ne la croyait pas. Il la serra plus fort.

— Si je fais venir un médecin pour t'examiner, il le confirmera ?

— Oui, grinça-t-elle. Mais s'il n'avait tenu qu'à moi, cela ferait belle lurette que je ne serais plus vierge. Je me suis offerte tout entière à McKenna : mon seul regret, c'est qu'il n'a pas voulu me prendre.

Avec un grognement furieux, son père la gifla violemment. Presque assommée, elle posa la main sur sa joue et le regarda avec stupéfaction.

Le spectacle de sa douleur calma vaguement le comte. Il poussa un soupir exaspéré, gagna son siège et s'y assit avec une élégance hautaine. Il la toisa de ses yeux noirs.

— Ce garçon quittera le domaine dès demain. Tu veilleras à ce qu'il n'ose plus jamais t'approcher. S'il le faisait, je mettrais tout mon pouvoir en jeu pour gâcher complètement son existence. Tu sais que j'en ai les moyens. Où qu'il aille, il sera débusqué. Mon plaisir sera de m'assurer qu'il finisse dans la misère et dans les pires souffrances. C'est ce qu'il mérite, pour avoir souillé la fille du comte de Marsden.

Jusque-là, Aline n'avait pas mesuré à quel point, aux yeux de son père, elle faisait tout bonnement partie de ses biens : au moment de le vendre, on ne demande pas à un cheval s'il éprouve des sentiments. Elle le savait capable d'écraser McKenna sous sa botte comme une misérable souris. Il fallait qu'elle empêche cela. Elle devait pourvoir aux besoins de son amoureux, et le protéger. Elle ne pouvait tolérer qu'il fût puni pour la seule raison de l'avoir aimée.

La peur au ventre, elle répondit d'une voix brisée :

— McKenna ne reviendra pas s'il pense que je veux qu'il parte.

— Eh bien, à toi de le convaincre !

— Je veux pour lui une situation. Une solution décente : un apprentissage qui lui permette de vraiment s'en sortir.

Le comte était stupéfait devant une telle audace.

— Qu'est-ce qui te donne la témérité de croire que je ferais cela pour lui ?

— Je suis encore vierge, insista-t-elle avec douceur. Pour le moment !

Il y eut quelques instants de silence glacial.

— Je vois, murmura-t-il. Si je te suis bien, tu es disposée à forniquer avec le premier porcher venu si je ne cède pas à ton chantage ?

— Exactement !

Aline n'avait nul besoin de jouer la comédie pour tenir ce rôle, car elle était sincère. Une fois

McKenna parti, plus rien ne compterait pour elle, même son propre corps.

L'audace de sa fille irritait le comte, mais éveillait aussi en lui un certain intérêt.

— On dirait que tu as hérité de quelque chose de mon tempérament... commenta-t-il. Bon, nous caserons quelque part ce jeune insolent. Mais tu feras en sorte que Stony Cross soit débarrassé de lui pour de bon.

— Vous me donnez votre parole ? s'enquit-elle, les poings serrés.

— Oui.

— Eh bien, je vous donne la mienne en échange.

Il eut un rictus méprisant.

— Je n'ai que faire de ta parole, ma fille. L'expérience m'a enseigné que l'honneur d'une femme ne vaut pas plus que de la boue.

Comme cette amabilité n'appelait pas de réponse, Aline resta silencieuse, raide comme la justice, jusqu'à ce qu'il lui intime sèchement l'ordre de partir.

Désorientée, elle regagna sa chambre pour y attendre McKenna. Un tumulte de pensées se bousculait dans son esprit. Une chose était sûre : rien au monde ne pourrait éloigner McKenna d'elle, tant qu'il croirait qu'elle l'aimait.

3

La journée avait été longue pour McKenna ; avec les jardiniers, il avait construit un mur autour du verger. Il avait passé des heures à soulever de lourdes pierres, il en tremblait de fatigue. Avec un sourire triste, il se dit que, pendant un jour ou deux, Aline ne pourrait pas tirer grand-chose de lui : il était trop courbatu. Peut-être le laisserait-elle poser la tête sur ses genoux et s'assoupirait-il quelques minutes, bercé par son parfum. Dormir avec ses blanches mains qui lui caresseraient les cheveux… Que cette perspective était douce !

Mais, avant d'aller la retrouver, il lui fallait voir Mme Faircloth qui l'avait fait appeler. Il prit son bain dans la vieille baignoire de fer dont se servaient tous les hommes de la domesticité, puis passa à la cuisine, les cheveux encore mouillés. Sa peau gardait l'odeur âcre du savon dont on se sert pour laver le sol et faire la lessive – les serviteurs avaient le droit de s'en servir pour leur toilette.

— On m'a dit que vous vouliez me voir, lança-t-il sans préambule.

Il fut frappé par l'air consterné de la gouvernante.

— Lord Westcliff te demande, annonça-t-elle.

Brusquement, il eut l'impression que la cuisine perdait sa chaleur familière.

— Pourquoi ? s'enquit-il prudemment.

Mme Faircloth secoua sa chevelure poivre et sel, dont quelques mèches lui collaient aux joues.

— Je t'assure que je n'en sais rien, et Salter non plus. Tu as fait des bêtises, McKenna ?

— Moi ? Non !

— Pour moi, tu as fait ton travail, aussi bien qu'on peut l'attendre d'un garçon de ton âge. Peut-être le comte veut-il te féliciter ou te confier quelque tâche particulière.

Mais c'était peu probable, ils le savaient tous les deux. Jamais le comte ne convoquait un domestique pour ce genre de motif. C'était au maître d'hôtel qu'il revenait de distribuer blâmes et éloges, et d'attribuer des responsabilités nouvelles.

— Va mettre ta livrée, lui conseilla Mme Faircloth. Pas question de comparaître devant le maître en tenue ordinaire. Et dépêche-toi : un comte n'attend pas.

— Bon Dieu... bougonna McKenna qui détestait se mettre en livrée.

La gouvernante brandit sa cuillère en bois d'un air faussement menaçant.

— Un juron de plus en ma présence, et je te tape.

— Bien, madame ! répondit le jeune homme en feignant la soumission.

La brave femme pouffa et lui tapota la joue.

— Allez, sauve-toi ! Quand tu reviendras de chez le comte, viens prendre du pain frais et de la confiture.

McKenna s'éloigna docilement, mais il n'avait pas le cœur à rire. Cette convocation ne lui disait rien qui vaille. La seule raison pour laquelle le comte pouvait souhaiter le voir, c'était sa relation avec Aline. Allait-il être chassé du domaine ? Le fait de rester des jours, des semaines ou des mois sans voir la jeune fille lui paraissait impensable...

Il enfila rapidement sa livrée de velours à galons dorés, ses bas blancs et ses chaussures noires bien cirées. Puis il se dirigea vers le bureau où l'attendait lord Westcliff. Il régnait dans la maison un silence menaçant, celui qui précède les exécutions. Il frappa respectueusement avec deux doigts, comme Salter lui avait appris à le faire.

— Entrez, dit le maître.

McKenna, très ému, était au bord du malaise. Il entra, referma et demeura à un pas de la porte. La pièce était sombre, lambrissée de bois de cerisier. Le mur le plus long était percé de fenêtres à vitraux. L'ameublement se composait de quelques chaises en bois et des rayons de la bibliothèque, outre le grand bureau derrière lequel trônait lord Westcliff.

Obéissant au geste bref du comte, McKenna s'avança dans la pièce jusqu'au bureau.

— Milord ? demanda-t-il humblement, attendant que la hache tombe.

Le seigneur le toisa d'un regard mauvais.

— J'ai réfléchi à ton sort.

— Mon sort, monsieur ?

McKenna croisa une seconde son regard dur, puis détourna les yeux. Un domestique ne soutient pas le regard de son maître : ce serait une impardonnable insolence.

— On n'a plus besoin de toi à Stony Cross Park, poursuivit le comte d'un ton cinglant. Tu es congédié. Je me suis occupé de te trouver autre chose.

Assommé, le jeune homme acquiesça vaguement de la tête.

— Je connais un chantier naval à Bristol. Le propriétaire, M. Ilbery, accepte de te prendre en apprentissage. C'est un homme d'honneur : il sera exigeant, mais juste…

Westcliff continua, mais McKenna l'entendait à peine. Bristol… Un important port de commerce dont il ne connaissait rien, sauf que la région était vallonnée et qu'il y avait beaucoup de charbon. Heureusement, ce n'était pas bien loin.

— Tu ne reviendras pas à Stony Cross, décréta le comte. Tu es désormais indésirable ici, pour des raisons sur lesquelles je ne m'étendrai pas. Si, d'aventure, tu osais transgresser cette interdiction, tu le regretterais de la façon la plus cuisante.

McKenna ne s'était jamais senti aussi misérable. Un serviteur devait avoir l'habitude d'être à la merci de son maître mais, pour la première fois de sa vie, il en souffrait. *Aline*…

— Tu pars ce soir, poursuivit Westcliff. Les Farnham ont des denrées à vendre au marché de Bristol : ils te prendront sur leur charrette. Va chercher tes affaires et emporte-les au village, chez les Farnham. C'est de là que tu partiras.

Le comte ouvrit un tiroir de son bureau, en sortit une pièce qu'il jeta à McKenna. Celui-ci l'attrapa au vol. C'était une couronne, l'équivalent de cinq shillings.

— Ta paie du mois, bien que tu n'aies pas fait tes quatre semaines. Que nul ne dise que je suis pingre !

— Non, milord… souffla McKenna.

Entre cette pièce et les économies qu'il avait dans sa chambre, il possédait près de deux livres. Il allait falloir les faire durer, car le début de son apprentissage ne serait probablement pas rémunéré.

— Tu peux disposer. Laisse ta livrée dans ta chambre, tu n'en as plus besoin.

Le comte se plongea dans ses papiers, comme si son interlocuteur n'existait plus.

— Bien, milord.

McKenna sortit de la pièce, en proie à la plus grande confusion. Pourquoi Westcliff n'avait-il pas posé de questions ? Pourquoi n'avait-il pas cherché à savoir jusqu'où leur liaison était allée ? Peut-être ne voulait-il pas le savoir. Il avait sans doute estimé qu'Aline l'avait pris comme amant. En serait-elle châtiée ?

Il ne serait pas là pour le savoir. Il ne pouvait ni la protéger ni la consoler... Il allait disparaître de la vie de la jeune fille.

Mais une chose était sûre : il devait la revoir.

Aline crut défaillir en entendant le bruit qu'elle guettait : le raclement discret de McKenna grimpant sur le balcon de sa chambre. Éperdue, elle serra le poing contre son ventre. Elle savait ce qu'elle avait à faire. Elle savait que, même sans l'intervention paternelle, sa liaison avec McKenna ne pouvait aboutir qu'à leur malheur à tous les deux. Mieux valait pour le jeune homme repartir de zéro, sans lien avec quiconque appartenant à son passé. Il trouverait quelqu'un d'autre, quelqu'un qu'il aurait la liberté d'aimer. Les candidates ne manqueraient pas pour un garçon comme lui.

Aline aurait tant voulu avoir une autre façon de le libérer, une façon moins douloureuse pour elle comme pour lui.

Elle reconnut sur le balcon sa grande silhouette à travers les rideaux de dentelle. La porte-fenêtre était entrouverte... Il frappa doucement du bout du pied, comme d'habitude, car il ne franchissait jamais le seuil. Avec précaution, elle alluma une bougie sur la table de chevet et vit sa propre image se refléter dans les carreaux, superposée à la forme sombre du jeune homme. Puis la porte-fenêtre s'ouvrit un peu plus et l'image disparut.

Elle s'assit sur le coin de son lit le plus proche du balcon, car elle n'osait approcher davantage de son amoureux.

— Tu as parlé avec le comte, dit-elle d'une voix blanche.

McKenna ne bougeait pas : lui non plus n'osait approcher. Les autres soirs, elle aurait déjà été dans ses bras.

— Il m'a dit…

— Oui, je sais, coupa doucement Aline. Tu quittes Stony Cross Park, définitivement.

Il acquiesça.

— J'ai envie de te serrer dans mes bras, chuchota-t-il en avançant dans la pièce, chose qu'il n'avait jamais faite.

Elle l'arrêta d'un geste de la main.

— Non ! C'est fini, McKenna. Dis-moi au revoir et va-t'en.

— Je me débrouillerai pour revenir. Je ferai tout ce que tu me demandes…

— Ce serait une erreur. Je… commença-t-elle d'une voix étranglée. Je ne veux pas que tu reviennes. Je ne veux plus te revoir.

Stupéfait, McKenna recula d'un pas.

— Ne dis pas ça. Où que j'aille, je t'aimerai toujours. Dis-moi, Aline, que tu éprouves les mêmes sentiments. Par le Ciel, je ne saurais vivre sans une lueur d'espoir !

C'est justement cet espoir qui aurait fini par le jeter dans le malheur. Tant qu'il aurait de l'espoir, il reviendrait vers elle, et alors, le père d'Aline le détruirait. Le seul moyen de sauver McKenna, c'était de l'écarter pour toujours... de briser la confiance qu'il avait dans leur amour. Si elle ne se montrait pas convaincante, nulle force humaine ne parviendrait à le garder à distance.

— J'ai présenté mes excuses à mon père, naturellement. Je lui ai demandé de te mettre à la porte, afin de m'éviter une scène pénible de rupture. Il s'est fâché, il m'a dit que j'aurais pu prendre autre chose qu'un palefrenier. Il a raison. La prochaine fois, je me montrerai plus avisée.

— La prochaine fois ? répéta McKenna, hébété.

— Tu m'as amusée un moment, mais maintenant je suis lasse de toi. Évidemment, nous pourrions nous quitter bons amis, mais... tu n'es qu'un domestique, après tout. Donc, que les choses soient nettes : mieux vaut que tu partes tout de suite, autrement je serais obligée de dire des choses désagréables, pour toi comme pour moi. Va-t'en, McKenna. Je ne veux plus de toi.

— Aline ! Mais... tu m'aimes ?

— J'ai joué avec toi. J'ai appris ce que je devais savoir. Maintenant, il faut que j'applique tout cela avec un *gentleman*.

McKenna garda le silence. Il l'observait avec le regard d'un animal blessé à mort. Aline, désespérée, se demanda combien de temps elle parviendrait à rester convaincante avant de s'effondrer.

— Comment pourrais-je aimer quelqu'un de ton engeance ? Tu es un bâtard, McKenna... Tu n'as ni famille ni patrimoine... Qu'as-tu de plus que le premier paysan venu ? Pars !

Elle avait les mains si crispées que ses ongles lui rentraient dans la chair.

— Va-t'en !

Le silence s'éternisa. Aline ferma les yeux et attendit en tremblant. Elle implora Dieu que McKenna ne l'approche pas. S'il l'effleurait, s'il disait un seul mot, elle éclaterait en sanglots. Elle inspira et expira profondément pour que son cœur continue à battre.

Au bout d'un moment, elle rouvrit les yeux : il n'y avait plus personne sur le seuil.

Il était parti.

Elle se leva, s'avança jusqu'à la table de toilette et passa les bras autour de la cuvette de porcelaine. Elle fut prise de nausée et se vida à longs hoquets, jusqu'à ce que ses genoux se dérobent sous elle. Elle sortit en chancelant sur la terrasse et s'agrippa à la balustrade de fer forgé.

Elle vit de loin McKenna s'éloigner dans l'allée conduisant à la route du village. Il marchait la tête penchée, sans un regard en arrière.

Aline savait qu'elle ne le reverrait pas.

— McKenna ! soupira-t-elle.

Elle le suivit des yeux jusqu'à ce qu'il disparaisse. Alors, elle enfouit le visage au creux de son coude et pleura toutes les larmes de son corps.

4

Mme Faircloth se présenta à la porte de l'antichambre d'Aline. C'était une pièce minuscule provenant d'un château du début du XVIIe siècle. Le comte et la comtesse avaient déniché ce « cabinet » lors d'un voyage à l'étranger. Il s'agissait d'une petite pièce voûtée, qu'ils avaient fait démonter et mettre en caisses, avec ses lambris, ses fresques, sa voûte et son sol ; et ils l'avaient fait reconstruire intégralement à Stony Cross Park. Ce genre de cabinet était rare en Angleterre, mais assez répandu en France. Les aristocrates s'en servaient pour rêver, écrire ou deviser avec leurs amis.

Aline était effondrée sur une chaise dans un coin, le regard perdu dans le vague, à travers les vitres. Les trois rebords sous la fenêtre étaient couverts de menus objets : un cheval de plomb peint de couleurs vives, quelques petits soldats dont un manchot, le bouton de bois d'une chemise d'homme bon marché, un canif dont le manche était taillé dans une corne de cerf. Autant de souvenirs de McKenna, recueillis au fil du temps. Elle tenait dans les mains un opuscule de comptines, le genre de petit livre dont on se sert pour apprendre aux enfants les règles de la grammaire et de l'orthographe.

Mme Faircloth se souvint : elle avait vu plus d'une fois Aline et McKenna travailler ensemble sur cet ouvrage, leurs deux têtes penchées de façon studieuse, tandis que la jeune fille s'appliquait à lui transmettre son savoir. McKenna n'écoutait que d'une oreille : il aurait cent fois préféré galoper dans les bois comme un petit sauvage.

La gouvernante posa sur les genoux d'Aline un plateau, avec une assiette de soupe et un toast.

— Mange quelque chose, il est l'heure, ordonna-t-elle en cachant son inquiétude sous un ton rogue.

Cela faisait un mois que McKenna était parti et la jeune fille ne mangeait plus, ne dormait plus. Brisée, elle passait ses journées dans la solitude. Quand elle était obligée de dîner avec la famille, elle touchait à peine à son assiette et gardait le silence. Le comte et la comtesse avaient décidé de ne pas prêter attention à ce caprice. Mme Faircloth en revanche s'inquiétait, car elle connaissait les liens profonds unissant Aline et McKenna. Elle essayait de faire sortir sa jeune maîtresse de son mutisme. Les deux jeunes gens n'étaient encore que des enfants, se disait-elle, la vie reprendrait le dessus. Et pourtant... la perte de McKenna avait ébranlé la raison d'Aline.

— À moi aussi, il me manque, confia la gouvernante, la gorge serrée. Il faut que tu penses à ce qui est le meilleur pour lui, et non pour toi. Cela ne sert à rien de te laisser tomber en morceaux comme tu le fais. Tu es pâle, tu maigris, tes cheveux sont rêches comme une queue de cheval. Qu'est-ce qu'il dirait, McKenna, s'il te voyait ainsi ?

— Il dirait que j'ai ma récompense, après tant de cruauté, répondit Aline d'une voix atone.

— Un jour, il comprendra. Il réfléchira, il saura que tu as agi pour son bien.

— Tu crois ? demanda la jeune fille sans le moindre intérêt.

— Mais bien sûr !

— Eh bien, pas moi, rétorqua Aline en prenant de ses doigts effilés le petit cheval de plomb. Je crois qu'il va me haïr pour le restant de ses jours.

La gouvernante était perplexe : si on ne faisait rien pour sortir sa maîtresse de son chagrin, elle risquait d'y perdre la santé.

— Il faut que je te dise... Il m'a écrit, annonça-t-elle, alors qu'elle s'était pourtant juré de ne pas le divulguer.

En effet, il était impossible de prévoir la réaction d'Aline. En outre, si le comte apprenait que Mme Faircloth avait montré la missive à sa fille, il y aurait un nouveau poste à pourvoir à Stony Cross Park : celui de gouvernante.

Une lueur passa dans les yeux d'Aline.

— Quand ?

— J'ai reçu la lettre ce matin.

— Qu'écrit-il ? Comment va-t-il ?

— Je ne l'ai pas encore lue. Tu sais, mes yeux... Il me faut un bon éclairage... et je ne sais pas ce que j'ai fait de mes lunettes...

Aline écarta brusquement le plateau et se leva.

— Où est-elle, cette lettre ? Montre-la-moi tout de suite ! Oh, pourquoi as-tu attendu si longtemps pour me le dire ?

Mme Faircloth tressaillit en voyant une rougeur fébrile monter au visage de sa jeune maîtresse. Elle essaya de la calmer.

— La lettre est dans ma chambre, et tu ne l'auras pas avant d'avoir fini ton plateau. À ma connaissance, tu n'as rien mangé depuis hier : tu risques de tomber évanouie avant d'arriver en haut de l'escalier.

— Par tous les saints du ciel, ai-je le cœur à manger ?

Mme Faircloth ne bougea pas d'un pouce, et Aline comprit qu'elle n'aurait pas le dernier mot. Elle rafla le toast et mordit dedans.

— Très bien. Viens me trouver quand tu auras fini, je serai aux cuisines. Nous monterons prendre la lettre dans ma chambre.

Aline mangea si vite le toast qu'elle faillit s'étouffer. Pour la soupe, ce fut plus compliqué : elle tremblait tant que le liquide retombait dans l'assiette au lieu de parvenir à ses lèvres. Les pensées s'entrechoquaient dans son esprit. Elle savait que, dans la lettre de McKenna, elle ne trouverait ni pardon ni compréhension : il ne citerait probablement même pas son nom. Tant pis ! Tout ce qu'elle voulait, c'était la preuve qu'il allait bien. Mon Dieu, comme elle brûlait d'avoir de ses nouvelles !

Quand elle en eut fini avec la cuillère, elle la jeta dans un coin de la pièce et se chaussa brusquement. Quelle sottise de ne pas avoir demandé plus tôt à Mme Faircloth de commencer une correspondance avec McKenna ! Aline n'avait pas le droit de communiquer directement avec lui, mais elle pouvait conserver un lien par l'intermédiaire de la gouvernante. Cette pensée la réchauffa un peu et l'extirpa, pour la première fois depuis des semaines, de son détachement désespéré. Il lui fallait cette lettre, il lui fallait voir sur le parchemin les signes tracés de la main de McKenna…

Elle sortit de sa chambre en coup de vent.

Son arrivée dans la cuisine fit sensation, car elle était rouge comme une pivoine. Soubrettes et marmitons ne l'avaient jamais vue dans cet état. Surexcitée, elle fit le tour de l'énorme table en bois pour rejoindre Mme Faircloth, qui se trouvait avec la cuisinière à côté du fourneau en brique, au-dessus de l'âtre. Cela sentait la friture, Aline en avait la nausée. Elle avala tant bien que mal sa salive et piqua droit sur la gouvernante, qui dressait une liste avec la cuisinière.

— La lettre ! chuchota-t-elle à l'oreille de Mme Faircloth.

— Oui. J'arrive, milady.

Aline eut un soupir d'impatience. Elle se tourna vers le fourneau : une jeune servante s'occupait du poisson ; en retournant chaque morceau, elle envoyait une gerbe d'huile brûlante sur la réserve de charbon, dans le panier à côté. Alarmée par la maladresse de la petite, Aline donna un coup de coude à la gouvernante.

— Madame Faircloth !

— Oui, oui, nous avons presque fini.

— Bien sûr, mais le fourneau...

— Encore un mot avec la cuisinière, milady.

— Madame Faircloth, j'ai l'impression que les éclaboussures...

Aline fut interrompue par une puissante vague de chaleur et le rugissement du feu : le panier de charbon imbibé d'huile venait de s'embraser. Une gerbe de flammes jaillit jusqu'au plafond, et se communiqua à la grande poêle à frire. Tout le fourneau s'embrasa. Étourdie par le choc, Aline reçut de plein fouet la jeune servante qui tombait à la renverse. Elle sentit l'air se bloquer dans ses poumons quand son dos heurta violemment le coin de la lourde table.

Le souffle coupé, c'est à peine si elle entendait les couinements terrorisés de la servante, et les cris aigus de Mme Faircloth : il fallait éteindre l'incendie.

Aline se tourna pour échapper à la chaleur et à la fumée. Elle était cernée par le feu. Brusquement, elle sentit qu'elle était en train de brûler vive. La panique la gagna, ses vêtements étaient en feu ! D'instinct, elle se mit à courir, mais les flammes la dévoraient.

Elle entrevit le visage horrifié de Mme Faircloth, puis quelqu'un la plaqua brutalement au sol. C'était un homme, qui prononça un juron sonore. Elle encaissa des coups violents et répétés sur les jambes et tout le corps, tandis que son sauveur éteignait les flammes.

Aline essaya de se dégager, cria, puis le souffle lui manqua et elle sombra dans l'inconscience.

5

Douze ans plus tard

— J'ai l'impression que les Américains sont là, observa Aline d'un ton sec.

Elle rentrait au manoir avec sa sœur Livia, après une promenade matinale. Elle s'arrêta un instant pour regarder les quatre superbes voitures immobilisées devant la façade ocre du manoir. Les domestiques se bousculaient dans la cour d'honneur. Les invités étaient venus avec force bagages, pour leur séjour d'un mois à Stony Cross Park.

Livia, debout près d'Aline, était une séduisante jeune femme de vingt-quatre ans, aux cheveux châtain clair. Elle était mince et de taille moyenne, avec des façons enjouées. Au premier abord, elle semblait parfaitement insouciante, mais en la regardant bien on décelait dans ses yeux une maturité peu ordinaire : elle avait sans doute payé au prix fort les rares moments de bonheur qu'elle avait connus.

— Quels benêts ! On leur avait bien dit de ne pas venir si tôt, non ?

— On ne le dirait pas.

— Quel tralala ! murmura Livia en remarquant les moulures dorées et les peintures sur les voitures.

— Quand les Américains ont de l'argent, ils tiennent à ce que cela se voie.

Les deux sœurs éclatèrent d'un rire complice. Ce n'était pas la première fois que leur frère Marcus – désormais comte de Westcliff – invitait des Américains à ses célèbres chasses à courre. Dans le Hampshire, c'est toujours la saison de quelque chose : le coq de bruyère en août, la perdrix en septembre, le faisan en octobre, le freux au printemps et en automne, et le lapin toute l'année. Les chasses à courre traditionnelles avaient lieu deux fois par semaine ; parfois, les dames suivaient à cheval. C'est en ces occasions que se discutaient toute sorte d'affaires. Les négociations duraient parfois des semaines entières, entre hommes politiques influents et personnalités de haute fortune. Marcus parvenait à convaincre tel ou tel de se ranger à ses vues sur une question cruciale, ou de prendre des accords financiers allant dans le sens de ses intérêts.

Les Américains en visite à Stony Cross étaient en général des *nouveaux riches*[1], rustres de tout poil ayant fait fortune dans l'affrètement, l'immobilier ou l'industrie, par exemple en fabriquant des copeaux de savon ou des rouleaux de papier. Aline les avait toujours trouvés plutôt sympathiques. Elle aimait leur bonne humeur, et leur désir de se faire accepter la touchait. Ils portaient des vêtements démodés d'une saison ou deux, pour ne pas avoir l'air de dandys.

À table, ils étaient toujours inquiets, soit qu'on les fasse asseoir aux places d'honneur près du maître de

---

1. En français dans le texte (*N.d.T.*).

maison, soit en bout de table, plus loin que la salière. En général, ils se souciaient beaucoup de qualité : ils préféraient les porcelaines de Sèvres, les sculptures italiennes, les vins français… et la noblesse anglaise. Les Américains étaient friands de mariages transatlantiques, et n'hésitaient guère à utiliser leurs fortunes pour s'allier au sang bleu de l'aristocratie. Et aucun sang bleu n'était plus recherché que celui des Marsden, une des plus vieilles familles parmi les pairs du royaume.

Livia aimait plaisanter à propos de leur arbre généalogique, affirmant que ses illustres ancêtres pouvaient donner à une jeune femme impossible à caser – comme elle-même – un charme irrésistible aux yeux d'un Américain.

— Comme aucun Anglais qui se respecte ne veut de moi, je ferais mieux d'épouser un riche Yankee et de le suivre de l'autre côté de l'Atlantique.

Aline serrait alors sa sœur dans ses bras.

— Tu n'oseras jamais : tu me manquerais trop.

— Nous faisons vraiment la paire ! répondait Livia en riant de bon cœur. Nous finirons toutes les deux vieilles filles, avec un élevage de chats.

— Dieu m'en garde !

Au souvenir de ces conversations, Aline passa le bras autour des épaules de sa sœur.

— Écoute, commença-t-elle d'un ton léger, voilà l'occasion pour toi d'épouser un Américain fortuné. C'est exactement ce que tu attendais.

— Je plaisantais, tu le sais bien. D'ailleurs, qu'est-ce qui te fait dire qu'il y a des hommes à marier cette fois-ci ?

— Marcus m'a vaguement parlé de ce groupe hier soir. Tu as entendu parler des Shaw de New York ? Cela fait trois générations qu'ils sont riches, c'est-à-dire qu'aux yeux des Américains, leur fortune remonte carrément à l'Antiquité ! Le chef de famille s'appelle Gideon Shaw, il est célibataire et, dit-on, très bel homme.

— Tant mieux pour lui ! s'exclama Livia. Mais je n'ai aucune envie de me mettre en quête d'un mari, si beau soit-il.

Aline serra sa petite sœur d'un geste protecteur. À la mort de son fiancé, lord Amberley, Livia avait juré de ne plus jamais tomber amoureuse. Pourtant, elle avait manifestement besoin de fonder une famille. Elle était de nature trop sentimentale pour rester célibataire toute sa vie. Le fait que la jeune fille porte toujours le deuil d'Amberley, au bout de deux ans, montrait à quel point elle l'avait aimé. Pourtant, ce jeune aristocrate au grand cœur ne lui aurait jamais souhaité de passer son existence dans la solitude.

— On ne sait jamais, insista Aline. Peut-être rencontreras-tu un homme que tu aimeras autant – voire davantage – que lord Amberley.

— Seigneur, j'espère que non ! Cela fait trop mal d'aimer de la sorte. Tu le sais aussi bien que moi.

— C'est vrai… soupira Aline.

Pour elle non plus, il valait mieux ne plus ouvrir une page depuis longtemps tournée. Elle ne pouvait revenir sur son passé sans risquer de mettre sa santé mentale en danger.

Ainsi, les deux sœurs restaient-elles debout en silence, chacune luttant pour écarter ses propres fantômes. Aline s'émerveillait que sa peste de petite sœur fût devenue sa meilleure amie et la compagne de tous ses instants.

Elle se dirigea vers l'une des tours d'angle du manoir.

— Bien. Prenons l'entrée de service, proposa-t-elle vivement. Je n'ai pas envie de saluer nos invités sans m'être un peu poudré le nez.

— Je vais en faire autant, approuva Livia en lui emboîtant le pas. Mais dis-moi, Aline : n'es-tu jamais lasse de servir de maîtresse de maison à Marcus ?

— Non, cela ne me dérange pas, crois-moi. J'aime recevoir et je ne suis pas fâchée d'avoir quelques nouvelles de Londres.

— La semaine dernière, le vieux lord Torrington disait que tu sais donner aux gens l'impression qu'ils sont plus intelligents et intéressants qu'ils ne le sont en réalité. Il affirmait que tu es la meilleure maîtresse de maison qu'il connaisse.

— C'est vrai ? C'est bien aimable à lui. À sa prochaine visite, je le récompenserai : il aura droit à une rasade supplémentaire de cognac dans son thé.

Souriante, Aline s'arrêta au pied de la tour et regarda par-dessus son épaule les invités et leurs domestiques. L'entourage de M. Gideon Shaw semblait passablement agité.

Soudain, elle remarqua un homme plus grand que les autres, dont la haute stature dépassait même les valets de pied. C'était un grand gaillard aux cheveux noirs et aux épaules larges. Il avait une démarche masculine pleine d'autorité, à la limite de la bravade. À la manière des autres Américains, il était vêtu d'un complet-veston particulièrement classique. Il bavardait avec un autre invité : Aline ne voyait que son profil.

En le regardant, elle ressentit une sorte de malaise, comme si elle venait de perdre le sang-froid qui la caractérisait en général. À pareille distance, elle ne distinguait guère les traits de ce monsieur, mais elle en sentait la puissance. C'était une question d'élégance dans les mouvements, d'autorité innée. Il était évident que c'était un homme de poids, peut-être M. Shaw en personne.

Livia était déjà à l'intérieur.

— Tu viens, Aline ?

— Oui, je...

Elle laissa sa phrase en suspens sans quitter des yeux le grand Américain, dont la vitalité éclatante faisait paraître insignifiants les hommes qui l'entouraient. Ayant fini sa brève conversation, il s'avança vers l'entrée du manoir. Au moment de mettre le pied sur la première marche, il s'arrêta... comme si l'on venait de l'appeler. Ses épaules se tournèrent, imposantes sous son habit noir. Fascinée, Aline le dévorait des yeux. Lentement, il pivota et leurs regards se croisèrent. La jeune femme eut un coup au cœur et se hâta de disparaître dans la tour.

— Qu'y a-t-il ? demanda Livia, inquiète. Tu es toute rouge.

Elle vint vers elle et lui prit les mains.

— Viens, allons nous passer de l'eau froide sur la figure et les poignets.

— Ça va, ça va, répondit Aline, encore toute remuée. Mais je viens d'apercevoir un homme dans la cour...

— Le grand brun ? Oui, moi aussi, je l'ai remarqué. Mais pourquoi diable ces Américains sont-ils aussi grands ? Peut-être est-ce le climat là-bas... Ils poussent comme de la mauvaise herbe.

— Dans ce cas, il faudrait que nous y allions, pour en profiter nous aussi.

Aline faisait cette remarque facétieuse car Livia et elle étaient de taille à peine moyenne. Comme leur frère Marcus, d'ailleurs. Mais lui, en revanche, était robuste comme un taureau et capable de mettre en déroute quiconque aurait osé le défier.

Les deux sœurs regagnèrent en bavardant tranquillement leurs appartements privés de l'aile est. Aline savait qu'elle n'avait guère de temps pour changer de robe et se refaire une beauté, car l'arrivée prématurée des Américains avait mis toute la maisonnée en effervescence. Les invités allaient vouloir un vrai petit déjeuner.

Rapidement, elle passa en revue dans son esprit le contenu des garde-manger. Elle sortirait des coupes en cristal pour les fraises et les framboises, et du pain et du cake avec du beurre et de la confiture. Ce serait bien aussi de mettre de la salade d'asperges et du bacon grillé. Et puis, il faudrait prévenir la gouvernante, Mme Faircloth, de servir le soufflé glacé de homard prévu pour le dîner. De ce fait, il faudrait remplacer ce plat par des petites escalopes de saumon avec de la sauce blanche aux œufs, ou bien des ris de veau avec du céleri en branche…

— Bon, eh bien ! lança Livia en l'arrachant à ses pensées. Je te souhaite une bonne journée. Quant à moi, je vais rôder ici et là comme d'habitude.

— Ce n'est pas la peine, riposta Aline en lui faisant les gros yeux.

À cause des conséquences scandaleuses de sa liaison tragique avec lord Amberley, Livia vivait pratiquement recluse. Bien que bénéficiant de la sympathie quasi générale, elle était considérée comme perdue de réputation, et donc infréquentable par les gens comme il faut. Elle n'était jamais invitée et, quand on donnait un bal ou une soirée à Stony Cross Park, elle restait dans sa chambre. Toutefois, Marcus et Aline jugeaient que, après deux ans de quarantaine, la dose était suffisante. Livia ne recouvrerait peut-être pas le statut dont elle jouissait avant le scandale, mais nul ne pouvait la contraindre à vivre en ermite le reste de ses jours. Son frère et sa sœur la poussaient donc, gentiment mais fermement, à se montrer de nouveau en bonne société, afin de trouver enfin un mari respectable à sa convenance.

— Tu as purgé ta peine, Livia, lui expliqua fermement Aline. Marcus estime que quiconque souhaite te fuir doit tout bonnement quitter le domaine.

— Je n'évite pas les gens parce que je redoute leur jugement, protesta Livia. La vérité est que je ne me sens toujours pas capable de replonger dans les mondanités.

— Peu importe que tu t'en sentes capable ou pas. Tôt ou tard, il faudra bien que tu te décides.

— Je préfère tard, dans ce cas.

— Mais souviens-toi : tu aimais danser, jouer à des jeux de société, chanter en t'accompagnant au piano…

— Aline ! Je te promets de recommencer un jour à danser, à jouer et à chanter. Mais quand je jugerai moi-même le moment venu.

Aline soupira.

— Je ne veux pas te harceler. Je souhaite tout simplement ton bonheur…

Livia tendit le bras et lui pressa la main avec affection.

— Je voudrais que tu t'occupes aussi bien de ton bonheur que de celui des autres.

Mais je suis heureuse ! faillit répondre Aline. Hélas, le pieux mensonge resta bloqué dans sa gorge.

Avec un sourire, Livia s'éloigna.

— À ce soir !

Aline entra dans sa chambre et retira son chapeau. Le fin duvet de sa nuque était humide de transpiration. Elle ôta les épingles à cheveux qui retenaient ses boucles, les posa sur sa coiffeuse et prit sa brosse à manche d'argent. Elle commença à se coiffer. C'était agréable de sentir sur son cuir chevelu passer et repasser la brosse aux poils de sanglier.

Le mois d'août s'avérait exceptionnellement chaud. La campagne fourmillait de familles aisées chassées de Londres par la canicule. Marcus disait que M. Shaw et ses interlocuteurs en affaires feraient la navette entre Londres et le Hampshire, tandis que le reste de leur entourage ne bougerait pas de Stony Cross Park. M. Shaw avait l'intention d'ouvrir un bureau à Londres pour les nouvelles entreprises de sa famille. Il était en train de négocier des places à quai pour ses navires, pour le déchargement de leurs cargaisons à entreposer sous douane.

La fortune des Shaw était partie de l'immobilier et d'opérations financières réalisées à Wall Street. Dernièrement, il s'était lancé dans un secteur en plein essor : la construction de locomotives. Son ambition ne se limitait pas à équiper les chemins de fer américains en motrices, en wagons et en pièces détachées : il comptait en outre exporter vers l'Europe. D'après Marcus, les investisseurs allaient se bousculer à la rencontre de Shaw : Aline sentait que son frère ne demandait qu'à faire partie du lot. Avec ce but en tête, elle veillerait à ce que le séjour de M. Shaw et de son associé à Stony Cross soit des plus agréables.

L'esprit tout à ses projets, elle se changea pour enfiler une robe d'été légère en coton blanc, imprimée de fleurs lavande. Elle ne sonna pas la bonne, et s'habilla seule. Contrairement à beaucoup de dames de son rang, elle préférait cela ; de loin en loin, elle appelait Mme Faircloth en cas de nécessité. La gouvernante était la seule personne – outre Livia – autorisée à la voir dans son bain ou en train de s'habiller.

En attachant le dernier bouton de perle de son corsage, Aline vint se placer face au miroir. Ses doigts experts tressèrent ses cheveux sombres en une longue natte sur la nuque. Alors qu'elle plantait la dernière épingle dans sa chevelure, elle remarqua dans le reflet du miroir qu'on avait laissé quelque chose sur son lit... un gant égaré ou une jarretière, qui se détachait sur le couvre-lit damassé rose vif. Intriguée, elle alla voir de quoi il s'agissait.

Ce petit objet laissé sur son oreiller, c'était un vieux mouchoir de soie brodée, complètement décoloré, dont beaucoup de fils manquaient. Surprise, Aline suivit du doigt le dessin des boutons de rose. D'où venait-il ? Que faisait-il ici ? Un vague souvenir lui revint, à travers le toucher léger de ses doigts sur le réseau délicat des broderies.

Ce mouchoir, c'est elle-même qui l'avait brodé, douze ans auparavant...

Brusquement, son pouls s'emballa. Les battements lui cognaient les tempes, les oreilles, la gorge et la poitrine.

— McKenna ! murmura-t-elle.

Elle revit le jour où elle lui avait offert ce mouchoir... ou plutôt, le jour où il le lui avait pris : c'était dans les écuries – dans le garage des voitures, exactement. Seul McKenna pouvait avoir remis là ce fragment de son passé. Mais c'était impossible. Il avait quitté l'Angleterre depuis des années, rompant son contrat d'apprentissage avec le chantier naval de

Bristol. Depuis, nul n'avait entendu parler de lui.

Aline avait essayé de ne pas penser à lui, entretenant le vain espoir que le temps effacerait le souvenir de son amour brisé. Mais il était resté près d'elle comme un fantôme, emplissant ses rêves d'espérances inavouées. Pendant toutes ces années, elle n'avait même pas su si McKenna était mort ou vivant. Ces deux hypothèses étaient aussi douloureuses à envisager l'une que l'autre.

Le mouchoir toujours à la main, elle quitta sa chambre. Elle enfila l'aile est comme un animal blessé, et sortit du manoir par la porte de service. Dans la maison de maître, il n'y avait pas moyen d'être tranquille, et elle avait besoin de quelques minutes pour se ressaisir. Une pensée ardente lui vint à l'esprit : McKenna, ne reviens pas ! Cela me tuerait de te revoir aujourd'hui. Ne reviens pas, je t'en supplie !

Lord Marcus Westcliff accueillit Gideon Shaw dans sa bibliothèque. Ils se connaissaient déjà, depuis un précédent séjour de Shaw en Angleterre. Bien qu'exigeant, le comte avait trouvé le Yankee irréprochable à tous égards.

Pourtant, Marcus ne pouvait avoir vis-à-vis de Shaw que des préjugés défavorables, car celui-ci était un membre de l'aristocratie américaine. En dépit d'une éducation stricte, Marcus était hostile au concept de noblesse de naissance. S'il en avait eu la possibilité, il aurait abdiqué de son titre comtal. Non qu'il fût homme à fuir les responsabilités ou à renoncer aux avantages d'un héritage conséquent, mais tout simplement parce qu'il était incapable d'assumer la notion de supériorité d'un homme sur un autre. Cette idée foncièrement injuste avait quelque chose d'illogique.

De toute façon, Gideon Shaw n'avait guère de points communs avec les aristocrates américains que Marcus connaissait. En effet, il ne ratait jamais l'occasion de faire grincer les dents de sa famille new-yorkaise en faisant gaiement allusion à son arrière-grand-père, négociant mal dégrossi qui, à force de travail, avait accumulé une fortune colossale. Les générations suivantes de Shaw, si raffinées et bien élevées qu'elles fussent, auraient préféré jeter un voile pudique sur ce vulgaire ancêtre... mais Gideon ne l'entendait pas de cette oreille.

Shaw entra dans la pièce à longs pas souples. C'était un homme élégant d'une trentaine d'années. Ses cheveux blonds comme les blés étaient coupés court, et sa peau bronzée était soigneusement rasée. C'était l'Américain type, avec des yeux bleus, des cheveux blonds et beaucoup d'aplomb. Mais sous cette apparence, on entrevoyait, à la profondeur des rides autour des yeux et de la bouche, un côté cynique et même aigri. Il avait la réputation d'être un bourreau de travail, parfois joueur, buveur, et même débauché. Cette réputation, Marcus ne l'estimait pas totalement infondée.

— Milord, murmura Shaw en serrant la main de son hôte, je suis heureux d'être enfin à bon port.

Une servante apparut avec un service à café en argent. Marcus lui fit signe de poser le plateau sur son bureau.

— Alors, cette traversée ? demanda-t-il.

Les yeux gris-bleu de Shaw pétillèrent.

— Sans histoire, Dieu merci. Puis-je prendre des nouvelles de la comtesse ? Elle va bien, j'espère ?

— Fort bien, merci. Ma mère m'a prié de vous transmettre ses regrets : elle n'a pu être là pour vous accueillir car elle est en visite chez des amis, à l'étranger.

Debout à côté du plateau, Marcus se demandait pourquoi Aline ne s'était pas encore manifestée pour saluer leurs invités. Elle devait être en train de prendre les mesures imposées par leur arrivée.

— Prendrez-vous du café ?

— Volontiers, répondit Shaw en s'installant dans le fauteuil à côté du bureau, les jambes légèrement écartées.

— Un peu de crème ? du sucre ?

— Juste du sucre, s'il vous plaît.

Quand Marcus tendit à Shaw sa tasse et sa soucoupe, il remarqua que l'Américain avait la main peu sûre, ce qui fit tinter la porcelaine. C'était, à n'en pas douter, la fébrilité d'un ivrogne mal remis de sa beuverie de la veille.

Shaw posa sa tasse sur le bureau, sortit une flasque d'argent de son habit bien coupé et se versa une généreuse rasade d'alcool. Il vida ensuite sa tasse et ferma les yeux pour sentir l'alcool brûlant descendre dans sa gorge. Puis il la tendit sans commentaire à Marcus qui s'empressa de la lui remplir. De nouveau, il rectifia le breuvage grâce au contenu de sa flasque.

— Votre associé peut se joindre à nous s'il le désire, suggéra courtoisement le comte.

Shaw s'appuya au dossier de son fauteuil et vida sa deuxième tasse de café, plus lentement que la première.

— Merci, mais je crois que, pour l'instant, il est en train de donner ses ordres à nos domestiques. McKenna déteste rester assis. Il a la bougeotte.

Marcus portait sa tasse à ses lèvres. Il marqua une pause.

— McKenna, répéta-t-il, rêveur.

Le nom était courant, mais évoquait quelque chose dans ses souvenirs.

Shaw eut un sourire fugace.

— À Manhattan, ils l'appellent le roi McKenna ! C'est grâce à lui que les fonderies Shaw se sont diversifiées dans la fabrication de locomotives, après les machines agricoles.

— Certains ont vu dans cette opération un risque inutile, observa Marcus. Votre succès était total dans le domaine agricole... notamment les faucheuses et les semoirs à céréales. Pourquoi se lancer dans les locomotives ? Les principales compagnies ferroviaires construisent elles-mêmes leurs machines. De toute évidence, elles le font de façon efficace.

— Plus pour longtemps, rétorqua tranquillement Shaw. Nous sommes convaincus que leurs besoins dépasseront sans tarder leur capacité de production : elles seront contraintes de faire appel à des constructeurs extérieurs. En outre, l'Amérique n'est pas l'Angleterre. Là-bas, la plupart des compagnies ferroviaires font déjà appel à des ateliers de construction privés – comme les miens – pour leur fournir motrices et pièces détachées. La concurrence est féroce, et les prix sont nécessairement serrés.

— Je serais curieux de savoir pourquoi vous croyez que les fonderies anglaises, qui appartiennent à leurs compagnies ferroviaires respectives, seront incapables de suivre le rythme de croissance ?

— McKenna vous fournira tous les chiffres dont vous avez besoin, lui garantit Shaw.

— J'ai hâte de faire sa connaissance.

— Je pense, milord, que vous le connaissez déjà, révéla Shaw en observant avec intérêt sa réaction. Je crois savoir qu'il a été autrefois employé à Stony Cross Park. Vous l'avez sans doute oublié car, à l'époque, il était garçon d'écurie.

Consterné, Marcus réprima un juron bien senti. Ce McKenna était bel et bien celui qu'Aline avait si longtemps aimé. Il lui fallait d'urgence parler à sa sœur pour la préparer à la nouvelle.

— Valet de pied, précisa-t-il avec douceur. Si ma mémoire est bonne, McKenna a quitté l'écurie juste avant son départ.

Les yeux bleus de Shaw étaient trompeusement innocents.

— J'espère que cela ne vous dérange pas de recevoir en qualité d'invité un ancien domestique.

— Bien au contraire, mentit le comte. J'admire le chemin parcouru par McKenna. Et je n'hésiterai pas à le féliciter.

La personne de Stony Cross que cela risquait le plus de déranger, c'était Aline. Si tel était le cas, il fallait qu'il se débrouille pour gérer la crise. Ses sœurs étaient les personnes auxquelles il tenait le plus au monde, et il était de sa responsabilité de leur éviter toute souffrance.

Shaw sourit.

— Je vois, lord Westcliff, que je ne m'étais pas trompé à votre sujet. Vous êtes juste et ouvert, comme je l'avais deviné.

— Merci, s'empressa de répondre Marcus en remuant sa cuillère dans sa tasse.

Il se demandait sombrement où diable était passée Aline.

Aline marchait d'un pas vif, elle courait presque. Elle se rendait à son endroit préféré au bord de la rivière, là où la prairie émaillée de fleurs sauvages descendait en pente douce. Les hautes herbes n'étaient fréquentées que par des papillons aux ailes blanches veinées de brun. Elle n'avait jamais amené quiconque à cet endroit, pas même Livia. Elle n'était venue là qu'avec McKenna. Lui parti, elle revenait de temps en temps dans ce cadre romantique, pour pleurer.

La perspective de le revoir était terrible.

Le mouchoir brodé toujours à la main, elle s'assit dans l'herbe et tenta de se calmer. Le soleil faisait brasiller la surface de l'eau, mille reflets s'allumaient et disparaissaient sans cesse. Des scarabées minuscules gravissaient péniblement les tiges d'ajoncs.

Rêveuse, Aline regardait couler l'eau. Un grèbe huppé nageait à contre-courant, quelques brins d'herbe au bec.

Les échos du passé lui revenaient en foule...

« Mon mari, ce sera toi et personne d'autre, McKenna. Et si tu m'abandonnes, je demeurerai fille pour le reste de mes jours.

— Aline, je ne te quitterai que si tu me demandes de le faire... »

Elle secoua brusquement la tête, comme pour se débarrasser de ces vaines évocations. Elle mit le mouchoir en boule et se disposait à le jeter au fil du courant, quand un mot l'arrêta :

— Attends !

6

Aline ferma les yeux, alors que le mot pénétrait jusqu'au tréfonds de son âme. C'était *sa* voix : un peu plus grave et profonde, la voix d'un homme et non plus d'un garçon.

Elle l'entendit approcher, mais refusa de le regarder en face. Elle avait besoin de toutes ses forces, ne serait-ce que pour continuer à respirer. Elle était tétanisée par quelque chose qui ressemblait à de la peur, une brûlure paralysante qui absorbait toute son énergie.

— Si tu as l'intention de le jeter dans la rivière, je préférerais le récupérer.

La jeune femme ouvrit la main, le mouchoir tomba de ses doigts raides.

Lentement, elle pivota. L'homme aux cheveux noirs qu'elle avait aperçu dans la cour était bel et bien McKenna. De près, il était encore plus imposant que de loin. Il avait un visage énergique et fortement charpenté, un nez parfaitement symétrique entre deux pommettes plates. Il était trop viril pour être vraiment beau : un sculpteur aurait adouci ce visage de héros. Ses yeux somptueux, d'un turquoise assez clair, étaient ombrés par d'épais cils noirs. Nul homme au monde n'avait des yeux pareils.

— McKenna ! constata-t-elle d'une voix enrouée, cherchant à faire cadrer ce formidable personnage avec l'adolescent dégingandé qu'elle avait connu.

Le changement était radical. Il était désormais un homme dans toute sa puissance, sans rien de poupin. Élancé et élégant dans ses vêtements de bonne coupe, il avait fait tailler ses beaux cheveux noirs assez court pour mater leur tendance naturelle à boucler. Au fur et à mesure qu'il approchait, Aline remarquait de nouveaux détails... Le soupçon de barbe – bien qu'il fût rasé de près –, la chaîne d'or à son gousset, la saillie de ses muscles aux épaules et aux cuisses tandis qu'il s'asseyait sur un rocher voisin.

— Je ne m'attendais pas à te trouver ici, murmura-t-il sans la quitter des yeux. Je voulais juste voir la rivière... Cela fait si longtemps que je ne suis pas venu.

Même son accent avait changé.

— En t'entendant, on a l'impression d'être en face d'un Américain.

— J'ai longuement vécu à New York.

— Tu as disparu sans laisser un mot à quiconque. Je... je me suis inquiétée.

— Vraiment ? demanda McKenna sans chaleur excessive. J'ai dû quitter Bristol au pied levé. Le charpentier de marine chez qui j'étais en apprentissage, M. Ilbery, ne plaisantait pas avec la discipline. Il m'a donné une terrible raclée, je me suis retrouvé avec une fracture du crâne et quelques côtes cassées. J'ai décidé de partir et de tenter ma chance ailleurs.

— C'est affreux, souffla Aline, blême. Comment as-tu payé ton voyage pour l'Amérique ? Cela coûte une fortune.

— Cinq livres sterling. Plus d'un an de paie !

Il cita ce chiffre avec une certaine ironie car pareil montant, dont il avait eu désespérément besoin à l'époque, était désormais dérisoire pour lui.

— J'ai écrit à Mme Faircloth, et elle a puisé dans ses économies.

Aline baissa la tête. Ses lèvres tremblaient alors qu'elle se remémorait le jour où cette lettre était arrivée… Le jour où elle avait eu l'impression que le sol s'ouvrait sous ses pieds, et où tout avait changé pour elle, à jamais.

— Comment va-t-elle ? reprit-il. Elle travaille toujours ici ?

— Mais oui. Elle va très bien.

— Parfait.

McKenna se pencha et ramassa délicatement le mouchoir tombé par terre, semblant ne pas s'apercevoir de la manière dont Aline se raidissait à sa proximité. Il se redressa et se rassit sur son rocher.

— Que tu es belle ! Encore plus que dans mes souvenirs. Mais, dis-moi : je ne vois pas d'alliance à ton doigt…

— Effectivement. Je ne suis pas mariée.

— Pourquoi ?

— Je ne suis pas faite pour ça, je suppose, hasarda-t-elle avec un calme feint. Et toi ? Est-ce que tu t'es…

— Non. Et Livia ? Qu'est-elle devenue ?

— Elle non plus n'est pas mariée. Elle habite ici, avec Marcus et moi. C'est-à-dire que, en fait… tu risques de ne guère la voir.

Aline pesait ses mots, car elle ne voulait pas donner de sa cadette une image désobligeante.

— Livia ne sort guère dans le monde. Même vis-à-vis de nos invités ici, elle garde ses distances. Il y a eu un scandale il y a deux ans. Elle était fiancée à lord Amberley, dont elle était très amoureuse. Peu avant la date prévue pour le mariage, il a été tué dans un accident de chasse.

Elle s'interrompit pour ôter d'une pichenette une coccinelle qui s'était posée sur sa jupe.

— Je ne vois pas ce que cela a de scandaleux.

— Peu de temps après, Livia a fait une fausse couche. Tout le monde a donc su qu'Amberley et elle avaient fêté Pâques avant les Rameaux, comme on dit. Livia a commis l'erreur de se confier à une amie, et celle-ci s'est révélée incapable de garder le secret. Marcus et moi avons tâché de limiter les dégâts, mais tout le comté a été mis au courant, et l'affaire s'est même sue à Londres. En ce qui me concerne, j'estime que Livia n'a rien fait de mal. Amberley et elle étaient amoureux, ils allaient se marier. Bien sûr, il y a des gens qui veulent la garder à l'écart. D'ailleurs, elle refuse de quitter le deuil. Ma mère, mortifiée par ces événements, passe le plus clair de son temps à l'étranger désormais. Je suis heureuse que mon père ne soit plus de ce monde car, à n'en pas douter, il aurait sévèrement condamné Livia.

— Et ton frère ?

— Non, pas lui. Marcus ne ressemble pas du tout à notre père. Il a du cœur et des idées bien à lui.

— Un Marsden libre-penseur ! s'exclama McKenna, amusé.

Il avait dans les yeux une lueur d'humour qui apaisa Aline. Elle prit une profonde inspiration.

— Je suis sûre qu'il te plaira, une fois que vous aurez mieux fait connaissance.

Il était clair que le gouffre qui les séparait était à présent plus large que pendant leur enfance. Les mondes où ils évoluaient respectivement étaient tellement différents qu'il n'y avait plus entre eux d'intimité possible. Ils communiquaient selon les règles de la politesse, comme des étrangers incapables d'élans sentimentaux. Le McKenna d'autrefois n'existait plus, Aline l'adolescente avait disparu pour toujours.

Elle regarda le sol moussu, le cours tranquille de la rivière, le ciel bleu pâle... Enfin, elle parvint à croiser le regard de McKenna.

— Bon, il faut que je rentre, annonça-t-elle en se levant. Je suis maîtresse de maison, tu sais...

Il se leva d'un bond, sa silhouette élancée se détachant sur l'arrière-plan formé par le cours d'eau. Il gardait le silence.

Aline chercha quelque chose à dire.

— Il faut que tu me racontes comment tu en es venu à travailler pour quelqu'un comme M. Shaw.

— C'est une longue histoire.

— Eh bien, j'ai envie de l'entendre. À une époque, tu n'avais même pas l'ambition de devenir valet de pied.

— Entre-temps, j'ai su ce qu'est la faim.

Aline l'observait avec un mélange de crainte et de fascination : derrière cette simple phrase, que d'aventures... Et elle qui n'avait pas bougé de son trou ! Elle voulait connaître les moindres détails de ses prouesses, comprendre par où il était passé et découvrir tous les aspects de l'homme qu'il était devenu.

McKenna était incapable de la quitter des yeux. Il avait le rouge aux joues, comme s'il venait de passer des heures en plein soleil. Il s'approcha d'elle sans précaution particulière, comme si leur proximité physique ne présentait pas de danger pour lui. Il s'arrêta à trente centimètres à peine.

Une bouffée de chaleur monta au visage d'Aline. Elle tressaillit.

— Puis-je te donner le bras ? demanda-t-il.

Ce geste courtois, n'importe quel homme l'aurait fait. Mais Aline hésitait à le toucher.

— Merci.

Elle pinça les lèvres et saisit fermement le bras offert. À travers les fines épaisseurs de la veste et de la chemise en lin, elle sentait rouler les muscles puissants de l'avant-bras. Ses doigts frémissaient comme les ailes d'un papillon. Le toucher, après ces années d'attente désespérée, lui faisait tourner la tête. Elle raffermit sa prise pour ne pas perdre l'équilibre.

McKenna avait le souffle court, comme si on l'avait pris à la gorge, mais il se ressaisit en montant la pente conduisant au manoir. Aline sentait la force prodigieuse de ce grand corps et se demandait comment il avait fait pour acquérir pareille condition physique.

— J'ai travaillé comme passeur, en faisant traverser les gens entre Staten Island et la ville de New York, expliqua-t-il comme s'il avait lu dans ses pensées. Vingt-cinq cents aller-retour. À la rame. C'est ainsi que j'ai rencontré Shaw.

— Tu l'as eu comme passager ? demanda Aline. Mais de là à devenir son associé, il y a un pas…

— Bah ! De fil en aiguille, tu sais…

C'était pour le moins évasif, mais elle parvint à en sourire.

— Il va falloir que je déploie tous mes artifices pour arriver à te faire parler, dis donc.

— Je parle quand je veux, à qui je veux et de ce que je veux.

— Le devoir d'une hôtesse bien née, c'est justement de faire dire à chacun ce qu'il faut, au moment le plus opportun.

— Je n'ai jamais douté de tes talents de maîtresse de maison, ni de maîtresse tout court, d'ailleurs.

Aline rougit jusqu'aux oreilles.

— Toi, tu n'as rien perdu de ton franc-parler. Et tu es toujours aussi polisson. Mais n'oublie pas que tu as affaire à une lady anglaise.

— Ça, il n'y a aucune chance que je l'oublie.

Ils approchaient de la résidence des célibataires, petit pavillon à l'écart de la maison et réservé aux invités souhaitant être plus tranquilles qu'au manoir. Marcus avait averti sa sœur : M. Shaw avait expressément demandé à y loger seul, alors qu'on aurait pu y faire dormir quatre personnes en tout. M. Shaw n'était pas encore là, mais Aline vit des domestiques qui apportaient ses malles et autres bagages.

McKenna s'arrêta. La lumière du soleil se reflétait dans ses yeux pers tandis qu'il regardait le pavillon.

— On se quitte ici ? Je ne vais pas tarder à venir au manoir, mais j'aimerais jeter d'abord un coup d'œil.

— Oui, si tu veux, bien sûr... McKenna, ajouta-t-elle d'une voix mal assurée, est-ce pure coïncidence que M. Shaw ait accepté l'invitation de mon frère à séjourner ici ? Ou bien est-ce toi qui as tout organisé afin de revenir ?

— Et quelle raison pouvais-je bien avoir de revenir ?

Elle soutint son regard. Rien chez lui ne trahissait la colère, mais elle le sentait tendu comme un ressort.

C'est alors qu'elle comprit ce qu'il cachait avec un soin si jaloux... Nul ne pouvait le voir, sinon celle qu'il avait autrefois aimée. La haine. Il était revenu pour se venger, et il ne repartirait qu'après lui avoir fait payer au centuple ce qu'elle lui avait fait.

"Oh, McKenna, t'ai-je blessé à ce point ?" Elle éprouvait une sorte d'attendrissement, alors que son instinct de conservation lui recommandait de détaler à toutes jambes.

Elle détourna le regard, les sourcils froncés. Il était évident qu'il n'aurait que peu d'efforts à fournir pour l'anéantir.

— Quelle réussite, McKenna ! J'ai l'impression que tu as satisfait à présent tous tes désirs, tous tes rêves.

Et elle s'éloigna à pas comptés, prenant sur elle pour ne pas courir.

— Non, pas tous, rétorqua-t-il à mi-voix afin qu'elle ne l'entende pas.

Il la suivit du regard jusqu'à ce qu'elle soit hors de vue.

McKenna fit le tour du pavillon des célibataires et surveilla les domestiques qui installaient les affaires de Shaw. Le mobilier était lourd, de style Renaissance ; chaque élément avait une forme imposante et une riche décoration. Les murs étaient lambrissés de palissandre. Devant les fenêtres, les lourds rideaux de velours à franges dorées filtraient complètement la lumière. Tant mieux. La plupart du temps, Gideon Shaw ne supportait pas la lumière du jour.

McKenna savait parfaitement pourquoi il avait besoin qu'on le laisse tranquille dans le pavillon des célibataires. En parfait gentleman, Gideon évitait scrupuleusement de se donner en spectacle et de faire des scènes. McKenna ne l'avait jamais vu ivre. Il avait l'habitude de s'enfermer de temps en temps dans une pièce avec quelques bouteilles. Il en ressortait deux ou trois jours plus tard, avec un teint de papier mâché et une démarche mal assurée, mais l'esprit clair et la tenue impeccable. Ces épisodes survenaient apparemment sans raison particulière : c'était simplement une habitude qu'il avait. Ses proches avaient avoué à McKenna que ces crises étaient apparues un peu avant leur rencontre, lorsque son frère aîné, Frederick Shaw, était mort d'un souffle au cœur.

Le valet de Gideon posa une boîte à cigares laquée sur un bureau pourvu d'une multitude de tiroirs et de compartiments. McKenna fumait rarement, et jamais à cette heure du jour, mais il prit un cigare dans la boîte. Les feuilles de tabac étaient vaguement huileuses et dégageaient une fragrance soutenue. Immédiatement, le valet – parfaitement formé – sortit une minuscule paire de ciseaux très pointus, les tendit à McKenna qui le remercia d'un hochement de tête. Il coupa net le bout du cigare, attendit que le valet l'allume et tira en cadence jusqu'à obtenir des bouffées régulières d'épaisse fumée. Il constata avec détachement que ses doigts tremblaient.

Le choc de revoir Aline était pire que ce à quoi il s'attendait.

Le valet avait remarqué son agitation.

— Avez-vous besoin d'autre chose, monsieur ?

McKenna fit non de la tête.

— Si Shaw vient, dis-lui que je suis sur le balcon, à l'arrière.

— Bien, monsieur.

Comme la maison de maître, le pavillon était bâti près d'une falaise dominant la rivière. Les alentours étant couverts de forêts de pins, le riant babil du courant servait de fond sonore aux trilles des fauvettes en train de nicher. McKenna se débarrassa de son habit et prit place dans un fauteuil sur le balcon couvert. Il continua à fumer maladroitement jusqu'à ce qu'il ait repris contenance. C'est tout juste s'il aperçut le valet quand celui-ci lui apporta un cendrier de cristal. Son esprit était obsédé par l'image d'Aline au bord de la rivière, sa lourde chevelure retenue par quelques épingles à cheveux, sa silhouette adorable.

Avec le temps, l'extraordinaire beauté de la jeune femme s'était affirmée. Son corps parfaitement développé était à l'apogée de sa beauté. Avec la maturité, son visage s'était affiné. Et puis, il y avait ce maudit grain de beauté à la commissure de ses lèvres, cette mouche minuscule qui accrochait l'œil. La vue d'Aline avait provoqué chez McKenna un sursaut d'humanité ; elle lui avait rappelé qu'il avait été autrefois capable de joie. Cela faisait longtemps qu'il avait perdu cette aptitude. Il lui avait fallu des années pour renverser en sa faveur le cours du destin, et il y avait sacrifié son âme.

Il écrasa son cigare, puis posa les bras sur ses cuisses et se pencha en avant. Les yeux fixés sur une aubépine en fleur, il se demandait pourquoi Aline ne s'était pas mariée. Peut-être que, comme son père, elle était froide de nature et que les passions de la jeunesse avaient cédé le pas à l'égoïsme. De toute façon, cela ne changeait rien. Il allait la séduire. Son seul regret était que le vieux lord Westcliff ne serait plus là pour constater qu'il avait fini par goûter aux joies de la volupté entre les cuisses de sa fille.

Les pensées de McKenna furent brutalement interrompues par le grincement du plancher et le tintement de glaçons dans un verre. Il se rencogna dans son fauteuil : Gideon Shaw était sur le seuil du balcon.

Les deux amis se dévisagèrent. Leurs relations, contrairement à ce que tout le monde croyait, n'étaient pas seulement fondées sur un désir commun de gagner beaucoup d'argent. Certes, ce facteur avait son importance, mais d'autres choses les rapprochaient. En effet, leurs qualités respectives étaient complémentaires, comme c'est souvent le cas dans les grandes amitiés. McKenna était d'origine populaire et d'une ambition forcenée; Gideon en revanche était cultivé, fin et complaisant. Cela faisait longtemps que McKenna s'était débarrassé de tout scrupule, tandis que Gideon était avant tout un homme d'honneur. McKenna prenait à bras-le-corps les difficultés de la vie, alors que Gideon demeurait détaché.

— J'ai fait la connaissance de lady Aline. Une belle femme, tu m'avais prévenu. Est-elle mariée ?

— Non, répondit McKenna, maussade.

— Voilà qui te facilite les choses, n'est-ce pas ?

— Non, ça ne change rien.

— Tu veux dire que le fait qu'il y ait un mari en travers de ton chemin ne représenterait qu'un détail sans importance ? Tu es décidément capable de tout, McKenna.

— C'est pour ça que tu m'as pris comme associé.

— Exact. Mais le fait de savoir qu'il existe entre nous un tel abîme sur le plan de la moralité... me donne soif.

— Tous les prétextes sont bons, observa McKenna d'un ton jovial en lui prenant son verre.

Il le porta à ses lèvres et le vida en quelques gorgées. Le bourbon glacé était doux comme le velours.

Gideon constata que son ami avait la main peu sûre : les glaçons continuaient à tinter dans le verre.

— Tu ne crois pas que tu pousses ta vengeance un peu loin ? Je n'ai aucun doute que tu réussisses, avec lady Aline. Mais, à mon avis, ce n'est pas cela qui va t'apporter la paix.

— Ce n'est pas une vengeance, rectifia McKenna en posant le verre. C'est une façon d'exorciser le passé. Je ne pense pas trouver la paix. J'espère seulement…

Il ne put finir sa phrase. Comme chaque fois, il ressentait cette faim insatiable qui le dévorait depuis douze ans. Il avait réussi dans la vie au-delà de ses rêves les plus fous, mais cela ne le satisfaisait pas. Rien ne pouvait rassasier ce monstre qui l'habitait.

Le souvenir d'Aline le tourmentait sans cesse. Assurément, il ne l'aimait pas : ce sentiment s'était envolé depuis des années. D'ailleurs, il ne croyait plus en l'amour, et il ne souhaitait pas le retrouver. Mais il avait besoin de satisfaire cet appétit sauvage qui l'avait toujours empêché de lui pardonner. Il avait reconnu chez des milliers de femmes les yeux d'Aline, sa bouche, son menton… Plus il essayait de la chasser de son esprit, plus elle le hantait.

— Et si tu lui fais du mal, avec ta séance d'exorcisme ? insista Gideon.

C'était une question, pas un jugement. L'une des principales qualités de Gideon, c'était justement cette capacité à observer les choses sans point de vue moral.

McKenna attrapa un glaçon dans son verre et l'aspira dans sa bouche. Il le mâcha brutalement.

— Et si j'ai envie, moi, de lui faire mal ?

Le mot était faible. Il n'avait pas seulement l'intention de faire souffrir Aline, il voulait l'entendre hurler, sangloter, supplier. Il avait décidé de la mettre à genoux, de la briser.

Gideon était sceptique.

— Étrange attitude pour un homme qui prétend l'avoir aimée.

— Ce n'était pas de l'amour. C'était un mélange de passion bestiale et de crétinisme juvénile.

— Superbe mélange, concéda son ami avec un sourire. Moi-même, je n'ai plus ressenti cela depuis l'âge de seize ans, âge auquel je m'étais amouraché de la gouvernante de ma sœur. Elle était bien trop âgée pour moi, elle avait facilement vingt ans…

McKenna attrapa pour le broyer un autre glaçon dans son verre.

— Qu'est-il arrivé ?

— Nous avons eu une liaison. Et elle s'est retrouvée enceinte de mes œuvres, même si elle ne me l'a jamais dit. Elle est allée voir un espèce de soi-disant médecin, un charlatan connu pour « arranger » ce genre de situation. Il l'a saignée comme un poulet et elle en est morte. Tant pis. Ma famille l'aurait dédommagée pour l'enfant, si elle avait présenté l'addition. Nous autres les Shaw, nous prenons soin de nos petits bâtards.

Gideon était aussi détendu qu'à son habitude, mais il ne pouvait cacher une sorte de morosité derrière son cynisme.

— Tu ne m'avais jamais parlé d'elle, commenta McKenna.

Cela faisait pourtant dix ans qu'ils se connaissaient, et il ne pensait pas que Gideon eût encore des secrets pour lui.

— Ah oui ? C'est peut-être à cause de cet endroit, qui me rend larmoyant. Il est tellement pittoresque, c'est insupportable.

Il se leva et se dirigea vers la porte.

— Je vais prendre un autre verre. Tu en veux un ?

— Non, répondit McKenna en se levant aussi. J'ai à faire.

— Oui, bien sûr. Tu veux faire ta tournée. Il doit y avoir d'accortes servantes qui ne t'ont pas oublié. Charmant endroit, Stony Cross. Je me demande combien de temps il leur faudra, ici, pour comprendre qu'ils ont introduit le loup dans la bergerie.

7

De tout le manoir, la pièce la plus agréablement odorante était indéniablement la remise, vaste espace jouxtant la cuisine. C'est là que Mme Faircloth entreposait les cubes de savon, les bougies, les fleurs cristallisées et les conserves fines, par exemple. Ce jour-là, la gouvernante était particulièrement occupée, car la maisonnée était pleine d'invités. Elle quitta la remise, chargée de lourds pains de savon frais. À peine les aurait-elle déposés dans l'office que deux servantes les découperaient en menus morceaux à l'aide de fils de fer fins.

Mme Faircloth avait en tête mille choses à faire. Elle remarqua à peine l'homme qui la suivait dans le hall.

— James, dit-elle distraitement, sois gentil : va me porter ce savon à l'office. Il me faut quelqu'un de costaud. Si Salter se plaint, dis-lui que c'est moi qui te l'ai demandé.

— Bien, madame, répondit-il respectueusement.

Mais ce n'était pas James, le valet de pied.

Mme Faircloth hésita un instant et, quand on la déchargea de son fardeau, elle comprit qu'elle venait de donner un ordre à un invité. À ses vêtements bien coupés, il était clair que c'était un gentleman. Et c'est à lui qu'elle venait de donner des instructions ! On avait renvoyé du personnel pour moins que ça.

— Sir, je vous prie de m'excuser... commença-t-elle, ennuyée.

Mais l'élégant gentleman aux cheveux bruns s'éloignait déjà vers l'office, emportant avec aisance sa lourde charge de savon. Il déposa celle-ci sur la table à plateau d'ardoise, sous les yeux ahuris des servantes, puis se tourna vers Mme Faircloth avec un triste sourire.

— J'aurais dû deviner que vous vous mettriez à me donner des ordres sans me laisser le temps de vous saluer.

Mme Faircloth n'eut qu'à croiser le regard brillant de ces yeux pers pour frôler l'apoplexie. Elle porta les mains à sa poitrine, les larmes aux yeux.

— McKenna ! s'exclama-t-elle en tendant les bras. Oh, doux Jésus...

Il fut sur elle en deux enjambées et la souleva comme un fétu de paille, malgré ses formes rebondies.

Surprises par ces débordements d'affection chez leur gouvernante qu'elles connaissaient plus stoïque, les servantes refluèrent dans le hall, suivies par une servante de l'arrière-cuisine bouche bée, une aide-cuisinière et la cuisinière en personne, qui ne travaillaient au manoir que depuis cinq ans.

— J'ai bien cru ne jamais te revoir, haleta Mme Faircloth.

McKenna ne la lâchait toujours pas, bouleversé de tenir entre ses bras la seule mère qu'il ait jamais eue. Que de fois ne lui avait-elle pas réservé des gâteries : quignons de pain, biscuits laissés après le thé, délicieux restes au fond d'une marmite de ragoût. Elle avait mis de la douceur dans sa vie, et avait su susciter ce qu'il y avait de meilleur en lui.

Elle était plus petite que dans ses souvenirs, et avait à présent les cheveux tout blancs. Mais le temps avait été bon pour elle, il n'avait laissé que quelques douces rides sur ses joues.

Mme Faircloth redressa la tête et le regarda avec incrédulité.

— Par tous les saints, tu es devenu un géant ! C'est à cause de tes yeux que je t'ai reconnu. Quant au reste...

Puis elle s'aperçut qu'ils étaient loin d'être seuls. Elle lâcha le jeune homme et donna ses ordres à la cantonade.

— Allez, au travail, vous autres ! Inutile de rester là à vous sortir les yeux de la tête.

Bafouillant quelques murmures soumis, les servantes s'éparpillèrent comme une volée de moineaux et regagnèrent leurs postes, non sans un regard en coin pour le bel invité.

Mme Faircloth pressa entre ses mains celles de McKenna.

— Viens avec moi, proposa-t-elle.

Elle avait toujours la même chambre. Elle tourna la clef dans la serrure et l'invita à l'intérieur. Il reconnut tout de suite cette odeur familière de girofle, de cire d'abeille et de draps frais, le parfum même de la nostalgie.

Mme Faircloth avait de nouveau les larmes aux yeux. Il lui reprit la main.

— Pardon pour cette petite farce : j'aurais dû trouver le moyen de vous avertir, avant de surgir brusquement comme je l'ai fait.

— Qu'est-ce que tu es devenu ? Qu'est-ce qui te ramène ici, après tant d'années ?

— Nous en parlerons plus tard, quand nous aurons tous les deux plus de temps, esquiva McKenna, conscient du tumulte que provoquait leur arrivée. Vous avez la maison pleine d'invités… et je n'ai pas encore vu lord Westcliff. Il faut que j'aille sans tarder lui présenter mes civilités. Mais d'abord, je tiens à vous laisser ceci.

Il sortit de la poche intérieure de son habit une enveloppe scellée à la cire.

— Qu'est-ce que c'est ?

— Le prix de mon billet pour l'Amérique. J'aurais dû vous rembourser depuis longtemps, mais…

McKenna, mal à l'aise, se tut : il était incapable d'expliquer que, pour conserver sa santé mentale, il avait été contraint d'éviter tout contact avec ceux qui étaient susceptibles de lui rappeler Aline.

Mme Faircloth était dépassée.

— Non, McKenna. C'était un cadeau de ma part. Mon seul regret, c'est de ne pas avoir eu davantage d'économies à l'époque.

— Ces cinq livres sterling ont changé ma vie, rappela-t-il en lui relevant la tête avec douceur. Je vous rends votre cadeau avec des intérêts. Ce sont des actions d'une fabrique de locomotives toutes neuves, elles sont à votre nom. Vous pouvez les vendre tout de suite, si vous le désirez. Mais je vous conseille d'attendre un peu. L'an prochain, elles vaudront sans doute le triple.

Il retint un sourire devant la perplexité de Mme Faircloth. Elle ne s'y entendait guère en placements et cours des actions.

— Mais alors, ce n'est pas vraiment de l'argent ? demanda-t-elle.

— C'est mieux que de l'argent ! assura-t-il.

McKenna craignait que les précieuses actions ne servent bientôt à emballer le poisson.

— Mettez ça en sûreté, madame Faircloth. L'ensemble vaut presque cinq mille livres sterling.

Elle blêmit et faillit lâcher la liasse.

— Cinq mille...

Au lieu de jubiler comme il l'avait prévu, la gouvernante semblait égarée, incapable de comprendre que, du jour au lendemain, elle était riche. Elle vacilla, et il la saisit vivement par les épaules.

— Vous n'avez plus besoin de travailler. Achetez-vous une maison, prenez des domestiques, procurez-vous une voiture. Vous qui vous êtes tant dévouée pour tout le monde, je voudrais que vous puissiez maintenant goûter à la vie et prendre un repos mérité.

— Mais... c'est beaucoup trop d'argent!

McKenna l'aida à prendre place dans un fauteuil près de l'âtre, et s'accroupit devant elle.

— Pour moi, ce n'est rien. Je pourrais faire bien plus. Et d'abord, vous emmener avec moi à New York pour pouvoir veiller sur vous.

— Ah, McKenna! soupira-t-elle, les yeux rougis, posant ses grosses mains de travailleuse sur les siennes. Mais je dépérirais, loin de Stony Cross! Il faut que je reste auprès de lady Aline.

— Lady Aline? Mais elle n'a qu'à prendre une nouvelle gouvernante.

Elle le dévisagea.

— Tu ne l'as pas vue?

— Nous avons échangé quelques mots.

— Elles n'ont pas eu de chance, les deux filles de lord Westcliff...

— Oui, je sais. Lady Aline m'a raconté ce qui est arrivé à sa sœur.

— Et à elle-même?

— Pas un mot. Qu'est-il arrivé ?

La gouvernante veilla à bien choisir ses mots.

— Peu après ton départ de Stony Cross, elle est tombée... très malade. Elle a gardé le lit plus de trois mois. Elle a fini par se remettre, mais... elle n'a plus jamais été la même.

— Qu'est-ce qui s'est passé ?

— Je n'ai pas le cœur de te le dire. Sache simplement que cette maladie l'a beaucoup... fragilisée.

— Dans quel sens ?

— C'est un secret.

McKenna réfléchit au moyen d'arracher cette information dont il avait besoin.

— Vous savez que vous pouvez me faire confiance. Je ne le dirai à personne.

— Tu ne vas quand même pas me demander de manquer de parole !

— Bien sûr que si, rétorqua-t-il d'un ton sec. Je n'arrête pas de le faire. Et ceux qui refusent, ils le regrettent.

Il se leva d'un élan souple.

— Qu'est-ce que ça veut dire, « lady Aline n'a plus jamais été la même » ? À mes yeux, elle est sacrément la même. Bon Dieu...

— Pas de blasphème ! s'écria la gouvernante en faisant les gros yeux.

McKenna ne put s'empêcher de rire : que de fois n'avait-elle pas pris cette mine pour le tancer quand il était petit !

— Ça ne fait rien si vous ne me le dites pas. Je le saurai de lady Aline.

— Cela m'étonnerait. Si j'étais toi, je n'essaierais pas de la pousser dans ses retranchements... Mais quel beau gars tu es devenu ! Tu as une femme qui t'attend en Amérique ? Une petite amie ?

— Non, Dieu merci !

— Ah... C'est elle qui occupe toujours ton cœur ? C'est pour cela que tu es revenu...

— Je suis revenu pour affaires... et notamment pour que Westcliff investisse dans la fabrique de locomotives. Ma présence ici n'a rien à voir avec lady Aline, ni avec un passé que tous ont oublié.

— Tous sauf moi. Et elle.

— Il faut que j'y aille, trancha-t-il. Il faut que je demande si Westcliff a des objections à me recevoir.

— À mon avis, répondit Mme Faircloth, il te recevra avec tous les égards qu'il réserve à ses invités. C'est un gentleman.

— À père avare, fils prodigue ! observa-t-il d'un ton ironique.

— Oui. Et je pense que tu t'entendras à merveille avec lui, du moment que tu ne lui donnes pas d'inquiétude vis-à-vis de lady Aline. Elle a assez souffert comme ça, pour ne pas dire plus.

— Souffert ? répéta McKenna, agacé. Moi, madame Faircloth, je sais ce qu'est la souffrance... J'ai vu des gens mourir, faute de nourriture ou de médicaments... J'en ai vu d'autres se tuer au travail... des familles écrasées par la pauvreté. Aline n'a jamais eu à lever le petit doigt pour assurer sa survie.

— Il ne faut pas être aussi rigide, McKenna, rétorqua-t-elle avec douceur. C'est vrai que le comte et ses sœurs ne souffrent pas de la même manière que nous, mais leurs douleurs sont bien réelles. Et ce n'est pas la faute de lady Aline si tu as eu des moments difficiles.

— Ce n'est pas ma faute non plus, répliqua-t-il calmement, trop calmement, alors que son sang bouillait dans ses veines.

— Par tous les saints, quel regard diabolique ! Qu'est-ce que tu manigances, McKenna ?

— Rien du tout, répondit-il en reprenant un masque impassible.

La vieille gouvernante n'était pas convaincue.

— Si tu as l'intention de faire du mal à lady Aline, je te mets en garde...

— Ce n'est pas la peine. Je n'ai pas l'intention de faire du mal à qui que ce soit. D'ailleurs, madame Faircloth, vous savez ce qu'elle représentait pour moi à une lointaine époque.

La fidèle servante sembla se détendre. Elle se détourna, et ne vit pas le sourire sinistre qui effleura son visage de prédateur.

Il allait sortir quand il se ravisa, la main sur la poignée de la porte.

— Madame Faircloth, une chose encore...

— Oui ?

— Pourquoi ne s'est-elle pas mariée ?

— C'est à elle qu'il faut poser la question.

— Il doit y avoir un homme là-dessous, murmura-t-il. Une beauté éblouissante comme Aline a toujours des prétendants en foule.

La vieille dame resta prudente.

— En réalité, il y a un monsieur qui lui tient compagnie de temps en temps. Lord Sandridge, le propriétaire du domaine de Marshleigh. Il s'y est installé il y a cinq ans environ. Tu devrais le voir au bal demain soir : il est souvent invité à Stony Cross Park.

— À quoi ressemble-t-il ?

— Oh, lord Sandridge est un gentleman accompli, estimé de tous ses voisins. Je pense que tu ne lui trouveras que des qualités.

— J'espère bien, confirma McKenna d'une voix douce avant de quitter la pièce.

Aline accueillit ses invités avec une amabilité de façade. En revenant au manoir, elle fit tour à tour la connaissance de M. Gideon Shaw, puis des époux Chamberlain, c'est-à-dire la sœur et le beau-frère de Shaw. Il y eut ensuite leurs amis new-yorkais, plus riches les uns que les autres : les Laroche, les Cuyler et les Robinson. Comme l'on pouvait s'y attendre de la part d'Américains, ils étaient tous intimidés d'être reçus dans la noblesse britannique. Le fait qu'Aline leur demande s'ils avaient fait bon voyage à travers l'Atlantique lui valut des avalanches de remerciements. Quand il fut question de leur servir des boissons, ils témoignèrent la joie d'un condamné à mort que l'on vient de gracier. Elle espérait qu'au bout de quelques jours sous son toit, ils se montreraient moins obséquieux.

Elle prit congé d'eux et se rendit aux cuisines, à la recherche de Mme Faircloth. Chacun s'y activait avec diligence mais, sans que personne le lui dise, Aline devina que McKenna y était passé. Il régnait dans la pièce une certaine fébrilité. Ses soupçons se confirmèrent lorsqu'elle aperçut Mme Faircloth, les joues rougies par l'émotion.

Ainsi, juste après avoir vu Aline, McKenna s'était mis en quête de la gouvernante. Elles étaient les deux personnes de son passé qu'il avait le plus aimées.

McKenna... Les pensées se bousculaient dans son esprit comme des abeilles dans une ruche renversée... Elle n'arrivait pas à aligner deux idées cohérentes. Pourquoi au juste était-il revenu ? Il devait avoir besoin de faire une croix sur ce passé qui les hantait tous les deux. Il voulait quelque chose d'elle... la rançon de la douleur ou du plaisir, quelque chose qui lui permette de connaître enfin la paix. Mais elle n'avait rien à lui offrir, bien qu'elle eût volontiers cédé son âme, si cela avait été possible.

Elle mourait d'envie de l'apercevoir, à seule fin de s'assurer qu'il existait bel et bien. Elle voulait entendre le son de sa voix, sentir son bras, confirmer qu'elle n'était pas devenue folle à force de l'attendre...

Aline essaya de reprendre son sang-froid tandis qu'elle longeait la grande table en bois. Elle feuilleta le cahier que Mme Faircloth tenait avec la cuisinière, et proposa quelques modifications aux menus.

Ensuite, elle s'apprêtait à rejoindre les invités pour la collation du milieu de matinée, quand elle sentit la tête lui tourner. Elle n'avait envie ni de manger, ni de sourire, ni de causer avec tant d'inconnus. Et sous les yeux de McKenna, en plus ! Non, impossible. Plus tard, dans la soirée, une fois qu'elle aurait pris le temps de se ressaisir, elle se conduirait en parfaite maîtresse de maison. Pour l'heure, elle souhaitait se retirer en quelque endroit secret, et réfléchir. Pour te *cacher,* lui chuchota une petite voix ironique. Oui, se cacher. Elle ne voulait pas revoir McKenna avant d'avoir recouvré son sang-froid.

— Le comte désire te voir, annonça Mme Faircloth en l'accompagnant jusqu'à la porte de la cuisine.

Aline était livide, ce qui inquiétait la brave gouvernante.

Évidemment, Marcus voulait être sûr qu'elle n'était pas en larmes à cause du retour de son ancien amour.

— D'accord, répliqua-t-elle. Je lui demanderai de ne pas compter sur moi auprès des invités ce matin. Je me sens... un peu lasse.

— Oui, repose-toi pour être belle au bal de ce soir.

McKenna invité au bal à Stony Cross Park : jamais Aline n'aurait imaginé cela !

— La vie nous réserve de ces surprises, murmura-t-elle. C'est vraiment étrange qu'il revienne enfin...

— Il te veut encore.

À ces mots, Aline frémit de la tête aux pieds.

— Il te l'a dit ?

— Non... Mais cela se voyait sur son visage quand j'ai cité ton nom.

Aline porta la main à son cœur.

— Tu ne lui as pas dit que... ?

— Je suis le tombeau des secrets, assura Mme Faircloth.

La jeune femme serra dans sa main celle de sa gouvernante.

— Il ne faut pas qu'il sache. Je ne pourrais le supporter.

Aline trouva Marcus et Livia dans le petit salon, pièce intime où ils se réunissaient parfois pour débattre de questions urgentes. Malgré son émoi, Aline fit bonne figure devant la mine sombre de son frère et l'inquiétude de sa sœur.

— Ne faites pas cette tête-là, je ne vais pas me jeter par la fenêtre. Je suis parfaitement calme, je vous assure. J'ai vu McKenna, nous avons parlé de façon cordiale. Nous sommes tous les deux d'accord pour dire que le passé est oublié.

Marcus la prit par les épaules.

— Le passé n'est jamais oublié, rétorqua-t-il de sa belle voix rocailleuse. Étant donné les circonstances... je ne voudrais pas que tu souffres de nouveau.

— Je ne souffrirai pas. Il ne reste rien des sentiments que j'ai eus pour lui jadis. Je n'étais qu'une jeune évaporée, aux idées romanesques. De son côté, je suis convaincue que McKenna n'a plus le moindre sentiment vis-à-vis de moi.

— Dans ce cas, pourquoi est-il là ? insista Marcus.

— Pour les affaires de M. Shaw, bien sûr. Et pour ton investissement dans la fabrique…

— Je soupçonne McKenna de cacher une intention secrète.

— Laquelle ?

— Celle de faire enfin ta conquête.

— Allons, Marcus ! Tu te rends compte à quel point c'est ridicule ?

— Je suis chasseur. J'ai conduit des meutes et tiré du gibier depuis l'enfance. Mon instinct me dit que c'est bien de chasse qu'il s'agit.

Aline trouvait la chose presque comique.

— J'aurais dû me douter que tu allais réduire l'affaire à cela. Mais la vie, Marcus, n'est pas qu'une histoire de traque et de conquête.

— Pour une femme, peut-être. Pas pour un homme.

Elle soupira et échangea avec Livia un regard entendu : les deux sœurs se comprenaient à demi-mot.

— Si Aline affirme que la présence de McKenna ne la dérange pas, je ne vois pas pourquoi nous y ferions obstacle.

— Moi si, continua Marcus, inflexible. J'envisage de lui demander de partir.

— Mais les gens vont jaser ! s'exclama Aline, agacée. Pourquoi réclamer mon avis, si ta décision est déjà prise ? Ne complique pas les choses, je t'en prie. Je veux qu'il reste.

À la grande surprise d'Aline, son frère et sa sœur la dévisagèrent comme si elle venait de parler une langue étrangère.

— Qu'est-ce qu'il y a ? s'étonna-t-elle.

— J'ai cru te revoir un instant comme tu étais il y a de longues années, expliqua Marcus. Cela fait plaisir de te retrouver.

Elle eut un rire gêné.

— Que veux-tu dire, Marcus ? Que je serais devenue timide, apathique ?

— Je dirais plutôt fermée. Tu refuses les hommages de quiconque sauf de Sandridge, et tout le monde sait qu'il n'en sortira rien.

Alors qu'elle bafouillait quelque protestation, Marcus se retourna pour s'adresser à Livia.

— Quant à toi, tu ne fais pas mieux que ta sœur. Cela fait deux ans qu'Amberley est mort, on dirait que tu es descendue dans la tombe avec lui. Il serait temps de quitter le deuil, Livia, et de recommencer à vivre. Bon sang ! Vous êtes les deux plus jolies femmes du Hampshire, et vous vivez cloîtrées. Je n'ai pas envie de vous garder à charge jusqu'au jour où je serai chauve et édenté.

Livia le gratifia d'un regard outragé, mais Aline pouffa à l'idée de ce solide garçon en vieux bonhomme chauve. Elle l'embrassa avec affection.

— Nous sommes exactement ce que tu mérites, prétentieux fouineur. Méfie-toi que je ne me mette moi aussi à te faire la leçon : vieux garçon à trente-quatre ans, alors que ta seule raison de vivre devrait être de donner un héritier au...

— En voilà assez. Maman m'a tenu ce discours des milliers de fois. Inutile que tu t'y mettes !

Aline échangea avec Livia un regard de triomphe.

— Écoute, j'accepte de me tenir provisoirement tranquille, mais *seulement* si tu promets de ne rien faire ni dire contre McKenna.

Le comte bougonna un vague acquiescement et, plantant là ses deux sœurs, quitta la pièce.

Aline avait remarqué combien les paroles de Marcus avaient troublé Livia.

— Il n'a pas entièrement tort, dit-elle. Tu devrais recommencer à te montrer un peu.

— À fréquenter des hommes, tu veux dire ?

— Oui. Tu finiras bien par retomber amoureuse, Livia. Tu épouseras quelqu'un de bien, tu lui feras des enfants : tu mèneras la vie qu'Amberley aurait souhaitée pour toi.

— Et toi ?

— Tu sais bien pourquoi ces rêves-là me sont désormais interdits.

— Mais... ce n'est pas juste !

— En effet, acquiesça Aline avec douceur. Mais c'est la vie.

Livia gardait le regard fixé sur le tapis.

— Aline, il y a une chose que je ne t'ai jamais dite, j'avais trop honte. Mais maintenant que McKenna est revenu et que le passé remonte à mon esprit, je ne puis l'ignorer.

— Tais-toi, Livia ! ordonna Aline, sachant ce que sa sœur allait dire.

Celle-ci ne put retenir une larme en avouant :

— C'est moi qui ai averti papa quand je vous ai vus, McKenna et toi, dans les écuries. Tu m'as soupçonnée, bien sûr, mais tu ne m'as jamais posé la question. J'aurais dû me taire. Je suis désolée de ce que j'ai fait. J'ai gâché ta vie.

— Ce n'était pas ta faute, s'exclama Aline en enlaçant sa sœur. Quel reproche pourrais-je te faire ? Tu n'étais qu'une enfant et… Non, ne pleure pas ! Peu importe ce que tu as raconté à papa. De toute façon, rien de bon ne pouvait sortir de ma relation avec McKenna. Nous n'avions nul endroit où aller, nulle solution à adopter : nous ne pouvions être ensemble, voilà tout.

— Quand même, je regrette.

— On n'échappe pas à son destin, insista Aline en tapotant le dos de sa petite sœur. Tu te souviens, papa disait toujours ça ?

— Oui, et ça lui donnait l'air bête.

— Peut-être as-tu raison, convint Aline qui avait envie de rire. McKenna a bien pris son destin en main, non ?

Livia sortit un mouchoir de sa poche et recula d'un pas pour se moucher.

— Les nouvelles vont bon train à l'office, annonça-t-elle d'une voix étouffée par le mince tissu de batiste. Le maître d'hôtel des Chamberlain aurait dit au valet de pied – qui l'a répété à une femme de chambre – qu'à New York on appelle McKenna « le roi McKenna ». Il a une immense demeure sur la 5e Avenue et tout le monde le connaît à Wall Street.

— Le garçon d'écurie est devenu roi, conclut Aline avec un pauvre sourire. Je n'en attendais pas moins de lui.

— Et si McKenna tombait à nouveau amoureux de toi ?

Aline frissonna.

— Non. Ça n'arrivera pas. Une fois la flamme d'une passion éteinte, on ne la rallume pas.

— Et si elle n'était pas éteinte ?

— Livia, je t'assure qu'il ne s'est pas langui de moi pendant ces douze ans.

— Mais toi, pourtant…

Livia laissa sa phrase en suspens. Comprenant ce que sa sœur était sur le point de dire, Aline rougit. Elle s'avança à la fenêtre et regarda les colonnes de la galerie menant au jardin. Chaque arche était envahie de roses, de clématites et de chèvrefeuille ; c'était comme un tunnel parfumé, au plafond formé de treillis de bois, qui conduisait au pavillon d'été. Les souvenirs de McKenna étaient partout dans ce jardin... ses belles mains en train de couper les fleurs fanées... son visage bronzé à la lumière du couchant entre les feuilles et les treillis... son front baigné de sueur tandis qu'il égalisait le gravier des allées ou replantait les massifs.

— Je ne sais pas si on peut appeler cela se languir, répliqua-t-elle en caressant le carreau du bout des doigts. McKenna fera toujours partie de moi, où qu'il aille. On dit que les amputés gardent toute leur vie un membre fantôme. Que de fois n'ai-je pas senti McKenna à mon côté... Je ne suis jamais seule.

Elle inclina le visage et posa le front sur la vitre froide.

— Je l'aime au-delà de toute raison. Il est à présent un étranger pour moi, mais pourtant si familier. Je ne saurais imaginer supplice plus exquis que de l'avoir ainsi, tout près.

Un long silence s'installa.

— Aline, reprit Livia, ne vas-tu pas lui dire la vérité, maintenant qu'il est de retour ?

— À quoi bon ? Tout ce que j'aurais à gagner, ce serait sa pitié. Autant me jeter de la falaise... Mieux vaut qu'il continue à me détester, répondit-elle en s'essuyant le front du revers de sa manche.

— Je me demande comment tu arrives à supporter cela.

— La seule chose qui me console, c'est de me dire ceci : il me haïrait moins s'il m'avait moins aimée.

Malgré les supplications de Marcus et d'Aline, Livia refusa de se rendre au bal de bienvenue donné en l'honneur des Américains, avec la participation de tous les notables du comté.

— J'ai besoin de toi, insista Aline. Tu sais bien que je ne suis pas dans mon assiette, ce soir. Ta présence m'aiderait tant...

— Non, s'obstina tranquillement Livia, un livre dans une main et un verre de vin dans l'autre.

Elle avait arrangé ses cheveux en tresses lâches, et portait des mules fourrées.

— Je n'ai pas la moindre envie de me mêler à ce troupeau d'Américains. En outre, je sais parfaitement ce qui te trouble, et ma présence n'y changera rien.

— Tu n'as pas envie de revoir McKenna, après toutes ces années ?

— Pour rien au monde ! La perspective de le revoir, étant donné la façon dont je vous ai dénoncés, me donne envie d'être une petite souris et de disparaître dans un trou.

— Mais il n'est pas au courant.

— Moi si !

Aline ne se tenait pas pour battue.

— Et M. Shaw ? N'as-tu pas le désir de faire sa connaissance ?

— Après ce que Marcus m'a raconté de ce dégoûtant personnage, je préfère me tenir à distance.

— Mais je croyais que Marcus aimait bien Shaw.

— Certes, mais de là à lui donner l'une de ses sœurs, il y a une sacrée différence.

— Je croyais justement que ce détail le rendrait intéressant à tes yeux, insista Aline, ce qui fit rire Livia.

— De toute façon, il est là pour un mois. Nous verrons. Pour le moment, descends et amuse-toi. Cette robe te va à ravir… Tu ne m'as pas dit un jour que le bleu était la couleur préférée de McKenna ?

— Je ne m'en souviens pas.

C'était pourtant vrai. Ce soir-là, Aline n'avait pu s'empêcher de choisir une robe de soie couleur lapis-lazuli. C'était une robe toute simple, sans volants ni surjupe : juste une courte traîne dans le dos et un décolleté carré. Un long collier de perles faisait deux fois le tour de sa gorge, le rang le plus bas formant une boucle qui descendait presque jusqu'à la taille. Une autre boucle avait été entrelacée de façon charmante dans sa chevelure.

— Tu es belle comme une déesse, déclara Livia en levant son verre et feignant de porter un toast. Bonne chance, ma chérie. Parce que si McKenna t'aperçoit dans cette tenue, je suis sûre que tu auras du mal à te défaire de lui.

Dès que McKenna était devenu l'associé de Gideon Shaw, ce dernier avait exigé que le jeune homme se prépare à être admis au club des Knickerbockers. Il avait enduré pour cela une longue et difficile période de formation, au terme de laquelle il avait été considéré comme présentable aux personnes fréquentant le milieu de Shaw, c'est-à-dire la haute société new-yorkaise. Cependant, il n'avait jamais été dupe : tout ce qu'il avait appris dans ce cadre n'était qu'un vernis. Pour devenir membre de la haute société, il fallait davantage que des vêtements bien coupés et un cours d'initiation aux convenances. Il fallait la conviction d'avoir droit à tout cela. Il fallait également la classe, la dignité, le maintien et une certaine élégance de caractère qu'il était conscient de ne pouvoir acquérir.

Heureusement pour McKenna, en Amérique, l'argent suppléait à tout. Si fermée que soit l'élite américaine, elle acceptait en son sein les riches parvenus. Ceux qui faisaient fortune rapidement voyaient s'ouvrir devant eux toutes les portes ou presque. Quant à la gent féminine, elle avait moins de chance. Les jeunes femmes à la fortune récente – si considérable fût-elle – n'étaient pas acceptées au sein de la vieille aristocratie new-yorkaise. Elle devait donc chercher un mari à Paris ou à Londres, car leur voisin de palier, à Manhattan, ne les regardait même pas.

Habitué à l'atmosphère des bals de New York, McKenna fut agréablement surpris par l'ambiance détendue de celui de Stony Cross Park. Il fit part de son impression à Gideon, qui eut un petit rire.

— C'est toujours comme ça, en Angleterre. Les pairs du royaume n'ont rien à prouver. Étant donné que personne ne peut leur retirer leur titre, ils font et disent ce qu'ils veulent. À New York, en revanche, le statut social est beaucoup plus précaire. La seule façon d'être sûr de sa place, c'est de faire partie de telle ou telle maudite liste. Il faut être membre de la liste des comités, de celle des invités, de celle des gens à visiter...

— Y a-t-il des listes dont tu ne fais pas partie ? demanda McKenna.

— Non, parbleu ! s'esclaffa Gideon. Je suis un Shaw. Tout le monde veut m'avoir.

Les deux associés étaient debout au fond de la salle de bal. L'air embaumait la rose, l'iris et le lis, autant de fleurs fraîchement coupées dans les jardins du domaine, et disposées par des doigts habiles dans des vases de cristal. Les niches creusées dans les murs contenaient de minuscules banquettes en velours, où siégeaient en groupes compacts les douairières et les rares jeunes femmes qui faisaient tapisserie. La musique venait de la mezzanine : c'était en vérité un petit orchestre à demi caché par des tonnelles de verdure. Le bal du comte de Westcliff ne ressemblait pas aux réceptions extravagantes où McKenna était invité sur la 5e Avenue. En revanche, tout y était plus raffiné.

Le contraste fut encore accentué par l'arrivée de lady Aline. Avec ces rangées de perles blanches dans ses lourdes mèches sombres, elle était éblouissante. Sa robe bleu nuit moulait étroitement sa somptueuse poitrine. Des boutons de rose blancs fraîchement cueillis faisaient le tour d'un de ses poignets gantés. Elle donna sa main à baiser à la ronde, et s'approcha du groupe des invités le plus proche de la porte. Son sourire était étincelant. En la regardant plus attentivement, McKenna releva un détail qu'il n'avait pas remarqué lors de leur entrevue précédente : sa démarche avait changé. Elle avait perdu la vivacité impétueuse de l'adolescente, mais acquis la grâce exquise du cygne qui glisse sans effort sur l'eau calme d'un étang, entre les nymphéas.

L'entrée de la jeune femme attira tous les regards. Il était évident que McKenna n'était pas seul à apprécier le spectacle. Si réservée fût-elle, elle était incapable de cacher sa lumineuse sensualité. S'il s'était écouté, il l'aurait entraînée sur-le-champ dans un endroit écarté. Il brûlait d'arracher les perles de ses cheveux, de coller sa bouche contre ses seins et de respirer jusqu'à l'ivresse la fragrance de ce corps somptueux.

— Charmante, commenta Gideon en suivant son regard. Mais tu pourrais en trouver de presque aussi jolies – et passablement plus jeunes – à New York.

McKenna le toisa d'un regard peu amène.

— Je sais par cœur tout ce que les New-Yorkaises ont à offrir.

Ses yeux, irrésistiblement attirés, revinrent sur Aline.

Gideon sourit. Il faisait tourner entre ses doigts le pied de son verre.

— Je ne dirais pas que toutes les femmes sont pareilles, mais l'expérience m'a enseigné qu'elles disposent toutes à peu près des mêmes appas. Qu'est-ce qui peut en rendre une infiniment préférable aux autres ? Le simple fait qu'elle soit inaccessible ?

McKenna ne se donna même pas la peine de répondre à cette niaiserie. Ce qu'il avait dans le cœur, il était impossible de le faire comprendre à Shaw ou à quiconque. La triste réalité était qu'Aline et lui ne s'étaient jamais séparés. Ils avaient beau vivre à des milliers de kilomètres, leur destin était lié. Inaccessible, Aline ? Mais il n'avait pas cessé un instant de la posséder. Elle était restée pour lui un tourment permanent.

Elle allait d'ailleurs le lui payer, car cela faisait plus d'une décennie qu'elle le mettait au supplice…

Il fut tiré de ses pensées par l'arrivée de lord Westcliff. Comme ses invités de sexe masculin, celui-ci ne portait que du blanc et du noir : un élégant habit à queue-de-pie et des pantalons bien coupés. Il avait le port d'un athlète et une attitude franche. Toutefois, sa ressemblance avec son père sautait aux yeux, et ce point provoqua chez McKenna une soudaine animosité. Néanmoins, combien de pairs du royaume étaient-ils capables de recevoir comme invité un ancien domestique ? C'était assurément un bon point que McKenna, en toute honnêteté, ne pouvait lui refuser.

Westcliff les salua de façon courtoise, quoique sans débordement de chaleur.

— Bonsoir, messieurs. Avez-vous ce qu'il vous faut ?

— Tout à fait, répondit cordialement Shaw en levant son verre. Ce bordeaux est remarquable, milord.

— Parfait. Je veillerai à ce que ce millésime soit à votre disposition dans votre pavillon. Et vous, sir ? continua-t-il à l'intention de McKenna. Que pensez-vous de ce premier bal à Stony Cross Park ?

— C'est différent, vu de ce côté-ci des fenêtres, répliqua McKenna en toute franchise.

— Effectivement, convint Westcliff avec un sourire un peu contraint, il y a un abîme entre l'écurie et le grand salon. Seuls des hommes d'exception sont capables de le franchir.

C'est tout juste si McKenna l'entendit répondre. Il venait de remarquer qu'Aline accueillait un nouvel invité.

Celui-ci était entré seul. C'était un bel homme blond d'une trentaine d'années, peu différent de Gideon Shaw. Toutefois, Gideon était hâlé alors que le nouvel arrivant était pâle. Il formait avec Aline un très beau couple.

Westcliff suivit le regard de McKenna.

— Lord Sandridge. Un ami de la famille. Très estimé par ma sœur.

— Cela se voit, confirma McKenna, frappé par l'intimité manifeste qui existait entre la jeune femme et son invité.

Le démon de la jalousie était prêt à le dévorer. Westcliff continua tranquillement :

— Cela fait bien cinq ans qu'ils sont amis. Ma sœur montre vis-à-vis de Sandridge beaucoup d'affinités, et je m'en réjouis. Ce que je souhaite pardessus tout, c'est son bonheur... Sur ce, messieurs, je vous souhaite de passer une merveilleuse soirée.

Gideon sourit tandis que leur hôte s'éloignait.

— Excellent diplomate, notre Westcliff, murmura-t-il. J'ai l'impression qu'il ne tient pas à te voir approcher de lady Aline.

McKenna le foudroya du regard, bien qu'il fût habitué depuis longtemps aux piques de Gideon.

— Westcliff peut aller se faire voir, gronda-t-il. Et Sandridge avec !

— Tu n'as pas peur de la concurrence, alors ?

— Après cinq ans de fréquentation, Sandridge n'a toujours pas demandé la main de lady Aline. Je n'appelle pas cela de la concurrence.

— Disons qu'il ne l'a peut-être pas demandée publiquement...

— Pour moi, c'est la seule façon qui compte, rétorqua McKenna avec un sourire mystérieux.

8

Aline n'accordait pas facilement sa confiance : cela l'avait conduite à restreindre le nombre de ses vrais amis. Avec Adam Sandridge, cela avait pourtant été facile. Il y avait entre eux une amitié pure, où n'entrait nulle composante physique. Maints ragots circulaient concernant une liaison amoureuse : d'un commun accord, ils laissaient les gens jaser. Elle appréciait le fait que peu d'hommes se risquent à lui faire la cour, à cause de sa prétendue liaison avec Adam. Quant à celui-ci, il n'était pas fâché que ces cancans ne laissent pas place à d'autres, plus nuisibles pour sa réputation.

Aline savait ce que pratiquement tous ignoraient : Adam n'était attiré que par les personnes du même sexe que lui. Pour ceux qui partageaient ce goût, il représentait une proie de choix. Son charme, son intelligence et la finesse de son esprit l'auraient rendu ardemment désirable, même s'il avait eu un physique ingrat. Or il était d'une beauté éclatante avec sa chevelure d'or blanc, ses yeux gris aux longs cils noirs, et son corps souple d'athlète bien entraîné.

Sa compagnie était très agréable. Il la faisait tantôt rire, tantôt réfléchir, et il comprenait ce qu'elle allait dire avant même qu'elle ne prononce les mots. Nul comme Adam ne la faisait sortir de sa morosité, et c'était réciproque.

— Parfois, lui avait-elle dit un jour en riant, tu me fais regretter de ne pas être un homme.

Il avait esquissé un sourire.

— Mais non, tu es trop parfaite en tant que femme.

— Oh non ! Je suis bien loin d'être parfaite, avait-elle murmuré, songeant aux cicatrices hideuses qui constellaient ses jambes.

Avec Adam, Aline n'avait guère de secrets ; ils avaient dépassé depuis longtemps le stade des banalités ou des mensonges. Peu après leur première rencontre, elle lui avait raconté son accident et ses conséquences. Chose étrange, elle n'était jamais parvenue à en parler à des amis de toujours... En fait, elle ne cachait rien à Adam. Elle lui avait également tout avoué de son amour interdit pour McKenna, et la façon dont elle s'y était prise pour l'éloigner à jamais. Adam accueillait ses confidences sans la juger, avec juste ce qu'il fallait de compassion.

Elle saisit la main de son ami.

— J'ai besoin de toi, Adam, lui confia-t-elle à mi-voix.

— Que se passe-t-il ?

— McKenna est revenu.

— À Stony Cross ? demanda-t-il, interloqué. Peste ! Ça, c'est une nouvelle...

— Il loge au manoir. Il est venu avec les Américains.

— Ma pauvre chérie ! Décidément, le sort s'acharne sur toi... Viens, sortons. Allons discuter dans le jardin.

Elle n'aurait pas demandé mieux, mais ses devoirs la retenaient.

— Il faut que je reste ici, à la disposition des invités.

— Non, s'obstina-t-il en lui donnant le bras. C'est trop important. Juste quelques minutes : je te libérerai avant que quiconque ne s'aperçoive de ton absence. Viens.

Ils sortirent sur le dallage du balcon dominant les terrasses, à l'arrière du manoir. Aline parlait rapidement, Adam écoutait avec une attention sans faille. Ils s'arrêtèrent devant une porte-fenêtre.

— Montre-le-moi, murmura-t-il.

Aline n'eut qu'un coup d'œil à jeter à l'intérieur pour repérer la belle stature de McKenna.

— Là-bas, près de la frise dorée. Il parle avec mon frère.

Adam acquiesça, pensif.

— Pas mal, pour ceux qui aiment le genre beau ténébreux.

Malgré sa détresse, Aline eut un petit rire.

— Mais qui n'aime pas ce genre ?

— Moi, déjà. Il faudrait que tu dépasses ton *Sturm und Drang*, chérie.

— Qu'est-ce qu'un « shtourmoundrangue » ?

— Ah… Je vois qu'il te faudrait un petit cours de perfectionnement en littérature allemande. Cela veut dire bouleversement passionné. On peut le traduire littéralement par « Tempête et Élan ».

— Ma foi, il n'y a rien d'aussi grandiose qu'une tempête, n'est-ce pas ?

Adam sourit et l'attira sur un banc de pierre.

— À condition d'assister au spectacle dans le calme douillet d'une confortable demeure… Dis-moi, ma chérie, qu'allons-nous faire à propos de ce problème ?

Il lui prit la main et la pressa affectueusement.
— Je me le demande.
— Est-ce que McKenna t'a dit ce qu'il attendait de toi ? Ça ne fait rien, enchaîna-t-il. Je sais exactement ce qu'il désire. La vraie question, c'est de savoir s'il y a une chance pour qu'il use de force ou de coercition à ton endroit.
— Pas la moindre, répondit-elle vivement. Il n'est pas homme à en arriver là.
— Tant mieux.
— J'ai peur, Adam, avoua Aline dans un soupir. Non pas pour le présent, ni les semaines à venir... J'ai peur pour après, quand il repartira. J'ai survécu la première fois, mais je ne suis pas sûre d'en être capable une seconde fois.
Il lui passa gentiment un bras autour des épaules.
— Mais si, ça ira. Tu peux compter sur moi.
Après une longue pause, il poursuivit :
— Aline, je voudrais te dire quelque chose, bien que le moment puisse paraître fort mal choisi... Mais cela fait un moment que j'y réfléchis. Alors, pourquoi pas maintenant ?
— Oui ?
Adam la regardait avec toute son amitié, de si près que leurs nez se touchaient presque. Ses yeux gris brillaient comme s'ils reflétaient le clair de lune.
— Nous formons un excellent couple, ma chérie. Cela fait cinq ans que nous nous connaissons, et je t'adore plus que toute autre personne au monde. Il me faudrait une heure pour citer toutes tes vertus, mais c'est inutile car tu les connais déjà. J'ai une proposition à te faire. À mon avis, nous devrions continuer la relation qui est la nôtre, à un détail près. Je souhaite t'épouser.
— Tu es ivre ? s'exclama Aline, éberluée.

— Réfléchis, insista-t-il avec le plus grand sérieux. Tu deviendrais la châtelaine de Marshleigh. Nous formerions un couple comme il n'y en a guère : un homme et une femme qui s'aiment vraiment.

— Mais tu ne me demanderais pas de...

— Bien sûr que non. Tous les deux, nous tirerions certaines satisfactions de notre mariage, et pour celles de la chair, à l'extérieur, sur d'autres chemins. L'amitié, Aline, dure bien plus longtemps que l'amour. Jamais je ne te reprocherai de chercher le plaisir là où tu peux le trouver, et tu feras preuve vis-à-vis de moi de la même complaisance.

— J'ai renoncé pour toujours aux plaisirs de la chair, murmura-t-elle. Qu'un homme aperçoive mes jambes, et il sera incapable de faire l'amour avec moi.

— Eh bien, choisis une position où tu ne les montres pas, suggéra Adam d'un ton léger.

— Mais comment veux-tu que je m'y prenne ?

— Réfléchis, ma chérie.

Il se garda d'en dire plus, mais il y avait dans son regard quelque chose de polisson qui la fit rougir.

— Je n'avais jamais vu la chose sous cet angle. Ce serait bizarre...

— Simple question d'organisation. Mais que penses-tu de mon offre ? Acceptes-tu d'y réfléchir ?

— Je crains d'être trop traditionaliste pour ce genre d'accord.

— Au diable les conventions ! s'exclama Adam en lui baisant les cheveux. Laisse-moi te consoler quand ton cœur sera brisé. Laisse-moi te frotter les jambes le soir, et te tenir enlacée comme un amant le ferait. Laisse-moi t'emmener visiter des lieux exotiques quand tu seras lasse de nos paysages anglais.

— Acceptes-tu de me laisser quelques jours de réflexion ?

— Tout le temps que tu voudras.

Brusquement, Adam se tourna, sans toutefois retirer le bras qu'il avait passé sur les épaules d'Aline, et lui souffla à l'oreille :

— M. Sturm arrive, mademoiselle Drang. Veux-tu que je reste, ou que je vous laisse ?

— Laisse-nous. Je vais me débrouiller.

Il lui frôla la joue d'un baiser.

— Bonne chance, ma chérie. Je reste à portée de voix, pour le cas où tu aurais besoin de moi.

— Tu ne veux pas que je te présente ? demanda-t-elle.

— Pour rien au monde, grands dieux ! Je te laisse égorger tes dragons toi-même !

Aline ne bougea pas tandis que McKenna approchait. Sa présence s'étendit sur elle comme une ombre. Adam n'avait pas eu le mot juste : il ressemblait davantage à un démon qu'à un dragon. Dans sa tenue de soirée noire, il évoquait vraiment un diable ténébreux au regard brûlant. Sa beauté – la beauté du diable – coupait le souffle d'Aline. Elle était désemparée par l'envie qu'elle avait de le toucher. C'était le même attrait que celui de sa jeunesse, une excitation sauvage, étourdissante, qu'elle n'avait jamais oubliée.

— McKenna, lança-t-elle. Bonsoir !

Il s'arrêta juste devant elle et se tourna vers la porte-fenêtre par où Adam venait de disparaître.

— Qui est-ce ? demanda-t-il, alors qu'elle le soupçonnait de connaître la réponse.

— Lord Sandridge. Un ami très proche.

— Juste un ami ?

Dix minutes plus tôt, Aline aurait répondu sans hésitation par l'affirmative. À présent qu'Adam l'avait demandée en mariage, elle réfléchit.

— Il m'a demandé ma main, reconnut-elle.

McKenna tenta de demeurer impassible.

— Et tu as l'intention de la lui accorder ?

Aline dévisageait son interlocuteur debout devant elle, moitié dans l'ombre, moitié dans la lumière. Ce faisant, elle sentit un changement s'infiltrer dans tout son corps, sa peau fourmiller sous la soie légère de sa robe, les pointes de ses seins durcir. Une chaleur sourdait dans sa poitrine et descendait vers son ventre.

— Probablement, répliqua-t-elle à mi-voix.

Il fit un pas en avant et, sans un mot, tendit une main impérieuse. Aline y posa la sienne et se leva. De ses longs doigts, McKenna la saisit par son poignet ganté, juste au-dessus du bracelet de boutons de rose blancs. Elle eut un frémissement quand il glissa le pouce au creux de sa paume. Malgré la double épaisseur de leurs gants respectifs, la simple pression de ses doigts lui mettait le cœur en folie.

— McKenna, pourquoi ne m'as-tu pas avertie que tu revenais à Stony Cross ?

— Je ne pensais pas que tu y attacherais la moindre importance.

Il avait prononcé ce mensonge effronté de l'air le plus naturel. N'importe qui l'aurait cru, sauf elle. Indifférente, elle ? Que de journées pluvieuses, que de nuits solitaires n'avait-elle passées à attendre ce retour ! Lorsque la fièvre l'avait poussée au seuil de la mort, c'est son nom qu'elle avait invoqué, c'est lui qu'elle avait supplié, c'est de lui dont elle rêvait pendant son sommeil.

— Mais si, j'y accorde de l'importance, affirma-t-elle d'un ton volontairement détaché. Nous étions amis, après tout.

— Amis ?

Prudente, la jeune femme dégagea son poignet.

— Oui. Amis intimes. Après ton départ, je me suis souvent demandé ce qu'il advenait de toi.

— Eh bien maintenant, tu es fixée. Moi aussi, je me suis demandé... ce qui t'était arrivé après que l'on m'a envoyé à Bristol. J'ai entendu parler d'une maladie.

— Laissons de côté le passé ! coupa Aline avec un petit rire nerveux. Tout cela n'est qu'ennui, je t'assure. En revanche, je brûle d'en savoir davantage sur ton compte. Dis-moi tout. Quel effet cela t'a-t-il fait d'arriver à New York ?

Il esquissa un sourire.

— Ce n'est pas un sujet de conversation pour une salle de bal.

— Bon. Tu préfères le salon ? La bibliothèque, la salle de billard ? Non ? Décidément, cela doit être quelque chose ! Eh bien, que dirais-tu des écuries ? Les chevaux, s'ils entendent ton histoire, sauront se montrer discrets.

— Peux-tu abandonner tes invités ?

— Oh, Marcus se débrouillera !

— Et ton chaperon ?

Il posait la question pour la forme car, déjà, il l'entraînait vers la sortie latérale.

— À mon âge, McKenna, on n'a plus besoin de chaperon.

Il la caressa du regard de la tête aux pieds et rétorqua :

— Ce n'est pas du tout mon avis.

Ils traversèrent les jardins jusqu'à l'arrière des écuries. Celles-ci formaient l'une des ailes entourant la cour d'honneur. Certains taquinaient lord Westcliff en lui disant que ses chevaux étaient mieux logés que bien des gens, et ils n'avaient pas entièrement tort. La cour centrale dallée des écuries contenait un vaste abreuvoir de marbre. De grandes portes voûtées conduisaient à la sellerie. Les stalles étaient au nombre de cinq douzaines, et il y avait enfin le garage des voitures, où régnaient des odeurs puissantes de cire, de cuir et de produit pour faire briller le laiton.

Les écuries n'avaient guère changé, depuis l'époque où McKenna avait quitté Stony Cross Park. Aline se demandait s'il retrouvait ces lieux familiers avec plaisir.

Ils s'arrêtèrent dans la sellerie, dont les murs étaient couverts de crochets pour suspendre selles, brides, longes et plastrons. Des caisses de bois contenant les instruments de bouchonnage étaient soigneusement alignées sur des étagères. Il régnait une forte d'odeur de cheval et de cuir.

McKenna s'approcha d'une selle et caressa du bout des doigts le cuir poli. Il pencha la tête, absorbé dans ses souvenirs.

Aline attendit qu'il repose le regard sur elle.

— Comment as-tu démarré à New York ? questionna-t-elle. J'aurais cru que tu aurais cherché à t'occuper de chevaux. Comment diable es-tu devenu passeur ?

— Le premier travail que j'ai trouvé, c'était celui de docker. La plupart du temps, il fallait se battre pour obtenir du travail. J'ai donc appris à me battre pour avoir ce que je souhaitais. J'ai économisé et je me suis acheté un petit bateau à voile. Je suis devenu le passeur le plus rapide de Staten Island.

Aline écoutait de toutes ses oreilles. Elle tenait à comprendre comment le garçon désinvolte qu'elle avait connu était devenu l'homme qu'il était à présent.

— Est-ce que quelqu'un t'a expliqué comment faire ? demanda-t-elle.

— Personne. Je me suis longtemps considéré moi-même comme un subalterne, je ne m'imaginais pas capable d'obtenir un autre statut. Peu à peu, je me suis aperçu que les autres passeurs étaient beaucoup plus ambitieux que moi. Ils me racontaient des histoires comme celle de John Jacob Astor. Tu as entendu parler de lui ?

— J'ai bien peur que non. Est-ce un ami des Shaw?

McKenna éclata d'un rire charmant, ses dents blanches brillant sur son visage bronzé.

— Il est plus riche que les Shaw, même si Gideon refuserait de l'admettre. Astor est un fils de boucher. Parti de rien, il a fait fortune dans le commerce de la fourrure. À présent, il s'est lancé dans l'immobilier à New York. Il doit bien peser quinze millions de dollars. Je l'ai rencontré : c'est un petit nabot autoritaire qui parle tout juste anglais... et il est devenu l'un des hommes les plus riches du monde.

Aline ouvrait de grands yeux. Elle avait entendu parler de l'essor industriel de l'Amérique et de l'augmentation rapide des prix de l'immobilier à New York. Mais il lui semblait impensable qu'un seul homme – surtout d'humble extraction – puisse acquérir pareille fortune.

Il parut lire dans ses pensées.

— Là-bas, tout est possible. Si tu n'es pas fainéant, tu peux avoir tout ce que tu veux. Et l'argent est la seule chose qui compte, car il n'existe pas de noblesse, pas de titres.

— Qu'entends-tu par « si tu n'es pas fainéant » ? Que faut-il faire ?

— Il faut exploiter les autres. J'ai appris à museler ma conscience et à faire passer mon intérêt avant celui de quiconque. J'ai appris à ne me soucier que de moi seul.

— Ne me dis pas que tu es devenu comme ça…

— N'en doute surtout pas, milady. Je n'ai plus rien à voir avec le gosse que tu as connu. Celui-là, il est mort sur la route de Bristol.

Aline n'arrivait pas à admettre cette réalité. Si le jeune homme dont elle avait été amoureuse était mort, son propre cœur serait mort du même coup. Elle pivota vers les articles de sellerie suspendus au mur pour cacher sa tristesse.

— Ne dis pas cela.

— C'est pourtant la vérité.

— On dirait une mise en garde, murmura-t-elle.

Aline ne s'était pas rendu compte que son compagnon approchait. Soudain, il fut juste derrière elle, tout près. Leurs corps ne se touchaient pas, mais ils se frôlaient presque. En proie à un véritable tumulte intérieur, elle se sentit dévorée d'une envie terrible de cet homme. Il lui venait des faiblesses dans les jambes, tant elle désirait se laisser aller en arrière, lui prendre les mains pour qu'il la touche partout. Cela avait été une mauvaise idée de s'isoler avec lui, songea-t-elle en fermant les yeux.

— Oui, je te mets en garde, répondit McKenna avec douceur. Il faut que tu m'ordonnes de quitter Stony Cross. Demande à ton frère de te débarrasser de moi, car ma présence t'importune. Je partirai, Aline… mais seulement si cela vient de toi.

Sa bouche était tout près de l'oreille de la jeune femme, elle en sentait la douce haleine.

— Et dans le cas contraire ?

— Je coucherai avec toi.

— Quoi ? s'étrangla-t-elle en se retournant vivement.

— Tu m'as parfaitement entendu, affirma-t-il en posant ses mains à plat de chaque côté d'Aline. Je vais te posséder. Et cela te changera des mignardises que te prodigue Sandridge.

McKenna la scruta intensément, pour voir si elle allait contredire ses insinuations.

Aline garda le silence. En dévoilant une partie de la vérité, elle serait sans doute conduite à tout avouer. Tant mieux s'il s'imaginait qu'elle était la maîtresse d'Adam : ainsi, il ne se demanderait pas pourquoi elle était restée seule tant d'années.

— Tu… tu ne t'encombres pas de marivaudage, n'est-ce pas ? dit-elle en le fixant.

— Je suis un homme d'honneur : je préfère te mettre au courant.

Aline était bouleversée par l'étrange intimité de l'instant. Elle était tellement hypnotisée par le prodigieux regard pers de McKenna, qu'elle avait l'impression de rêver.

— Tu as beau avoir changé, jamais tu ne prendrais une femme par la violence.

Il eut une moue cynique.

— Si tu ne me chasses pas de Stony Cross avant demain matin, sache que je me considérerai comme invité dans ton lit.

La jeune femme était emportée par un tourbillon d'émotions contradictoires. Elle trouvait son interlocuteur à la fois agaçant, navrant et… digne d'admiration. Le galopin élevé dans les écuries était devenu un aristocrate, plein d'une assurance virile. En d'autres circonstances, elle aurait volontiers consenti à lui donner tout ce qu'il désirait d'elle ! Hélas…

Soudain, McKenna prit entre ses doigts la double rangée de perles qu'elle portait autour du cou. Elle demeura pétrifiée. Il appuya doucement une jambe sur les jupes d'Aline, qui sentit toute maîtrise d'elle-même lui échapper. Elle emplissait ses narines de son odeur, cette fragrance pleine de soleil, avec un soupçon de savon à barbe et d'eau de Cologne qui n'appartenait qu'à lui. Elle sentait tout son corps réagir à cet appel des sens. Avec une calme lenteur qui la stupéfia, il la plaqua contre le mur. La main libre de McKenna se glissa derrière sa nuque.

Pour une raison qui lui échappait, Aline n'eut pas un instant le sentiment de devoir résister. Elle ne pouvait que rester là, à sa merci, éperdue d'excitation.

— Chasse-moi ! répéta-t-il.

On aurait dit qu'il souhaitait la voir se débattre, alors qu'elle n'était que consentement.

— Dis-moi de partir, insista-t-il, le visage penché vers elle.

À cet instant, les souvenirs de leurs baisers, de leur longue attente, furent consumés dans un élan de désir. Seul existait l'instant présent, le gémissement d'Aline piégée par la bouche brûlante de McKenna, son baiser presque agressif, comme une tornade. Sûr de lui, il insinua sa langue dans la bouche de la jeune femme, qui poussa un cri de plaisir étouffé. McKenna lui avait enseigné l'art du baiser, il n'avait oublié aucun des détails qui la rendaient folle. Il marqua une pause pour jouer avec ses lèvres, ses dents. Puis il reprit son baiser d'une agressivité magnifique. Sa main glissa de la nuque au bas du dos d'Aline, la collant contre lui de façon plus étroite. Cambrée, elle gémit quand la paume de McKenna atteignit la rondeur de ses fesses. Malgré les épaisseurs de jupons, elle sentait parfaitement la saillie de son excitation virile.

Son plaisir s'intensifia jusqu'au vertige. C'était trop, trop fort, trop rapide...

Soudain, il eut un grognement étouffé et s'écarta brusquement.

Aline, au bord du malaise, resta appuyée contre le mur. Toute la pièce crépitait de passion.

McKenna fut le premier à retrouver l'usage de la parole.

— Rentre au manoir, tant que je suis capable de te laisser filer. Et pense à ce que je t'ai dit.

Aline mit plusieurs minutes à recouvrer ses esprits. Elle retourna au bal, et nul ne se douta de rien tandis qu'elle accueillait les invités, bavardait et riait avec une gaieté de circonstance. Seul Marcus remarqua de loin que les joues de sa sœur avaient pris des couleurs.

Quant à Adam, il surgit derrière elle, avec sa discrétion habituelle.

— De quoi ai-je l'air? lui chuchota-t-elle à l'oreille.

— D'une beauté hors de l'ordinaire, comme toujours. Un peu rouge, toutefois. Que t'est-il arrivé avec cet homme? Vous avez eu des mots?

Bien plus que des mots, songea-t-elle tristement. Ah! Ce baiser... Il l'avait terrassée de plaisir comme jamais elle ne l'avait été de sa vie. Des années d'attente et de rêves, cristallisées en un instant d'indicible émoi. Comment était-elle restée debout, alors que ses genoux se dérobaient sous elle?

Ce baiser... chargé de la curiosité mutuelle de découvrir les changements survenus en douze années de séparation. McKenna représentait pour

Aline un danger à tous égards, et pourtant elle était convaincue d'avance qu'elle allait faire les mauvais choix, prendre des risques fous, dans le but futile d'apaiser la faim qu'elle avait de lui.

— Adam, murmura-t-elle sans le regarder, n'as-tu jamais eu envie de quelque chose au point d'y sacrifier tout le reste, même si tu sais que ce n'est pas bon pour toi ?

Ils avançaient à pas lents, longeant le mur de la salle de bal.

— Bien sûr que si ! répondit-il. Les vrais plaisirs de la vie sont invariablement lourds de conséquences, surtout quand on les goûte avec excès.

— Voilà qui ne m'aide guère, constata Aline d'un ton sévère, en se retenant pour ne pas sourire.

— Tu aimerais que quelqu'un te donne la permission de faire ce que tu as déjà décidé, de toute façon ? Cela atténuerait tes remords ?

— Oui, c'est bien ça. Mais nul ne peut faire cela pour moi...

— Moi, si !

— Adam ! s'écria-t-elle en éclatant de rire.

— Moi, je te donne la permission de faire ce qu'il te plaira. Tu te sens mieux ?

— Non, j'ai peur. Et si tu étais vraiment mon ami, tu remuerais ciel et terre pour m'empêcher de commettre une erreur qui me fera beaucoup souffrir.

— Tu souffres déjà, rétorqua-t-il. Offre-toi au moins le plaisir de fauter : ainsi, tu seras quitte avec ton destin.

— Seigneur, soupira Aline en lui pressant le bras, tu es vraiment ce que l'on appelle une mauvaise fréquentation, Adam.

— En tout cas, j'essaie, plaisanta-t-il.

Gideon se promenait dans les jardins en terrasses derrière le manoir. Il suivait un sentier dallé, le long d'une rangée d'ifs savamment taillés. Il espérait que le fait de prendre l'air dissiperait la tentation. La nuit commençait à peine, il fallait qu'il essaie de diminuer sa consommation d'alcool. Plus tard, quand les invités se disperseraient, il pourrait s'enivrer sans retenue, jusqu'à rouler par terre. Malheureusement, il lui fallait encore supporter quelques heures de sobriété relative.

Quelques torches situées aux points clefs du jardin offraient un éclairage suffisant pour sa promenade. Marchant au hasard, il tomba sur une petite clairière pavée, au centre de laquelle coulait une fontaine. Détail surprenant, une fille s'y promenait. Elle prêtait l'oreille aux échos de la musique provenant des portes-fenêtres ouvertes de la salle de bal. Elle chantonnait doucement et, un verre de vin à la main, esquissait quelques pas de valse. Gideon l'aperçut de profil : ce n'était pas une fillette mais une jeune femme, à la physionomie avenante.

Il la prit pour une soubrette, car sa robe était usée et sa chevelure tressée dans le dos de façon lâche. Sans doute une femme de chambre qui avait chapardé un verre de vin.

Elle tournait et tournait encore, telle une Cendrillon égarée dont la robe de bal aurait disparu avant qu'elle ne fût arrivée à la fête. Gideon sourit. Oubliant un instant son besoin de boire, il s'approcha. Le bruit de ses pas était couvert par le gargouillis de la fontaine.

Au hasard de sa valse lente, la jeune femme se retrouva face à lui et s'arrêta net.

Gideon se fendit d'une élégante courbette et lui sourit non sans ironie.

Prise au dépourvu, elle sourit également, ses yeux brillant à la lueur des torches. Ce n'était pas une beauté de statue grecque, mais elle possédait beaucoup de charme.

— Je me sens humiliée d'être ainsi surprise, dit-elle. Si vous êtes un gentleman, oubliez ce que vous venez de voir.

— Malheureusement, j'ai une mémoire d'éléphant, rétorqua Gideon, amusé.

— C'est très méchant de dire ça, répondit-elle en riant.

Gideon était déjà séduit. Cent questions lui venaient à l'esprit. Qui était cette jeune personne ? Pourquoi se trouvait-elle là ? Prenait-elle du sucre dans son thé ? Grimpait-elle aux arbres quand elle était petite ? Quel effet lui avait fait son premier baiser ?

Bref, sa curiosité était piquée. En général, les gens lui étaient indifférents, ou il ne s'y intéressait pas assez longtemps pour avoir des questions à leur poser. Sans oser parler, il avança prudemment. Elle se raidit, comme si elle n'avait pas l'habitude de côtoyer des inconnus. De plus près, il constata qu'elle avait des traits réguliers, le nez un peu long, la bouche bien dessinée. Des yeux clairs... verts peut-être, avec des profondeurs inattendues.

— Pour danser la valse, il est plus facile d'être deux. Puis-je vous servir de cavalier ?

La jeune femme le dévisagea comme s'il avait l'esprit dérangé. Dans la salle de bal, la musique allait bon train. Au bout d'un long moment, elle eut un sourire d'excuse.

— Je n'ai pas fini mon vin.

Gideon n'eut pas besoin de se le faire dire deux fois. Il étendit la main, prit le verre et le vida d'un trait, avant de le reposer sur le rebord de la fontaine.

Elle rit de bon cœur et lui fit du doigt un signe grondeur.

En la contemplant, Gideon ressentit une chaleur dans la poitrine, comme la fois où il avait attrapé la grippe et que sa nurse lui avait fait prendre une inhalation. Il se souvint du soulagement éprouvé après des heures d'étouffement, le rythme de ses poumons qu'il pouvait enfin remplir d'air brûlant et bienfaisant. Curieusement, il avait de nouveau cette même sensation : un soulagement d'origine inconnue.

Il avait retiré ses gants et les avait glissés dans sa poche dès qu'il était sorti dans le jardin. Il tendit donc à sa mystérieuse cavalière sa main nue.

Elle hésita, détourna le regard, soudain rêveuse, se mordillant la lèvre inférieure. À l'instant où Gideon se dit qu'elle allait refuser, elle céda à une impulsion soudaine et lui prit la main. Il l'attira si près de lui qu'il sentit dans ses cheveux un léger parfum d'eau de rose. Elle était mince et bien faite, sa taille fine et sans corset était souple sous ses doigts. Gideon sentit monter en lui une bouffée de désir.

Il l'entraîna dans une valse lente, évitant les pièges du dallage irrégulier.

— J'ai déjà vu des fées danser sur la pelouse, une fois où j'avais bu trop de cognac. Mais je n'avais encore jamais dansé avec l'une d'elles.

Elle tenta de l'entraîner un peu plus loin, et il la retint.

— Non, laissez-moi vous guider.

— Nous étions trop près du bord du dallage, protesta-t-elle.

— Non, nous avions assez de place.

Elle soupira en fronçant son joli nez.

— Ah, ces Américains autoritaires… Je suis sûre que je ne devrais pas danser avec un homme qui prétend avoir vu des fées. En outre, votre femme aurait sans aucun doute un avis tranché sur la question.

— Je ne suis pas marié.

— Si, vous l'êtes ! rétorqua-t-elle avec un sourire, comme s'il était un garnement pris en flagrant délit de mensonge.

— Pourquoi en êtes-vous si sûre ?

— Puisque vous êtes l'un des Américains, et qu'ils sont tous mariés sauf M. McKenna. Et vous n'êtes pas M. McKenna.

— Il y a un autre célibataire dans le groupe, insista Gideon d'un air las, en lui lâchant la taille pour la faire tourner d'une main.

Après que le tour fut fini, il la rattrapa par le dos.

— C'est juste, admit-elle. C'est donc que vous êtes…

— M. Shaw.

— Je vois, murmura-t-elle en le regardant avec de grands yeux.

S'il ne l'avait pas tenue si solidement, elle aurait trébuché.

— Je suis censée ne pas vous approcher.

— Qui vous a dit cela ? demanda-t-il, amusé.

— Je suis certaine que la moitié des bruits qui courent sur vous sont vrais… continua-t-elle en éludant la question.

— Ils le sont, et l'autre moitié aussi, confirma Gideon sans honte.

— Dans ce cas, vous êtes un débauché.

— C'est exact, et de la pire espèce.

— Voilà qui a le mérite de la franchise ! s'esclaffa-t-elle en se dégageant. Toutefois, il vaut mieux que je vous quitte à présent. Merci pour la danse, c'était charmant.

— Ne partez pas, implora Gideon. Attendez, dites-moi qui vous êtes…

— Devinez ! Vous avez droit à trois questions.

— Vous faites partie du personnel ?

— Non.

— Impossible que vous soyez une Marsden : vous ne leur ressemblez en rien. Vous venez du village ?

— Non.

— Ne seriez-vous pas la maîtresse du comte ?

— Et non, répliqua-t-elle en souriant. Vous avez épuisé vos trois questions. Au revoir, monsieur Shaw.

— Attendez !

— Et que je ne vous prenne pas à danser sur la pelouse avec les fées. C'est mouillé, vous abîmeriez vos chaussures.

Elle disparut comme par enchantement, ne laissant comme preuves de sa présence que le verre vide au bord de la fontaine et un sourire émerveillé sur les lèvres de Gideon.

— Il a dit *quoi* ?

Livia était assise en tailleur au bord du lit d'Aline. De stupéfaction, elle avait failli tomber sur la descente de lit. Les deux sœurs avaient l'habitude de se retrouver après chaque bal, pour échanger quelques potins.

Aline était enfoncée jusqu'au cou dans l'eau parfumée de sa baignoire, au milieu de la pièce. Le rouge qui lui montait au front n'était pas entièrement imputable à la température du bain. Mme Faircloth demeurait, elle aussi, bouche bée de stupeur.

— Il a dit que si on l'autorise à rester à Stony Cross, il va coucher avec moi.

— Est-ce qu'il t'a dit qu'il t'aimait toujours ? questionna Livia.

— Non, grands dieux ! s'écria Aline, désabusée, en étendant ses jambes lasses et en faisant jouer ses orteils dans l'eau. Une chose est claire : les intentions de McKenna à mon endroit n'ont rien à voir avec l'amour.

— Mais... ça ne se fait pas ! Un homme ne peut pas te tomber dessus comme ça, en disant qu'il va te... te...

— Les autres hommes, peut-être. Mais McKenna, si !

— Je n'ai jamais vu pareille arrogance !

— D'un certain point de vue, c'est plutôt flatteur...

Une mèche se détacha du chignon qu'elle avait improvisé au-dessus de sa tête, et elle la remit en place.

— En tout cas, observa Livia en riant, il a l'élégance d'annoncer la couleur.

— Je trouve ça d'une insolence grossière, intervint Mme Faircloth en approchant de la baignoire avec une serviette pliée. Et je ne vais pas me gêner pour le lui dire.

— Non, non ! implora Aline. Pas un mot. Ce n'est qu'un jeu et j'ai l'intention d'en profiter, ne serait-ce qu'un moment.

— Milady, protesta la gouvernante éberluée, puis-je te demander si tu as perdu la raison ? Cela n'a rien à voir avec un jeu, étant donné ton passé avec McKenna. Vous avez tous les deux des souvenirs passionnés, et enfouis depuis trop longtemps. Ne t'aventure pas sur ce chemin avec lui, sauf si tu as l'intention de l'y suivre jusqu'au bout.

Gardant un silence récalcitrant, Aline se leva et

s'enveloppa dans la douce serviette que Mme Faircloth lui tendait. Elle descendit de la baignoire et se laissa sécher les jambes.

Livia avait détourné les yeux, le regard perdu dans les flammes de l'âtre. Aline ne pouvait reprocher à sa cadette de ne pas s'infliger le spectacle de ses jambes abîmées.

Cela faisait douze ans que l'accident avait eu lieu ; elle n'en avait guère gardé de souvenirs. Elle avait toutefois conservé la conviction que Mme Faircloth lui avait sauvé la vie. Les plus hautes sommités médicales, venues de Londres, avaient déclaré l'état d'Aline désespéré : la gouvernante avait alors envoyé les valets chercher une guérisseuse dans un comté voisin. C'était une femme qui pratiquait la magie blanche, et que les villageois redoutaient tout en la respectant. Ses dons étaient indéniables.

Marcus, positiviste acharné, avait protesté avec violence quand la paysanne s'était présentée. C'était une femme entre deux âges, d'aspect quelconque. Elle avait un petit chaudron de cuivre dans une main et, dans l'autre, un sac bourré de simples.

Comme Aline était mourante, elle n'avait gardé aucun souvenir de la guérisseuse, mais elle s'amusait toujours lorsque Livia lui narrait pour la énième fois cette fameuse anecdote.

— J'ai cru que Marcus allait la jeter dehors, racontait-elle. Il s'est mis en faction devant la porte de ta chambre, décidé à te protéger jusqu'à ton dernier soupir. La guérisseuse s'est avancée sans crainte, alors qu'elle pesait la moitié de Marcus, et a exigé d'être introduite. Mme Faircloth et moi avons supplié Marcus toute la matinée de la laisser faire : au point où tu en étais, personne ne pouvait te faire grand mal. Mais il s'est montré particulièrement buté, et il s'est permis des remarques carrément grossières à propos des sorcières voyageant sur leurs balais.

— Et la guérisseuse n'a pas eu peur ? demandait Aline, sachant combien son frère pouvait être intimidant.

— Pas le moins du monde. Elle lui a carrément dit que s'il ne la laissait pas entrer, elle lui jetterait un sort.

— Mais Marcus ne croit pas à la sorcellerie, c'est un rationaliste !

— C'est vrai, mais c'est quand même un homme. Elle l'a menacé de le priver définitivement de... de...

Livia riait tant qu'elle avait du mal à continuer.

— ... de ses bijoux de famille ! Marcus a blêmi et, après une négociation acharnée, il a déclaré qu'il lui laissait exactement une heure dans la chambre, et qu'il ne la perdrait pas de vue une seconde.

Livia racontait ensuite toute la scène : les bougies bleues, le cercle que la guérisseuse avait tracé autour du lit avec un bâton recouvert de sauge, l'encens qui enfumait toute la pièce tandis qu'elle se livrait à ses pratiques.

À la surprise générale, Aline avait passé la nuit. Quand on avait changé au petit matin ses pansements à base de plantes, on avait constaté que ses blessures étaient propres et en voie de cicatrisation.

Malheureusement, les capacités inouïes de la guérisseuse n'avaient pas empêché la formation d'épaisses cicatrices, qui marquaient Aline des chevilles au bas des cuisses. Ses jambes étaient restées hideuses : il n'y avait pas d'autre mot pour les décrire. Heureusement que ses pieds, protégés lors de l'accident par des chaussures de cuir, étaient pratiquement intacts. Néanmoins, là où la peau avait été détruite sur une surface importante, les cicatrices tendaient de façon excessive la peau voisine, ce qui limitait le libre jeu des muscles et des articulations. Aline avait parfois du mal à marcher, et elle ressentait des douleurs les jours où elle manquait de prudence.

Tous les soirs, elle prenait un bain dans de l'eau additionnée d'huiles essentielles afin d'amollir les cicatrices. En sortant du bain, elle se livrait à des élongations et des exercices d'assouplissement, pour garder autant que possible l'usage de ses membres.

— Et si tu révélais ton accident à McKenna ? demanda Mme Faircloth en aidant Aline à enfiler une chemise de nuit blanche toute fine. Quelle serait sa réaction, à ton avis ?

Le vêtement tomba jusqu'à ses chevilles, couvrant ce corps étrange qui présentait à la fois une peau blanche comme neige et une paire de jambes horribles.

— McKenna ne supporte l'imperfection sous aucune forme, expliqua Aline en s'asseyant lourdement. Il aurait pour moi de la compassion, et ce sentiment chez lui est proche du mépris. Cela me rend malade rien que d'y penser.

— Tu n'es pas sûre de cela.

— Veux-tu dire que McKenna ne trouverait pas mes cicatrices répugnantes ? s'enquit Aline en faisant une grimace quand la gouvernante lui frotta les jambes avec un baume à base d'herbes, destiné à calmer les démangeaisons.

Personne, pas même Livia, n'était autorisé à la toucher de cette façon.

— Je sais quelle serait sa réaction. N'importe qui aurait la même, d'ailleurs.

— Aline ! protesta Livia, toujours assise sur le lit.

S'il t'a vraiment aimée, il saura voir au-delà des apparences.

— C'est ça, comme dans les contes de fées ! Non, j'ai passé l'âge de croire à ces fariboles...

Un ange passa. Livia glissa du lit, alla jusqu'au tabouret de la coiffeuse et s'assit devant la psyché rectangulaire. Elle prit une brosse et démêla le bout de sa natte.

— Vous ne devinerez jamais ce qui m'est arrivé ce soir. Je suis sortie prendre l'air dans le jardin, et je me suis retrouvée devant la fontaine des naïades... Vous savez : de là, on entend bien la musique de la salle de bal.

— Tu aurais pu être à l'intérieur de la salle et danser, observa Aline.

— Non, non. Ce qui m'est arrivé est cent fois mieux que ce qui aurait pu se passer dans la salle de bal. J'étais en train de boire un verre de vin et de virevolter comme une ballerine, quand brusquement j'ai vu quelqu'un qui me regardait.

— Tu aurais dû hurler, commenta Aline, que l'histoire amusait.

— J'ai bien failli le faire.

— Un homme ou une femme ? demanda Mme Faircloth.

— Un homme ! annonça triomphalement Livia en pivotant sur le tabouret. Grand, beau comme un apollon, cheveux blonds, profil de médaille. Nous n'avons même pas eu le temps de nous présenter qu'il me prenait dans ses bras et que nous dansions !

— Non ? s'exclama Aline, ravie.

— Si ! confirma Livia. Il s'est avéré que mon beau valseur n'était autre que M. Shaw, l'homme le plus raffiné que j'aie jamais rencontré. Je suis sûre que c'est un abominable débauché... mais quel danseur !

— Il boit, observa sombrement Mme Faircloth, qui était au courant de tous les potins de la maisonnée.

— Je n'en doute pas. Il y a quelque chose de blasé dans son regard. On dirait qu'il a tout vu et tout fait des milliers de fois, que plus rien ne l'intéresse, qu'il a connu tous les plaisirs.

— Cela ne ressemble pas du tout à Amberley, commenta Aline qui s'inquiétait de voir sa sœur s'enticher de l'Américain.

— Ils sont différents à tous égards, convint Livia en reposant sa brosse d'argent. Pourtant, il me plaît. Renseigne-toi sur son compte, Aline, et dis-moi…

— Non ! riposta celle-ci, en nuançant son refus d'un sourire moqueur. Si tu désires en savoir davantage sur M. Shaw, il faut que tu sortes de ta tanière pour te rendre compte par toi-même.

Elle fit une grimace car Mme Faircloth lui massait la cheville, qu'elle avait fort raide.

— Tu m'embêtes, répondit Livia en bâillant. Mais après tout, pourquoi pas ?

Elle se leva et vint embrasser son aînée sur la tête.

— Quant à toi, ma belle, prends garde à McKenna. Je le devine meilleur stratège que toi.

— Nous verrons !

Si la réponse d'Aline fit rire Livia, elle provoqua chez Mme Faircloth un froncement de sourcils soucieux.

9

Les invités de Stony Cross Park, qui avaient dansé toute la nuit, passèrent la matinée au lit, à l'exception d'un groupe d'hommes qui partaient chasser. Aline prenait une tasse de thé sur la terrasse à l'arrière du manoir, quand ces courageux apparurent. Elle les salua d'un sourire et eut la surprise de reconnaître McKenna parmi eux.

Le soleil se levait. Il faisait frais et le brouillard matinal était en train de se dissiper. Aline, assise à une table écartée, un châle de soie noué sur sa fine robe d'été, essayait en vain de ne pas trop regarder McKenna. Il possédait une présence imposante, une formidable virilité qu'elle n'avait jamais vue chez un homme – à l'exception de son frère, peut-être. Il portait à merveille sa tenue de chasse : un habit noir soulignant la largeur de ses épaules, des pantalons vert foncé très ajustés sur ses jambes musclées, et des bottes de cuir noir moulant ses mollets. Ce genre de vêtements seyait à n'importe qui mais, sur lui, ils étaient impressionnants.

Devinant son regard, il pivota vers elle un instant. Leurs yeux se croisèrent le temps d'un éclair. Puis il s'obligea à se détourner pour répondre à un invité qui lui adressait la parole.

Aline, le nez dans son thé, était saisie d'une tension exquise. Elle ne releva les yeux que lorsque son frère vint lui demander le programme de la journée.

— On servira le déjeuner dans le pavillon au bord du lac, répondit-elle.

Lors de séjours prolongés comme celui-ci, le principal repas de la journée n'était jamais servi avant midi. C'était presque un banquet, avec une abondance de plats délicieux et suffisamment de champagne pour retrouver l'atmosphère de la soirée précédente. Elle posa sa main sur celle de son frère.

— Je te souhaite une bonne matinée. Ne va pas te mettre sur la ligne de mire des mauvais tireurs.

— Il n'y a pas grand-chose à craindre des Américains sur ce point-là. Quelques-uns montent comme des pieds, mais la plupart sont de fines gâchettes. Mais, dis-moi : tu as disparu avec McKenna pendant près d'une demi-heure hier soir. Où êtes-vous allés ? Qu'avez-vous fait ?

— Marcus, rétorqua Aline avec un sourire réprobateur, il t'est déjà arrivé de t'éclipser avec une invitée, et plus d'une fois. Je ne t'ai jamais demandé votre destination, ni la liste de vos activités.

— Moi, c'est moi, et toi c'est toi.

— Pourquoi ? s'enquit-elle, à la fois touchée et amusée par ce besoin qu'il avait de la protéger.

— Parce que tu es ma sœur.

— Je n'ai rien à craindre de McKenna. Je le connais, Marcus.

— Tu l'as connu enfant, répliqua le comte. Mais c'est un inconnu à présent, et tu n'as pas idée de ce dont il est capable.

— Ne te mêle pas de cela, Marcus. De toute façon, je n'en ferai qu'à ma tête. J'espère que tu ne vas pas tenter de t'interposer comme papa, jadis. Son intervention m'a coûté très cher. Je n'avais pas le choix à l'époque, mais aujourd'hui la situation est différente.

Marcus posa la main sur le dossier de sa chaise. Il était manifestement soucieux.

— Aline, dis-moi la vérité. D'après toi, qu'attend-il de toi ?

La réponse, ils la connaissaient tous les deux. Néanmoins, la jeune femme songea que son frère n'avait pas encore compris ce qu'elle désirait, elle.

— La même chose que ce que j'attends de lui.

— Que veux-tu dire ? questionna Marcus en la dévisageant, égaré.

Elle soupira. McKenna était à l'autre bout de la terrasse, en conversation avec deux messieurs.

— Tu n'as jamais eu envie de revivre quelques heures de ton passé ? demanda-t-elle, rêveuse. C'est tout ce que je désire… Goûter ce qui aurait pu être.

— Eh bien non, répondit-il sèchement, cela ne m'a jamais effleuré l'esprit. Ce qui « aurait pu être » ne signifie rien pour moi. Seuls comptent le présent et l'avenir.

— Bien sûr ! Parce que tu as ton avenir devant toi. Le mien, il est derrière.

Il serra le poing.

— À cause de quelques cicatrices ?

Elle soupira.

— Marcus, tu n'as jamais vu mes jambes. Tu ne sais pas ce dont tu parles. Toi, tu peux avoir les plus belles femmes de Londres comme on choisit un bonbon dans une boîte.

— Tu me prends pour un dandy, qui ne juge les femmes qu'à leur physique ?

Elle sourit tristement.

— Je suis désolée, Marcus, mais tes maîtresses – les quatre ou cinq dernières au moins – étaient toutes sottes comme des oies. Belles à ravir, mais incapables de soutenir cinq minutes une conversation digne de ce nom.

— Quel rapport avec le sujet de notre conversation ?

— Cela prouve que, même pour toi, qui es l'un des hommes les plus remarquables et les plus honorables que je connaisse, l'attrait physique joue un rôle fondamental. Alors j'attendrai de te voir frayer avec des femmes d'une beauté moins sculpturale, pour prêter l'oreille à tes sermons sur le peu d'importance de la beauté physique.

— Aline…

— Bonne chasse ! Et suis mes conseils de prudence.

Marcus soupira et partit à la recherche de son valet, qui portait les armes et les sacs de cuir.

Quelques chasseurs vinrent à la table d'Aline et débitèrent des banalités. Elle leur fit la conversation sans parvenir à détacher son esprit de la grande silhouette de McKenna, toujours présente à l'arrière-plan. Celui-ci attendit que les autres descendent en groupe derrière Marcus l'escalier de la terrasse, pour venir saluer la maîtresse de maison.

— Bonjour ! dit Aline alors que son cœur battait soudain à une allure folle.

Elle lui tendit la main et la simple pression des doigts de McKenna la mit dans tous ses états. Elle garda néanmoins le contrôle de sa voix.

— Tu as bien dormi ?

— Non ! répondit-il en gardant la main d'Aline plus longtemps que les convenances ne l'y autorisaient.

— J'espère que ta chambre ne manque pas de confort, dit-elle en se dégageant.

— Et si c'était le cas ?

— Je t'en proposerais une autre, bien sûr.

— Inutile. Sauf si c'est la tienne…

Elle faillit pouffer : jamais un homme ne lui avait adressé la parole avec une pareille familiarité. Cela lui rappela l'aisance merveilleuse qu'elle avait éprouvée autrefois : le simple fait d'être avec McKenna la détendait.

— En qualité de maîtresse de maison, je me dois à mes invités, mais je ne pousse pas le dévouement jusque-là, se moqua-t-elle.

McKenna posa les mains sur la table et se pencha légèrement. Il avait la tête au-dessus de celle d'Aline, comme un chat prêt à bondir sur sa proie. Elle lut dans les profondeurs turquoise de ses yeux un reflet prédateur.

— Quel est ton verdict, milady ?

Elle fit mine de ne pas comprendre.

— Verdict ? Quel verdict ?

— Faut-il que je quitte le domaine ou que je reste ?

Nonchalamment, elle traça un cercle invisible sur la table avec la pointe d'un ongle joliment manucuré. Mais son cœur battait la chamade.

— Reste, si cela te dit.

— Tu es prête à en assumer les conséquences ?

La jeune femme n'avait prévu ni pareille arrogance chez lui, ni pareille jubilation chez elle. Elle répondit d'un ton aussi doux que le sien.

— Je ne voudrais pas te décevoir, McKenna, mais je me sais parfaitement capable de repousser tes avances.

— Le crois-tu vraiment ? insista-t-il, fasciné de la voir si calme.

— Parfaitement. Tu penses donc être le premier à me faire des propositions ? Je ne voudrais pas sembler prétentieuse, mais tu n'es sans doute pas le dernier.

Aline s'autorisa enfin à lui sourire comme elle le désirait, c'est-à-dire de façon éclatante, provocante et légèrement moqueuse.

— Reste donc, et fais ce qui te chante. Je me réjouis à l'avance du spectacle de tes efforts. Mais sache que j'apprécie un minimum de finesse, je dirai même de romantisme…

En plus, elle souriait. McKenna ne réagit pas à cette impudence manifeste. Aline comprit qu'il était proprement éberlué. Elle se sentait comme une damnée que l'on traîne devant Lucifer et qui, pour rire, lui tire la barbichette.

— Un minimum de finesse, hein ? répéta-t-il.

— C'est ça. Sérénades, fleurs, poèmes…

— Quel genre de poèmes ?

— Des poèmes de ta main, voyons !

Il eut un sourire carnassier qui donna à Aline des fourmillements dans le bas du dos.

— Et Sandridge, il t'écrit des poèmes ? « Nacelles au clair de lune, rossignols dans les bosquets… »

— Je suis certaine qu'il en serait capable.

Adam avait du style et de l'esprit, il jonglait avec les mots : ce devait être un poète tout à fait acceptable.

— Mais tu ne le lui as pas demandé…

Elle fit signe que non.

— Je ne me suis jamais vraiment posé ce genre de questions, avoua-t-il. Au sujet de la finesse, je veux dire.

— Même en ce qui concerne la séduction ?

— Je n'ai pas besoin de séduire les femmes pour qu'elles couchent avec moi.

Elle posa le menton dans sa main et dévisagea son interlocuteur avec attention.

— Tu veux dire que ce sont des proies faciles ?

— Oui. Je dirai même des *femmes* faciles. En général, elles appartiennent à la haute bourgeoisie.

Là-dessus, il prit congé d'une courbette et alla rejoindre les autres chasseurs.

Aline fit l'effort de calmer sa respiration, et demeura immobile jusqu'à ce que son pouls retrouve un rythme normal.

La partie était lancée, avec deux joueurs décidés à aller jusqu'au bout. Il n'y avait ni règle ni issue bien définie, mais le risque de lourdes pertes de part et d'autre. Aline craignait pour elle, et plus encore pour McKenna dont le passé comportait des zones d'ombre importantes. Mieux valait qu'elle le laisse la sous-estimer, qu'il prenne ce dont il avait envie et quitte Stony Cross avec le sentiment d'avoir assouvi sa vengeance...

Maintenant que les chasseurs étaient partis, elle avait l'opportunité de se détendre en prenant une autre tasse de thé dans la salle du petit déjeuner. Elle y entrait, un peu distraite, quand elle faillit heurter un monsieur qui sortait en trombe.

L'homme la rattrapa par les coudes pour lui éviter de trébucher.

— Pardonnez-moi. Je suis en retard.

— Les autres viennent de partir, annonça Aline. Avez-vous bien dormi, monsieur Shaw ?

Avec ses cheveux blonds en bataille, sa peau bronzée et ses yeux de saphir, Gideon Shaw était superbe. De discrètes rides vaguement cyniques marquaient les commissures de ses lèvres et de ses paupières. C'était un gentleman élancé, de belles proportions ; toutefois, il n'avait pas la carrure de guerrier de McKenna.

— Prenez l'escalier à gauche et suivez le sentier jusqu'à la forêt. Vous les rattraperez.

Shaw eut un sourire ravageur.

— Merci, milady. Pour mon malheur, la nature m'a donné à la fois le goût de dormir tard, et la passion de sports où il faut se lever tôt.

— Dans ce cas, vous devez aimer pêcher ?

— Oh oui !

— Un de ces jours, accompagnez donc mon frère quand il sort taquiner la truite dans notre ruisseau.

— C'est une idée. Mais je risque de ne pas être à la hauteur. Les truites anglaises sont beaucoup plus rusées que les américaines.

— Peut-on en dire autant des hommes d'affaires ?

— Heureusement pour moi, non.

Shaw se disposait à prendre congé, mais il se ravisa.

— Milady, j'ai une question à vous poser.

Aline savait pertinemment où il voulait en venir, mais elle ouvrit des yeux ronds.

— Laquelle, monsieur Shaw ?

— Hier soir, en me promenant dans le jardin, j'ai rencontré une jeune personne…

Il hésita, ne sachant comment relater cette anecdote.

— Ne vous a-t-elle pas donné son nom ? demanda Aline de son air le plus innocent.

— Non.

— Était-ce l'une de nos invitées ? Non ? Dans ce cas, c'est certainement une domestique.

— Je ne pense pas, répondit-il, les sourcils froncés. Elle a des cheveux châtain clair et des yeux verts… je crois. Elle a une fine stature et deux ou trois centimètres de plus que vous.

Aline haussa les épaules d'un air contrit. Elle aurait été ravie de lui venir en aide, mais elle n'était pas sûre que Livia souhaite quitter si vite l'anonymat.

— Pour le moment, monsieur Shaw, je ne vois personne sur le domaine correspondant à cette description. Vous êtes certain de ne pas avoir rêvé ?

Il secoua la tête. Ses beaux yeux bleus avaient quelque chose de pensif, comme s'il réfléchissait à un problème d'importance majeure.

— C'était bien une personne en chair et en os. Et j'ai besoin de la retrouver. Enfin, je veux dire... cela me ferait vraiment plaisir.

— On dirait que cette personne vous a fait forte impression.

Un peu gêné, Shaw se passa les doigts dans les cheveux, ébouriffant quelques boucles.

— En la rencontrant, j'ai eu l'impression de respirer de l'air pur : cela ne m'était pas arrivé depuis des années.

— Je comprends.

La sincérité d'Aline toucha le jeune homme. Il eut un sourire bref.

— Vous êtes une femme de cœur.

Elle eut un élan de sympathie pour l'Américain et lui désigna de la main la direction prise par les chasseurs.

— Vous pouvez encore les rattraper, si vous courez.

— Milady, il n'est rien au monde qui vaille la peine que je coure après.

— Parfait, convint-elle, amusée. Dans ce cas, prenons notre petit déjeuner ensemble. Je vais le faire servir ici même.

Comme son invité semblait parfaitement heureux de cet arrangement, Aline demanda à un domestique d'installer deux couverts à sa table. On leur apporta un panier brûlant de scones et de brioches sucrées, puis des plats d'œufs brouillés, de champignons au four et de fines escalopes de perdrix rôties. Shaw fit honneur à toutes ces gâteries, et surtout à la cafetière de café fort : il but comme s'il s'agissait d'un antidote à quelque poison absorbé par mégarde.

Aline s'adossa à sa chaise et glissa dans sa bouche un morceau de scone beurré. Elle posa sur son compagnon un regard de velours, celui dont elle se servait pour obtenir à coup sûr les informations qu'elle désirait.

— Monsieur Shaw, depuis combien de temps connaissez-vous McKenna ?

La question ne parut pas le surprendre. Il prit quand même le temps de vider sa troisième tasse de café.

— Huit ans environ.

— Il m'a dit que vous aviez fait sa connaissance à l'époque où il était passeur : vous vous seriez retrouvé passager à bord de sa barque.

— Tiens, c'est donc cela qu'il vous a raconté ?

— N'est-ce pas la vérité ?

— Il arrive à McKenna de passer sur certains détails susceptibles de ternir ma réputation. Je dirai même qu'il se soucie beaucoup plus de ma renommée que de la sienne.

La jeune femme ajouta une cuillerée de sucre en poudre dans sa tasse de thé.

— Pourquoi avez-vous pris comme associé un simple passeur ? questionna-t-elle avec l'air de ne pas y toucher.

De nouveau, Gideon Shaw prit son temps pour répondre. Il reposa sa tasse et regarda son hôtesse droit dans les yeux.

— Pour commencer, McKenna m'a sauvé la vie.

Aline restant de marbre, il continua :

— J'errais sur les quais, complètement saoul. J'ignore comment j'étais arrivé là, et pourquoi. Quand je bois, j'ai parfois des absences et des trous de mémoire pendant des heures, sinon des jours.

Il eut un sourire lugubre qui donna la chair de poule à Aline.

— J'ai fait un faux pas et je suis tombé à l'eau. Il faisait mauvais, et j'ai été entraîné au large. Plus personne ne me voyait. Heureusement que McKenna revenait de Staten Island avec son embarcation. Il a eu le courage de plonger dans cet océan glacé et m'a tiré d'affaire.

— Vous avez eu de la chance ! observa Aline dont la gorge se serrait en pensant aux risques pris par McKenna pour sauver la vie d'un inconnu.

— Je n'avais aucun papier sur moi, et j'étais incapable de rentrer chez moi. Il m'a porté jusqu'à la chambre qu'il louait. C'est ainsi qu'un jour et demi plus tard, je suis revenu à moi dans cette chambre sordide. J'étais dans un piètre état. J'avais l'impression d'avoir la tête fêlée. McKenna m'a donné à manger et à boire, je suis parvenu à lui dire mon nom. En parlant avec lui, j'ai compris que, malgré son aspect rustique, mon sauveteur était admirablement informé. À force de transporter les gens, il avait appris un tas de choses sur l'immobilier à Manhattan. Il avait même entendu parler d'un terrain que ma famille avait acheté, et plus ou moins oublié. Il a eu le cu... pardon, l'audace de me faire une proposition.

— Laquelle, monsieur Shaw ?

— Partager le terrain en une série de parcelles et les vendre avec, bien sûr, une commission de dix pour cent pour lui.

Shaw se rencogna sur son siège, les doigts croisés sur son gilet.

— Et je me suis dit : pourquoi pas ? Aucun membre de ma famille ne s'était attelé à la mise en valeur de ce terrain. Nous autres, les Shaw de la troisième génération, avons une réputation justifiée de jouisseurs fainéants. Et voici que je me trouvais nez à nez avec un inconnu ambitieux à l'énergie débordante, prêt à tout pour faire du profit. Je lui ai donc donné l'argent que j'avais sur moi – une cinquantaine de dollars. Je lui ai dit de s'acheter un costume neuf, de se faire couper les cheveux et de se raser la barbe. Et de venir me trouver dans mes bureaux le lendemain.

— Et pour vous, McKenna a réalisé des prodiges, devina Aline.

— Oui. En six mois, il a vendu jusqu'au dernier mètre carré de ce terrain. Puis, sans m'en parler, il a investi l'argent dans l'achat de plusieurs hectares en dessous de Canal Street, une bande de terre qui se couvrait et se découvrait à chaque marée. J'étais assez inquiet en entendant les gens se gausser de ces nigauds de Shaw et McKenna qui vendaient des « terrains sous-marins ». Je me suis demandé s'il avait perdu la raison. Puis il a fait déverser des tonnes de rochers et de terre, gagnant sur la mer une centaine de mètres. Il y a construit des immeubles à louer et une série d'entrepôts, d'une valeur commerciale considérable. Ainsi, sur un investissement de cent cinquante mille dollars, il s'est assuré un revenu d'environ un million de dollars *par an*.

Aline tombait des nues devant de tels chiffres.

— Comme vous pouvez l'imaginer, on s'est ensuite arraché McKenna dans les soirées new-yorkaises. Il est devenu du jour au lendemain le parti idéal.

— Je suppose qu'il n'a pas manqué d'en profiter, suggéra-t-elle sans avoir l'air d'y attacher grande importance.

— Elles lui couraient toutes après, admit Shaw avec un sourire espiègle. Toutefois, je ne définirais pas McKenna comme un homme à femmes. Il y a eu des femmes dans sa vie mais, à ma connaissance, aucune ne l'a véritablement captivé. Son énergie, il la met tout entière dans son travail.

— Et vous, monsieur Shaw ? Avez-vous laissé votre cœur de l'autre côté de l'Atlantique ?

— Vous savez, comme McKenna, je ne suis guère sensible à l'attrait du mariage.

— À mon avis, vous finirez par tomber amoureux.

— Pas si sûr. Je crains d'être réfractaire à ce type d'émotion.

Brusquement, il se tut et posa sa tasse, les yeux en alerte.

— Monsieur Shaw ?

Aline suivit son regard et comprit : Livia, vêtue d'une robe printanière en tissu imprimé, s'éloignait du manoir sur un sentier conduisant à la forêt. Elle portait à la main un grand chapeau de paille, orné de quelques marguerites fraîchement coupées.

Gideon Shaw se leva d'un bond, manquant renverser sa chaise.

— Je vous prie de m'excuser, dit-il en jetant sa serviette sur la table. Voici que mon rêve d'hier soir revient me tourmenter. Cette fois, il ne m'échappera pas.

— Je vous en prie, répliqua Aline qui mourait d'envie de rire. Bonne chance, monsieur Shaw.

— Merci.

Et il fila comme une flèche, dégringolant en souplesse les escaliers. Une fois dans les jardins, il coupa à travers la pelouse à grandes enjambées.

Aline se leva pour le suivre des yeux, avec un sourire ironique. Eh bien, monsieur Shaw, songea-t-elle, je croyais que rien au monde ne valait la peine que vous couriez après ?

10

Depuis la mort d'Amberley, Livia s'endormait chaque soir en rêvassant à son amant. Jusqu'à la veille au soir.

Elle trouvait étrange d'avoir en tête un autre homme qu'Amberley, surtout si différent de lui. En évoquant le visage mince de Gideon Shaw, sa blonde chevelure et la courtoise sûreté de son étreinte, elle éprouvait un vague remords. Elle était intriguée, et d'une certaine façon déstabilisée. Oui, Gideon était bien différent d'Amberley.

Son fiancé n'avait pas été homme à compliquer les choses. Il ne recelait aucune ombre ; tout le poussait à donner et recevoir l'amour avec simplicité. Les membres de sa famille étaient très gentils, aisés mais jamais arrogants, et conscients de leur devoir jusque dans le moindre détail. Amberley était d'une grande beauté, avec des yeux noisette et des cheveux châtains, dont une mèche retombait en boucle sur son front. Mince et vigoureux, il aimait le sport et les longues promenades.

Il lui avait révélé un côté de sa nature dont elle n'avait jamais été consciente auparavant. Dans ses bras, elle oubliait toute retenue. Elle s'était donnée à lui avec passion.

À présent qu'il avait disparu, cela faisait longtemps que Livia n'avait plus touché un homme. Sa mère ne s'était pas privée de lui faire la leçon : tant qu'il lui restait un brin de jeunesse, il était urgent de mettre la main sur un mari. La jeune femme n'était pas hostile à cette idée. Elle se sentait seule et regrettait le bien-être et le plaisir que l'on trouve dans des bras virils. Hélas, elle ne parvenait pas à trouver le moindre intérêt à cette perspective… Elle attendait passivement que quelque chose ou quelqu'un vienne la libérer des chaînes invisibles qui la ligotaient.

La forêt, plantée de chênes et de noisetiers, était plus sombre que d'habitude à cette heure de la matinée, car le ciel était encore couvert de nuages d'un gris ardoise. Elle parvint à une allée, puis bifurqua dans un chemin creux, en s'arrêtant de temps en temps pour donner un coup de pied dans un caillou de la pointe de sa chaussure de marche. Au passage d'une risée, les frondaisons se mirent à bruire et un oiseau solitaire pépia son indignation.

Soudain, elle entendit un bruit de pas. Elle se retourna et reconnut la haute silhouette de Gideon Shaw. Il marchait avec une vivacité élégante, et portait ses vêtements de chasse avec autant de naturel qu'un smoking.

Si elle l'avait trouvé beau au clair de lune, elle le trouva éblouissant en plein jour. Ses cheveux blonds coupés court encadraient un visage viril au charme aristocratique. Le nez était long et mince, les pommettes haut placées et les yeux d'un bleu étonnant.

Quand leurs regards se croisèrent, Shaw s'arrêta net, comme s'il se heurtait à un mur invisible. À cinq mètres l'un de l'autre, ils se dévisagèrent un instant, et Livia sentit une chaleur sourdre au creux de son ventre. Il avait une curieuse expression : peiné par trop de déceptions, il semblait lutter pour ne pas la désirer.

— Bien le bonjour, monsieur.

Il approcha lentement, prudemment, comme s'il craignait de l'effaroucher.

— J'ai rêvé de vous hier soir, annonça-t-il.

Livia sourit.

— Racontez-moi ça! Mais si c'est un sujet délicat...

La brise poussa sur le front de Gideon une mèche rebelle.

— Oui, trop délicat pour que j'y réponde.

Livia se surprenait à faire la coquette, mais c'était plus fort qu'elle.

— Alors, vous êtes venu vous promener avec moi, monsieur Shaw?

— Si vous n'y voyez pas d'objection.

— La seule chose à laquelle je verrais une objection, c'est votre absence, avoua-t-elle.

Elle se tourna et ils continuèrent côte à côte dans le chemin vers le jardin autour de la loge du gardien, que l'on apercevait à quelque distance.

Shaw avançait du même pas que sa compagne. Ses bottes de cuir fauve faisaient craquer les feuilles et brindilles poussées par le vent. Il plongea les mains dans les poches de sa veste de tweed, et glissa un regard oblique sur le profil de Livia.

— Vous savez, je ne vais pas vous quitter une deuxième fois sans savoir qui vous êtes.

— Je préfère garder l'anonymat.

— Pourquoi?

Elle opta pour la vérité.

— J'ai été mêlée à un scandale, et je suis à présent très mal à l'aise en société.

— Quel genre de scandale? demanda-t-il d'un ton léger, car il ne pouvait penser qu'à quelque faute vénielle. Vous êtes sortie sans chaperon, peut-être ? Ou quelqu'un vous a chipé un baiser en public ?

Elle secoua la tête avec un sourire désabusé.

— Apparemment, vous n'avez pas idée du comportement dépravé que nous autres, jeunes femmes, pouvons avoir.

— Dans ce cas, j'aimerais que vous m'éclairiez.

Devant son silence embarrassé, Shaw résolut de changer de conversation. Son regard s'attarda sur le jardin broussailleux et abondamment planté d'arbres qui entourait la maisonnette en face d'eux. D'épaisses touffes de chèvrefeuille basculaient par-dessus la barrière, dégageant un parfum entêtant. Les papillons dansaient parmi les taches brillantes de coquelicots et de pivoines. Dans le petit potager, on reconnaissait des carottes, des laitues et des radis. Une arche couverte de rosiers grimpants conduisait à une minuscule serre, à l'ombre d'un sycomore en forme de parasol.

— C'est charmant, dit-il.

Sa capeline à la main, Livia le conduisit vers l'entrée de la serre. C'était à peine plus qu'une cabane vitrée ; seules deux personnes y tenaient.

— Quand j'étais petite, je venais m'asseoir ici avec mes livres et mes poupées. Je rêvais que j'étais une princesse prisonnière dans un donjon.

— Ainsi, vous avez grandi à Stony Cross Park, conclut-il.

Livia ouvrit la porte de la serre et regarda à l'intérieur. L'endroit était propret, on avait verni récemment le bois des sièges.

— Lord Westcliff est mon frère, avoua-t-elle enfin, d'une voix qui résonna entre les parois vitrées. Je suis lady Olivia Marsden.

Shaw était juste derrière elle, à la frôler. Elle le devinait si proche qu'elle se sentit obligée d'entrer dans la maisonnette. Lorsqu'elle se retourna vers lui, elle fut de nouveau frappée par le peu de ressemblance qu'il offrait avec Amberley. Shaw avait largement dix ans de plus. C'était un homme puissant, mais déjà marqué par les déceptions : on le lisait aux petites pattes-d'oie au bord de ses paupières. Cependant, quand il souriait, toute trace d'amertume s'envolait, et son charme était tel que le cœur de Livia semblait sur le point de s'arrêter.

— Lady Aline m'a dit qu'elle avait une sœur, confirma-t-il. Mais j'ai eu l'impression que vous n'habitiez pas le domaine.

— Si, j'habite bel et bien Stony Cross Park. Mais je vis à l'écart de tous, à cause du scandale. Vous comprenez ?

— Non, princesse Olivia, rétorqua-t-il avec un sourire enjôleur. Je ne comprends pas tout à fait. Qu'est-ce qui vous oblige à rester cloîtrée dans votre tour d'ivoire ?

Le gentil surnom qu'il lui donnait, inspiré d'une pièce de William Shakespeare, la fit fondre. Elle eut un petit rire gêné, et l'envie l'effleura de lui faire confiance. Mais elle était habituée à son indépendance. Elle avança vers lui, attendant qu'il s'efface pour lui laisser le passage. Il recula d'un pas, mais sans lâcher des mains le chambranle de la porte. Ainsi, en approchant encore, elle se retrouva entre ses bras. Les rubans de sa capeline lui glissèrent des doigts.

— Monsieur Shaw... commença-t-elle.

Elle eut l'imprudence de lever le regard vers lui.

— Gideon, corrigea-t-il à mi-voix. Je veux connaître tous vos secrets, Olivia...

— Vous les apprendrez bien assez tôt, du premier venu.

— Je préfère que ce soit de vous.

Livia fit un pas en arrière, et il la rattrapa d'un doigt qu'il immisça dans la petite ceinture de tissu de sa robe.

Incapable de s'éloigner davantage, elle posa la main sur celle de Gideon et rougit jusqu'aux oreilles. Elle savait qu'il jouait avec elle.

Elle tenta de se reprendre.

— Je ne peux pas faire ça, monsieur Shaw.

À la grande surprise de Livia, il comprit parfaitement ce à quoi elle faisait allusion.

— Mais vous n'avez rien à faire de spécial, dit-il avec douceur. Laissez-moi simplement approcher… et restez juste là.

Il pencha la tête, et trouva facilement la bouche de la jeune femme.

La douce pression de ses lèvres la fit vaciller. Heureusement, il la tenait contre lui. Était-elle en train de se faire embrasser par Gideon Shaw, ce gredin débauché dont son frère lui avait dit de se méfier ? Mon Dieu, que c'était bon ! Elle qui croyait que rien ne vaudrait jamais les baisers d'Amberley… Il y avait quelque chose de follement érotique dans son manque de précipitation. Il la taquinait avec douceur, écartait doucement ses lèvres. C'est tout juste si leurs langues s'effleurèrent avant qu'il ne s'écarte.

Livia, le souffle court, avait envie d'aller plus loin. Elle se sentait totalement incapable de lui résister. À son grand étonnement, elle se surprit à passer les bras autour de son cou, à appuyer ses seins contre son torse. Il glissa la main derrière sa nuque et lui inclina la tête en arrière pour mieux dégager sa gorge. Toujours plein de douceur et très maître de lui, il se mit à embrasser la peau délicate en descendant le long de son cou. Elle sentit la pointe de sa langue taquiner le petit creux sensible, et un gémissement de plaisir lui échappa.

Shaw releva la tête pour lui effleurer la joue des lèvres, tout en lui caressant le dos. Leurs haleines se mêlaient, son torse musclé se pressait contre Livia sur un rythme saccadé.

— Bon sang, comme vous êtes troublante…

— Non, c'est vous ! accusa-t-elle avant qu'il ne lui close les lèvres d'un autre baiser.

En une matinée, les gibecières s'emplirent d'une bonne vingtaine de coqs de bruyère et d'une demi-douzaine de bécasses. Les dames allèrent rejoindre les chasseurs pour prendre le déjeuner au bord du lac. On bavardait, on riait tandis que les domestiques allaient et venaient pour remplir verres et assiettes. Après quoi, les invités se divisèrent en deux groupes : les uns se dispersèrent en voiture ou à pied pour visiter le domaine, les autres rentrèrent au manoir pour écrire des lettres ou jouer aux cartes.

Quand Aline vit la quantité considérable de mets rapportés à la cuisine, elle demanda l'aide de deux bonnes pour tout ranger dans des paniers et des bocaux, à distribuer aux villageois de Stony Cross. Elle prenait soin des familles nécessiteuses, pour lesquelles un supplément de nourriture était bienvenu. Cette obligation lui coûtait, car ces visites lui prenaient une journée entière toutes les semaines. Elle entrait dans chaque fermette, s'asseyait devant chaque cheminée et écoutait les doléances de chacun, prodiguant des conseils si nécessaire.

Depuis quelques mois, elle était souvent parvenue à convaincre Livia de l'accompagner au village : avec elle, la journée passait plus vite. Hélas, cet après-midi-là, sa sœur était introuvable. Perplexe, Aline se demanda si elle était en compagnie de M. Shaw, lequel brillait également par son absence. C'était fort peu probable, car Livia n'avait pas passé autant de temps avec un homme depuis des années. Se pouvait-il que Shaw soit parvenu à la faire sortir de sa coquille ?

Si c'était le cas, fallait-il s'en réjouir ou le déplorer ? Voilà qui ressemblerait bien à Livia, de polariser son attention sur un libertin plutôt que sur un gentleman de bonne réputation.

Souriant à cette pensée, elle souleva un lourd panier pour le porter dans la voiture. La vaisselle tintait au rythme de ses pas.

— Oh, milady ! s'écria une servante. Laissez-moi m'en charger, s'il vous plaît !

Aline sourit en voyant que la petite portait déjà deux paniers.

— Merci, Gwen, je vais me débrouiller, répondit-elle en descendant les marches d'un petit escalier.

La cicatrice de son genou lui raidissait la jambe et elle grimaça de douleur. Serrant les dents, elle fit un effort pour tendre complètement sa jambe.

— Milady, insista Gwen. Posez-le sur la marche, je le prendrai.

— Ce n'est pas la peine. Je vais le mettre dans la voiture et partir, car je suis déjà…

Aline s'arrêta au milieu de sa phrase en apercevant McKenna debout près de l'entrée de service, avec une domestique qui riait de bon cœur. Éternel charmeur ! L'épaule appuyée contre le mur, il souriait à la jolie rousse. Pour la taquiner, il lui donna une petite tape sous le menton.

Puis il dut sentir la présence de la jeune femme, car il regarda dans sa direction et reprit son sérieux.

La soubrette disparut comme par enchantement, tandis que McKenna était incapable de détacher son regard d'Aline.

Celle-ci se rappela qu'elle n'avait nul droit de se montrer jalouse. Après tout, il était loin le temps où, à dix-sept ans, elle s'était énamourée d'un garçon d'écurie. Toutefois, elle sentit une bouffée de rage en constatant qu'elle n'était pas la seule femme qu'il avait décidé de séduire.

— Continue, ordonna-t-elle à Gwen, qui se hâta d'obéir.

En quelques enjambées, McKenna vint à la rencontre d'Aline. Impassible, il s'empara du panier.

— Laisse-moi porter ça.

— Non, merci ! protesta-t-elle en le lui arrachant.

— Tu boites.

— Je me suis tordu la cheville dans l'escalier, répondit-elle sèchement. Va-t'en. Je n'ai pas besoin de toi.

Il emporta le panier.

— Va te faire soigner par Mme Faircloth avant que cela ne se gâte.

— Ça va déjà mieux, grommela Aline, exaspérée. Va embêter quelqu'un d'autre, McKenna. Je suis sûre qu'il y a des tas de filles qui n'attendent que ça.

— Je ne faisais rien de mal.

Elle le foudroya d'un regard éloquent, et il afficha un air surpris.

— Tu ne me crois pas ?

— Pas le moins du monde, riposta-t-elle. Tu as l'intention de coucher avec elle, si tu n'y arrives pas avec moi ?

— D'abord, je n'ai pas l'intention de coucher avec les bonnes. J'essayais de lui soutirer des renseignements. Ensuite, je n'ai pas besoin de solution de rechange.

L'arrogance de McKenna la laissa sans voix. Elle n'avait jamais rencontré d'homme aussi abominablement sûr de lui – c'était d'ailleurs heureux, car le monde civilisé n'était pas assez grand pour en abriter plus d'une demi-douzaine ! Quand elle fut capable de reprendre la parole sans bégayer, elle demanda d'un ton haché :

— Quel genre de renseignements une bonne pourrait-elle te donner ?

— J'ai appris qu'elle était sur le domaine à l'époque de ta mystérieuse maladie. J'essayais d'en savoir davantage à ce sujet.

Aline fixa le nœud de cravate de son interlocuteur, tendue de la tête aux pieds.

— Et que t'a-t-elle dit ?

— Rien. On dirait qu'elle est aussi décidée que les autres à garder le secret.

À cette réponse, la jeune femme se sentit infiniment soulagée.

— Il n'y a pas le moindre secret là-dessous. J'ai eu la fièvre. Cela arrive parfois aux gens sans raison particulière, et cela les fait dépérir. Moi, j'ai fini par me remettre.

— Je ne te crois pas.

Elle ne lui connaissait pas cette expression qu'il affichait, mais la signification était claire.

— Écoute, crois ce que tu veux. Je n'ai pas autre chose à t'offrir que la vérité.

— Je sais d'expérience, milady, répliqua-t-il, vexé, que tu fais bon marché de la vérité quand cela te convient.

Aline se sentait incapable de justifier ses actes passés, car alors elle devrait révéler davantage que ce qu'elle avait l'intention de lui dévoiler.

Sans lui laisser le temps de répondre, McKenna la prit par surprise en l'attirant contre le mur du manoir. Il posa le panier et se redressa. Ils se touchaient presque. Aline sentit un violent désir la submerger. Elle chercha à reculer, mais ne réussit qu'à se coller au mur.

Il était si près qu'elle distinguait les poils naissants de sa moustache rasée avec soin, ombre bleutée soulignant sa séduction masculine. Il avait la bouche un peu pincée, avec un pli amer de chaque côté. Aline aurait voulu la couvrir de baisers, l'adoucir, la goûter… Elle baissa la tête pour cesser de regarder cette bouche.

— Tu es ridicule de ne pas t'être mariée, dit-il d'une voix encore plus grave qu'à son habitude. Je veux savoir ce qui t'est arrivé, et pourquoi tu es seule. Qu'est-ce qu'ils ont, les types du Hampshire, pour que pas un n'ait demandé ta main ? À moins que le problème, ce ne soit toi ?

Il était si proche de la vérité qu'elle frémit.

— C'est cela, ta méthode de séduction, McKenna ? Tu coinces une dame dans un coin et tu la mitrailles de questions ?

— Non, reconnut-il avec un sourire désarmant. Je peux faire mieux.

— Il ne manquerait plus que ça !

Elle voulut s'éloigner, mais il immisça une cuisse musclée entre les siennes. Elle sentait l'haleine de McKenna contre son oreille. Il n'essayait pas de l'embrasser, mais la tenait comme avec précaution. On aurait dit qu'il souhaitait apprendre un par un tous les détails de son corps.

— Laisse-moi passer, ordonna-t-elle, oppressée.

Il fit comme s'il n'avait pas entendu.

— Rien que de te toucher… commença-t-il.

Aline, bloquée entre le mur froid et cet homme chaud et musclé, vibrait comme une corde de guitare. Ce n'était plus un adolescent séduisant, mais un adulte en pleine force. Il était à présent un homme. Puissant, impitoyable. La jeune femme était hypnotisée par tous ces changements, et ce fut plus fort qu'elle : elle ne put s'empêcher de glisser les mains sous sa veste, qui frôlèrent les muscles de son torse d'athlète.

McKenna ne bougeait plus. Il tremblait presque sous l'effort qu'il fournissait pour se tenir tranquille.

— Et *toi,* pourquoi es-tu encore seul ? murmura-t-elle en humant l'odeur grisante de ce grand corps viril. Tu devrais être marié.

— Je n'ai jamais rencontré de femme qui me fasse envie à ce point, répliqua-t-il en posant les mains autour de sa taille. Le fait d'être enchaîné par les liens du mariage me…

Il ne put finir sa phrase car, du bout des doigts, Aline lui frôlait à présent le ventre. Soudain consciente de l'empire qu'elle avait sur lui, elle hésita : allait-elle oser le toucher là où il en avait tant envie ? Il était excité de la tête aux pieds, il irradiait par vagues la chaleur de son désir. Elle mourait d'envie de palper, à travers le mince tissu de ses vêtements d'été, ses formes viriles. Surprise de sa propre audace, elle descendit les doigts en suivant le pantalon, et les referma délicatement sur l'érection de McKenna. Ce fut pour elle un choc. Sa paume fourmillait au contact de cette chair dure et palpitante. Le souvenir d'instants troublants était bouleversant.

Il eut un faible gémissement et posa les mains sur ses épaules, les doigts bien écartés comme s'il redoutait de la serrer trop fort. Elle continua à caresser le membre qui se contractait. Alternativement, sa main montait – le pouce caressant légèrement la pointe – puis redescendait, jusqu'à ce qu'elle entende le souffle oppressé de McKenna siffler entre ses dents. Monter, descendre... Elle s'imagina pénétrée, empalée par cette virilité débordante. Une onde de lave naquit au creux de son ventre.

Il baissa la tête et frôla le visage d'Aline de ses lèvres, douces comme des ailes de papillon. Elle était stupéfaite de tant de déférence. Les lèvres de McKenna caressèrent la commissure de sa bouche, descendirent la joue, et sa langue atteignit le lobe de l'oreille.

Aline voulait un vrai baiser, elle lui offrit sa bouche. Il la prit avec lenteur, la posséda peu à peu, un vrai supplice de Tantale. Elle s'abandonna pour se coller contre lui, et s'ouvrit à la caresse de sa langue. Il la goûtait avec délicatesse, l'explorait avec habileté. Elle haletait. Tous ses muscles étaient tendus dans une demande ardente. Elle voulait l'envelopper partout à la fois, l'accueillir au plus profond d'elle.

Pour la serrer mieux encore, McKenna lui saisit les fesses d'une main. Il continuait à l'embrasser de mille façons, sa langue descendait vers sa gorge puis revenait vers ses lèvres comme s'il souhaitait découvrir toutes les manières dont leurs bouches pouvaient s'emboîter.

Soudain, il étouffa un juron et mit un terme à leur baiser.

Aline croisa les bras et le regarda, hébétée.

Il se détourna et croisa les bras lui aussi, le regard vissé au sol.

— Il y a des limites… s'excusa-t-il sombrement.

Aline jubilait en constatant qu'elle l'avait poussé dans ses retranchements.

Tous deux mirent un temps considérable à recouvrer leur sang-froid. Enfin, il ramassa le panier et, sans un mot, lui fit signe de le précéder.

Quelques minutes plus tard, ils regagnaient le hall où Gwen, la soubrette, revenait chercher le dernier panier.

McKenna le prit.

— Ce n'est pas la peine. Montre-moi simplement où le mettre.

— Bien, monsieur, acquiesça Gwen.

Il eut un dernier regard pour Aline, ses yeux pers semblaient plus sombres. Un message silencieux fut échangé : *Plus tard…*

Et il s'éloigna à grandes enjambées.

Les jambes encore flageolantes, Aline vit arriver son frère, l'air soucieux. Marcus avait quitté ses vêtements de chasse pour des pantalons gris perle, un gilet bleu marine et une cravate de soie.

— Où est Livia ? On ne l'a pas vue de la matinée.

— À mon avis, elle est avec M. Shaw.

— Quoi ?

— Elle est sortie se promener, et je crois qu'il est allé la rejoindre. Pour autant que je sache, on ne les a plus revus.

— Et tu l'as laissé partir avec elle ? gronda-t-il, indigné. Pourquoi n'as-tu rien fait pour l'en empêcher ?

— Oh, calme-toi ! Écoute, Marcus : Livia est capable de convaincre un homme de garder ses distances. Si elle a envie de passer un moment en compagnie de M. Shaw, c'est son droit le plus strict. En outre, en dépit de sa réputation, je le considère comme un gentleman.

— Peut-être, mais ce n'est pas le genre de gentleman dont elle a l'habitude. C'est un Américain !

— Mais je croyais que tu les aimais, les Américains.

— Sauf quand ils se mettent à tourner autour de mes sœurs.

Tandis qu'il observait Aline attentivement, le regard de Marcus se fit soupçonneux.

— Et toi, qu'est-ce que tu fabriquais pendant ce temps ?

— Moi ? Eh bien, je… enfin…

Elle porta la main à sa gorge, que son frère scrutait d'un air furieux.

— Pourquoi me regardes-tu comme ça ?

— Ta peau est marquée au creux du cou. On dirait le frottement d'une joue mal rasée.

Aline décida de feindre l'innocence.

— Sottise ! C'est le ruban de mon camée qui m'irrite.

— Mais tu ne portes pas de camée.

Elle sourit et, se hissant sur la pointe des pieds, l'embrassa sur la joue. Avec ses airs de matamore, Marcus redoutait par-dessus tout qu'il arrive du mal à ses sœurs adorées.

— Livia et moi sommes de grandes filles, à présent. Et il est des choses, Marcus, dont tu ne peux nous protéger.

Le comte accepta le baiser et cessa de maugréer.

Mais, alors qu'Aline s'éloignait, elle l'entendit murmurer :

— Oh, que si !

Ce soir-là, Aline trouva sur son oreiller une rose rouge à peine éclose, dont la tige avait été soigneusement dépouillée de ses épines. Elle prit la fleur parfumée et la passa sur ses joues et ses lèvres.

Un mot l'accompagnait.

Milady,

Voici pour les fleurs, la sérénade est pour bientôt. Quant au poème… j'ai besoin que tu me fournisses de nouveaux éléments d'inspiration.

Bien à toi,

M.

11

Pendant deux jours, McKenna ne trouva plus l'occasion d'être en tête à tête avec Aline. En maîtresse de maison exemplaire, elle était partout à la fois et organisait de façon efficace dîners de gala, jeux de société, spectacles de théâtre improvisés et autres distractions pour ses invités à Stony Cross Park. McKenna ne pouvait quand même pas lui tomber dessus au vu et au su de tous, pour l'entraîner dans un fourré ou un placard. Il lui fallait donc rester en embuscade, guetter l'occasion favorable. Comme d'habitude, la patience lui manquait.

Aline avait un don que sa mère, la comtesse, n'avait jamais possédé : celui d'attirer tous les regards où qu'elle aille. La comtesse était avide d'hommages flattant sa vanité, alors que la jeune femme était désireuse de veiller sur chacun, dans toute la maisonnée. Elle n'hésitait pas à faire un peu la coquette avec les hommes les plus âgés, ni à s'asseoir pour échanger des nouvelles avec les vieilles dames. Elle jouait avec les enfants, prêtait une oreille attentive aux émois sentimentaux des célibataires, et esquivait les ardeurs des jeunes gens en affichant une attitude bienveillante de grande sœur.

Cependant, malgré l'absence totale d'intérêt qu'elle leur portait, nombreux étaient les hommes manifestement amoureux d'elle... Le spectacle de ces idiots exaspérait McKenna. Des envies le prenaient de tous les massacrer, de les chasser comme une meute de roquets. Aline lui appartenait !

Un après-midi, alors que McKenna, Gideon et lord Westcliff se détendaient dans la serre, elle se présenta avec un plateau d'argent, suivie d'un valet de pied qui portait une petite table pliante en acajou. Il faisait humide et la brise estivale n'était guère rafraîchissante. Une paisible torpeur régnait sur le domaine. La plupart des invités faisaient la sieste, en attendant la fraîcheur du soir.

Pour une fois, rien n'était prévu au manoir : ni fête en tenue de soirée, ni grand dîner, ni pique-nique. En effet, c'était la fête au village, comme chaque année à la même date. Les boissons allaient couler à flots à Stony Cross, tout le monde allait s'amuser, car la quasi-totalité de la population du comté participait à la fête. Depuis le milieu du XIVe siècle, la tradition se perpétuait d'une semaine de festivités au cours de laquelle tout Stony Cross sombrait dans un joyeux chaos. La grand-rue était méconnaissable, car devant tous les magasins s'installaient des éventaires tenus par des bijoutiers, marchands de soieries, fabricants de jouets, cordonniers et une foule d'autres artisans.

McKenna se rappelait l'atmosphère de la foire quand il était enfant. Le premier soir, cela commençait avec de la musique, de la danse et un feu de joie à proximité du village. Avec Aline, il sortait regarder les illusionnistes, les acrobates, ceux qui marchaient sur des échasses. Ensuite, ils allaient faire un tour à la foire aux chevaux, pour admirer des dizaines de pur-sang et d'énormes chevaux de trait. Il se souvenait encore du visage d'Aline, éclairé par le feu de joie, les yeux brillants à la lumière des flammes, la lèvre encore collante à cause du pain d'épice couvert de sucre qu'elle avait acheté à un forain...

L'objet de ses pensées entra donc dans la serre, et les trois hommes firent mine de se lever. Aline, souriante, les pria de ne pas bouger.

Westcliff et Gideon s'exécutèrent, mais McKenna se leva quand même pour la débarrasser du plateau, tandis que le valet de pied installait la table. Elle le remercia d'un sourire. Elle avait les joues colorées par la marche et ses yeux noisette n'étaient que velours. McKenna aurait volontiers goûté à ces lèvres légèrement humides, léché les gouttelettes de transpiration sur son front, et ôté la fine robe de mousseline jaune pastel qui adhérait à sa peau.

Après avoir posé le plateau sur la table, il se redressa et surprit le coup d'œil d'Aline sur ses avant-bras velus, là où ses manches remontaient sur sa peau bronzée. Leurs regards se croisèrent, et brusquement, il eut du mal à se rappeler qu'ils n'étaient pas seuls. Il leur était de plus en plus difficile de cacher l'attirance qui les poussait l'un vers l'autre.

Revenant à son plateau, la jeune femme prit la carafe en verre taillé et versa la citronnade. Seul le tintement des glaçons dans les verres révélait un léger tremblement de sa part. Elle lui tendit le verre, mais garda les yeux baissés.

— Reprenez donc votre place, cher ami. Et continuez votre conversation, messieurs. Je n'avais pas l'intention de vous interrompre.

Gideon la gratifia d'un sourire et d'un galant compliment.

— Cette sorte d'interruption, milady, est toujours la bienvenue.

Westcliff fit signe à sa sœur de se joindre à eux et, au moment de lui donner son verre, elle s'assit avec grâce sur le bras de son fauteuil. Leur affection mutuelle était évidente. Ce détail n'échappa pas à McKenna, qui se souvenait de relations plus difficiles, jadis. Aline était à l'époque intimidée par son grand frère, isolé de la famille par de longues années de pensionnat. Depuis, Marcus et elle avaient eu le temps de resserrer les liens qui les unissaient.

— Nous étions en train de nous demander pourquoi les entreprises britanniques n'exportent pas leurs produits aussi bien que les Américains ou les Allemands, expliqua Westcliff.

— Parce que les Anglais n'apprennent pas les langues étrangères, proposa-t-elle gaiement.

— Non, c'est un mythe, rétorqua le comte.

— Crois-tu vraiment ? Dans ce cas, dis-moi combien de langues tu parles. Inutile de citer le latin, qui ne compte pas.

— Pourquoi ?

— Parce que c'est une langue morte.

— Mais c'est une langue quand même.

Avant qu'ils ne se mettent à ergoter sur des queues de cerise, McKenna intervint :

— Le problème n'est pas la langue. Ce qui empêche les fabricants britanniques d'exporter, c'est que la production en grande série ne les intéresse pas. Ces prétendus industriels sont en réalité des artisans, dont les entreprises, trop petites, fabriquent des produits trop variés. Rares sont ceux qui peuvent se permettre une promotion efficace dans le monde entier.

— Mais n'est-ce pas important, pour une entreprise, de satisfaire ses clients en leur offrant un large choix de produits ? demanda Aline.

Elle avait une manière de plisser le front qui donnait envie à McKenna de le lisser à force de baisers.

— Si, mais dans des limites raisonnables, répondit-il.

— Par exemple, enchaîna Gideon, la fabrication britannique de locomotives est tellement émiettée qu'il n'existe pratiquement pas deux machines identiques.

— Et c'est le cas dans d'autres secteurs de l'industrie, renchérit McKenna. Dans le papier peint, tel fabricant produit cinq mille modèles : c'est quatre mille de trop. Le fait d'offrir tant de produits différents coûte cher, surtout si on essaie de les vendre outremer.

— Mais moi, protesta Aline, cela me plaît d'avoir un vaste choix. Je n'ai pas envie de tapisser mes murs comme n'importe qui.

Elle semblait si profondément malheureuse à la perspective d'un choix restreint de papiers peints, qu'il ne put s'empêcher de sourire.

— Qu'y a-t-il de drôle dans ce que je viens de dire ?

— Vous êtes si incroyablement britannique !

— Mais vous aussi, McKenna !

— Plus tellement, milady…

De fait, McKenna était devenu américain à l'instant précis où il avait posé le pied sur Staten Island. Tout en reconnaissant une certaine nostalgie pour son pays natal, il avait bâti sa personnalité et son statut dans un pays où ses origines roturières ne le handicapaient pas. C'est en Amérique qu'il avait cessé de se considérer comme un domestique. Il était loin, désormais, le temps où il devait se mettre en livrée et faire la courbette devant tout le monde. Cela lui avait coûté de longues années de travail, de sacrifices, de terribles soucis et de fol entêtement, mais désormais il était reçu en invité dans le salon privé de lord Westcliff, au lieu de fourcher le fumier dans ses écuries pour cinq shillings par mois.

Il observa la façon dont Marcus les regardait tour à tour, Aline et lui. Le comte n'était pas dupe : manifestement, il ne tolérerait pas que l'on profite de sa sœur.

— Vous avez sans doute raison, confirma-t-elle. Quand un homme s'habille, parle et pense comme un Américain, c'est probablement qu'il en est un.

Elle se pencha légèrement vers lui, les yeux brillants.

— Toutefois, McKenna, il y a une petite part en vous qui appartiendra toujours à Stony Cross : je refuse de croire que vous nous rejetez entièrement.

— Je n'en disconviens pas, concéda-t-il avec douceur.

Leurs regards demeurèrent rivés l'un à l'autre tandis qu'un silence gêné s'installait dans la serre.

Westcliff, nerveux, se racla la gorge et se leva brusquement, au point qu'Aline, toujours assise sur le bras du fauteuil, faillit basculer. Lorsqu'il s'adressa à sa sœur, McKenna lui trouva une telle ressemblance avec son père qu'il en eut la chair de poule.

— Aline, je désire voir avec toi l'organisation des jours qui viennent, afin qu'il n'y ait pas d'incompatibilité sur le plan des horaires. Accompagne-moi à la bibliothèque, je te prie.

— Tout de suite, milord, répondit la jeune femme en s'excusant d'un sourire auprès de McKenna et Gideon, qui s'étaient tous deux levés. Messieurs, je vous souhaite un agréable après-midi.

Une fois le comte et sa sœur partis, McKenna et Gideon se rassirent.

— Eh bien ! lança ce dernier. J'ai l'impression que tes projets sont en bonne voie.

— Quels projets ? demanda McKenna en lorgnant d'un œil mauvais ce qu'il restait de sa citronnade.

— De séduire lady Aline, voyons.

Tranquillement, Gideon alla remplir son verre. McKenna répondit d'un vague grognement. Ils observèrent quelques instants un paisible silence, puis McKenna reprit la parole.

— Dis-moi, Shaw : est-ce qu'une femme t'a déjà demandé de lui écrire un poème ?

— Non, grands dieux ! répliqua Gideon avec un rire léger. Nous, les Shaw, ne sommes pas poètes. Nous avons des nègres pour cela, et il nous suffit de signer ensuite. Ne me dis pas que lady Aline t'a demandé une chose pareille ?

— Si.

— Décidément, les femmes m'étonneront toujours. Le nombre de façons qu'elles imaginent pour nous ridiculiser ! Mais tu ne vas pas t'exécuter, tout de même ?

— Si.

— Écoute, McKenna : jusqu'où as-tu l'intention de pousser tes projets de vengeance ? Je trouve lady Aline plutôt sympathique, et de plus en plus navrante la perspective de la voir souffrir.

— Si tu essaies de t'en mêler... commença McKenna d'un ton glacial.

— Tout doux, mon ami, tout doux! Je n'ai pas dit que je voulais mettre tes projets par terre. Je te crois parfaitement capable de le faire tout seul.

— Ce qui veut dire?

Gideon tira une flasque de sa poche et noya sa citronnade dans l'alcool.

— Ce qui veut dire que je ne t'ai jamais vu te passionner pour quelque chose ni pour quelqu'un comme c'est le cas avec lady Aline, rétorqua-t-il avant de s'octroyer une généreuse lampée. Avec le secours de ce breuvage, j'ai le courage de te dire franchement mon avis : tu l'aimes encore. Au fond de toi, tu préférerais mourir à petit feu plutôt que lui faire le moindre mal.

— Discours d'ivrogne! décréta McKenna en se levant.

— Mais qui a dit le contraire? se moqua Gideon.

Et, d'un geste issu d'une longue habitude, il leva son verre vers son ami qui s'en allait et en avala le contenu, cul sec.

En fin d'après-midi, la fraîcheur tomba. Les invités de Stony Cross Park descendirent dans le hall. Par petits groupes, ils s'éloignèrent sur le gravier de l'allée : une rangée de voitures les attendaient pour les conduire au village.

Parmi ceux qui désiraient s'amuser à la fête, il y avait la sœur de Gideon, Mme Susan Chamberlain, et son mari, Paul. Depuis quelques jours, Aline avait entretenu avec les Chamberlain des rapports cordiaux mais superficiels. Susan était grande et blonde comme Gideon, mais elle n'avait pas l'humour de son frère. Elle se prenait manifestement pour une personne d'importance – sentiment qu'elle partageait avec son mari.

Au moment où le premier attelage s'ébranlait, Aline surprit par hasard le regard de Gideon Shaw, fasciné par quelqu'un qui sortait de la maison. Il eut un doux sourire, et son expression se fit joviale. Suivant son regard, elle eut la surprise de voir Livia qui sortait enfin de son isolement volontaire. C'était la première fois depuis la mort d'Amberley qu'elle se montrait en public. Elle semblait toute jeune, et passablement nerveuse. Elle avait choisi une robe d'un rose soutenu, bordée d'un liseré rose dragée.

Aline vint à la rencontre de sa sœur.

— Comme je suis heureuse, ma chérie, dit-elle en lui passant le bras autour de la taille, que tu aies choisi de nous accompagner. Je suis sûre que nous allons passer une merveilleuse soirée.

Susan Chamberlain se pencha à l'oreille de son mari, prenant soin de mettre la main devant sa bouche pour que nul n'entende ses propos. Les yeux de Chamberlain se posèrent une seconde sur Livia puis se détournèrent vivement, comme s'il voulait éviter d'être surpris en train de la regarder.

Décidée à éviter à sa cadette toute humiliation, Aline l'incita à avancer.

— Laisse-moi te présenter quelques-uns de nos invités. Monsieur et madame Chamberlain, j'ai le plaisir de vous présenter ma sœur cadette, lady Olivia Marsden.

Aline avait pris soin de nommer d'abord les Chamberlain, car, selon l'étiquette, on devait d'abord renseigner la personne la plus haut placée sur l'identité de ses interlocuteurs. Ainsi, il était clair que le statut social de Livia était supérieur à celui de ses invités : ces derniers n'avaient donc aucun droit de l'ignorer.

Les Chamberlain se fendirent d'un sourire de convenance, puis Aline présenta les Cuyler et enfin M. Laroche, dont la femme venait de partir dans la première voiture.

Brusquement, McKenna surgit à leur côté.

— Je doute, milady, que vous ayez souvenir de moi, au bout de tant d'années...

Livia pâlit mais, malgré ses remords, parvint à sourire.

— Bien sûr que je me souviens de vous, McKenna. Je suis heureuse de vous revoir à Stony Cross. Quel dommage que vous ne soyez pas revenu plus tôt !

Enfin vint le tour de Gideon Shaw, qui fit maladroitement semblant de ne pas la connaître. Alors que les précédents s'étaient contentés d'un hochement de tête, Shaw se plia en deux pour faire un baisemain remarqué. Quand il releva la tête, il sourit à Livia, dont les joues viraient au pourpre. Leur attrait mutuel sautait aux yeux.

— Nous serons dans la même voiture, j'espère, suggéra Gideon qui n'arrivait pas à lui lâcher la main.

Sans laisser à Livia le temps de répondre, Susan intervint.

— Malheureusement, dit-elle à son frère, je crains que cela ne soit impossible. Il y a déjà Paul et moi, toi, M. Laroche, plus McKenna...

— McKenna ne vient pas avec nous, rétorqua Shaw en adressant à l'intéressé un regard éloquent. N'est-ce pas ?

— En effet, confirma celui-ci qui n'était pas né de la dernière pluie. Lady Aline m'a prévu une place dans une autre voiture.

— Laquelle ? s'enquit Susan d'un ton rude.

— La mienne, figurez-vous, mentit Aline avec son sourire le plus enjôleur. McKenna et moi n'avons pas terminé notre précédente conversation à propos de, euh…

— … de poésie, dit-il gravement.

— Mais oui, c'est ça, de poésie, confirma Aline qui lui aurait volontiers écrasé les orteils sous le talon de sa chaussure. Nous allons poursuivre cette discussion en chemin.

Susan arbora un air soupçonneux.

— Ah bon ? Moi qui croyais que McKenna n'avait pas lu un poème de sa vie…

— En tout cas, je l'ai entendu en réciter un, révéla Shaw. Je me souviens du premier vers : « Trois orfèvres à la Saint-Éloi. » Quant au reste, j'attendrai que nous soyons entre hommes pour le citer.

M. Chamberlain devint tout rouge et commença à rire sous cape : lui aussi avait dû entendre le prétendu poème, passablement paillard en vérité.

McKenna prit la chose avec bonne humeur.

— Donc, c'est à lady Aline qu'il revient de compléter mes connaissances en littérature.

— Je ne suis pas sûre qu'un trajet en voiture suffise, répliqua celle-ci.

— Tout dépend de la durée du trajet ! observa-t-il. La phrase était en soi innocente, mais il la prononça sur un tel ton et l'appuya d'un tel regard qu'Aline s'empourpra.

— Continuez jusqu'en Sibérie, s'il le faut, conseilla Shaw.

Quelques rires discrets se firent entendre. Galant, il offrit le bras à Livia.

— Si vous permettez, milady…

Voyant Shaw guider sa sœur jusqu'à la voiture qui attendait, Aline eut comme un choc. Cela lui faisait quelque chose de voir Livia au bras d'un homme. Gideon Shaw avait vraiment l'air d'être aux petits soins pour elle. Peut-être Livia avait-elle besoin de ce genre d'homme, toujours à l'aise, rompu aux affaires. Et malgré son cynisme, il paraissait capable de se conduire en gentleman.

Ce qui inquiétait le plus Aline, c'était le penchant de Shaw pour la boisson : comment accorder cela avec Livia ? Sans compter sa réputation de chaud lapin, et le fait qu'il soit issu d'un milieu complètement différent.

Elle eut un soupir soucieux et croisa le regard de McKenna.

— Au fond, c'est quelqu'un de bien, assura-t-il comme s'il lisait à livre ouvert dans ses pensées.

— Je le crois volontiers. Mais si Livia était ta sœur, McKenna... est-ce que tu ne serais pas inquiet ?

Il hésita, puis acquiesça d'un signe de tête.

— C'est bien ce que je craignais, fit Aline en lui prenant le bras. Eh bien ! Puisque tu as décidé de prendre ma voiture, partons.

— Ton frère ne vient pas ?

— Non, Marcus se moque des fêtes au village. Ce soir, il reste au manoir.

— Tant mieux, conclut-il avec une satisfaction évidente qui fit rire Aline.

Il était clair que McKenna aurait préféré être seul avec elle en voiture, mais les Cuyler se joignirent à eux. Ils lancèrent la conversation sur les fromages de la région. Aline répondit avec précision à leurs mille questions. La déception de McKenna était claire et, tout en fournissant de doctes explications, elle avait du mal à ne pas rire.

Quand le convoi s'arrêta au centre du village, Stony Cross brillait de tous ses feux : torches, lanternes et lampions. Il y avait de la musique sur la place, encombrée de danseurs exubérants. Les rangées de maisonnettes blanchies à la chaux étaient presque cachées par les éventaires. Il s'agissait de frêles échoppes, avec un abattant sur le devant et un cagibi à l'arrière où le propriétaire s'abritait pour la nuit. Il y avait des bijoutiers, des couteliers, des menuisiers, des bourreliers, des sabotiers, toute sorte de marchands de friandises et de salaisons, et même des fabricants de jouets et d'éventails. Les rires fusaient, les pièces de monnaie pleuvaient aux pieds des jongleurs et des comédiens.

Aline consentit à se faire escorter par McKenna d'un stand à l'autre.

— Voici qui doit éveiller en toi bien des souvenirs.

— Oui. J'ai l'impression de revivre une existence antérieure.

— Je comprends, convint-elle, mélancolique.

Comme ils avaient changé, tous les deux ! Ils avaient connu jadis des jours d'innocence, d'une simplicité exquise. Chaque instant de leur jeunesse avait été éclairé d'une aura dorée.

En évoquant ces années de bonheur, la jeune femme était soudain envahie d'une impatience dont elle ignorait l'objet. Cette ardeur lui fouettait le sang, aiguisait ses sens et lui donnait une perception aiguë des couleurs, des sons, du moindre frôlement. Le simple fait de parcourir le village au bras de McKenna était un charmant écho d'un passé lointain. Elle avait l'impression d'écouter une complainte très ancienne, oubliée depuis des millénaires.

Du coin de l'œil, elle observa son compagnon. Lui aussi était aux prises avec ses souvenirs. Il se détendait, son expression s'était adoucie.

Ils s'enfoncèrent dans la foule qui encombrait la grand-rue, là où deux prestidigitateurs arrachaient aux badauds des cris d'admiration. McKenna, le bras autour de la taille d'Aline, se frayait un chemin dans la cohue. Elle trouvait le plus normal du monde le fait d'être collée à lui, de s'abandonner à cette pression de sa grande paume au bas de son dos. Lorsqu'ils sortirent du groupe le plus compact, McKenna lui prit la main et la mit au creux de son bras. Les doigts d'Aline s'appuyaient sur les muscles noueux de son compagnon, dont le coude lui effleurait le sein à chaque pas.

— Où allons-nous ? demanda-t-elle, presque surprise du ton alangui de sa propre voix.

Il ne répondit pas, dépassa quelques échoppes et atteignit enfin celle qu'il cherchait. En reconnaissant l'odeur caractéristique du pain d'épice encore chaud, elle éclata de rire.

— Tu t'es souvenu !

Quand elle était petite, c'était toujours la première chose qu'ils faisaient à la fête. McKenna n'était pas un fanatique de sucreries, mais il se faisait une joie de l'accompagner.

— Bien sûr, confirma-t-il en sortant une piécette pour acheter un gros morceau. Je n'ai jamais rencontré quelqu'un capable, comme toi, de dévorer tout le gâteau en quatre bouchées.

— C'est faux, protesta-t-elle en mordant de bon cœur dans la tranche.

— Je n'ai jamais compris comment tu faisais pour avaler en un quart d'heure une miche de la taille de ta tête.

— Mais je n'ai jamais été aussi gloutonne! bafouilla-t-elle, la bouche pleine.

— Dans ce cas, c'est que je confonds avec quelqu'un d'autre! suggéra-t-il, hilare.

Ils continuèrent à flâner devant les stands, et McKenna acheta pour elle un verre de vin doux, afin de faire descendre le pain d'épice. Elle vida le récipient d'un trait.

— Attention, ça va te tourner la tête.

— Et après? s'enquit Aline joyeusement, avant de se faire resservir. Si je titube, tu seras là pour me rattraper, non?

— Des deux bras, murmura-t-il.

Dans la bouche d'un autre, cette allusion aurait eu un côté choquant, mais de la part de McKenna c'était une affriolante menace, délicieuse.

En revenant vers la place du village, elle aperçut de loin une silhouette familière : Adam, dont les cheveux blonds brillaient à la lumière des torches. Il était accompagné d'un groupe d'amis, hommes et femmes. Il les planta là brusquement pour se diriger vers Aline.

Celle-ci alla à sa rencontre, tandis que McKenna suivait, renfrogné.

— Qui êtes-vous, bel inconnu? Voyons, voyons... Ne vous êtes-vous jamais montré à Stony Cross Park une fois ou l'autre? Cela fait si longtemps que je ne vous y ai vu, ma mémoire me trahit.

Adam sourit. Il avait le chic pour rebondir avec élégance à tout propos taquin.

— Mon absence était calculée, ma chérie. Et tu sais pourquoi.

Elle fut touchée par la délicatesse de son ami : il s'était effacé afin qu'elle poursuive comme elle l'entendait ses relations avec McKenna.

— Cela ne m'empêche pas de regretter ton absence.

— Je passerai sans faute, promit-il. Maintenant, présente-moi ton compagnon.

Docile, Aline fit les présentations entre son meilleur ami et son premier amour... Le premier ne lui causerait jamais le moindre déplaisir, alors que le second le ferait à coup sûr. Il était étrange pour elle de voir McKenna et Adam se serrer la main. Elle n'avait jamais imaginé qu'ils pussent se rencontrer. Le contraste entre les deux hommes était saisissant : ange et démon.

— Monsieur McKenna, déclara Adam avec une aisance aristocratique, votre retour à Stony Cross a tant réjoui lady Aline que je ne puis que partager son sentiment.

— Merci, répondit McKenna, glacial. Vous êtes amis depuis quelque temps, paraît-il ?

— Près de cinq ans ! confirma Adam.

Un silence s'installa, bientôt rompu par un appel à tue-tête :

— McKenna !

Aline se retourna. C'étaient de vieux camarades de McKenna qui venaient de le reconnaître : Dick Burlison, l'adolescent dégingandé aux cheveux carotte, qui était à présent un solide père de famille de trente-cinq ans ; Tom Haydon, le fils du boulanger, qui avait succédé à son père... et la femme de Tom, Mary, une beauté plantureuse, fille du boucher, avec laquelle McKenna avait flirté autrefois.

Souriante, Aline le poussa doucement dans le dos.

— Vas-y.

Il n'en fallait pas plus pour qu'il les rejoigne à longues enjambées, déchaînant des cris de joie et des rires de bienvenue. Mary, qui avait cinq enfants, fut stupéfaite quand il se pencha pour lui baiser la joue.

— Quelque chose me dit qu'il ne s'est encore rien passé entre vous, lança Adam à mi-voix.

— Peut-être n'ai-je pas le courage de sauter le pas, répliqua-t-elle sans quitter McKenna des yeux.

— Un conseil d'ami : ne fais rien que tu sois susceptible de regretter ultérieurement. Toutefois, je reconnais que le stoïcisme n'est pas la meilleure façon de s'amuser dans la vie...

— Adam, m'encouragerais-tu à faire une grosse bêtise ?

— Seulement à condition de tout me raconter après.

Aline éclata de rire.

McKenna se retourna aussitôt vers eux avec un air féroce.

— Tu vois, continua Adam, je t'ai fait marquer un point. Il est dévoré de jalousie. Maintenant, il n'aura de cesse de revendiquer son territoire. Décidément, tu as un faible pour les hommes des cavernes !

De fait, McKenna les rejoignit en moins d'une minute et saisit Aline par le coude, d'un geste aussi autoritaire que possessif.

— Nous allions vers la place du village, rappela-t-il d'un ton cassant.

— C'est exact, gazouilla-t-elle. Tu viens, Adam ?

— Non, hélas ! Il faut que je rattrape mes camarades. Je vous souhaite une bonne soirée à tous les deux.

— Au revoir ! conclut McKenna sans faire le moindre effort pour cacher son animosité.

Ils s'éloignèrent.

— Ne sois pas discourtois, je t'en supplie. Lord Sandridge m'est très cher, et je ne voudrais pour rien au monde lui faire de la peine.

— Je suis resté courtois, bougonna McKenna.

Aline, ravie de le voir jaloux, eut un petit rire.

— C'est tout juste si tu lui as dit un mot, et puis au revoir. Tu ressembles à un sanglier qui s'apprête à charger.

— Quel genre d'homme est-ce ? Il ne fait aucune objection alors qu'il te voit te pavaner à travers tout le village à mon bras.

— C'est un homme confiant. Lord Sandridge et moi avons convenu de certaines choses : nous jouissons chacun d'une totale liberté dans certains domaines. Cela nous convient à merveille.

— À merveille, hein ? répéta-t-il avec un mépris non dissimulé. Sandridge est un fou. Si j'étais à sa place, tu ne serais pas ici.

— Et où serais-je, s'il te plaît ? demanda-t-elle d'un ton audacieux. À la maison, en train de raccommoder tes chemises ?

— Non, dans mon lit. Avec moi.

Aline n'eut plus envie de rire. Les mots de McKenna, prononcés avec une douceur dangereuse, la firent frémir. Elle se tut et rosit. Ils étaient sur la pelouse, au cœur du village. Les gens les regardaient. Son retour au bout de tant d'années suffisait à éveiller l'intérêt, mais le fait qu'il donnât le bras à la jeune femme faisait jaser les commères.

La musique allait bon train. Danseurs et danseuses frappaient des mains et des pieds au rythme d'une vieille chanson populaire. Aline laissa son compagnon l'entraîner plus près des musiciens.

À peine la danse finie, McKenna fit signe au violoniste qui tenait lieu de chef d'orchestre. Celui-ci approcha tout de suite et il lui glissa quelques mots à l'oreille et quelques pièces dans la main. Aline s'interrogeait sur cette manigance. Avec un sourire enthousiaste, le violoniste retourna rapidement vers ses compagnons, leur expliqua la situation en quelques mots, puis le groupe de huit musiciens vint vers Aline.

Elle regarda son compagnon d'un air méfiant.

— Qu'est-ce que tu as comploté ?

Les musiciens entraînèrent la jeune femme au milieu de la foule, afin que tous la voient. Le chef exigea le silence d'un geste.

— Mes chers amis, dit-il en désignant McKenna, ce gentleman vient de demander une chanson pour honorer les charmes de la dame qui est ici devant vous. Je vous prie de chanter en chœur *La Rose de Tralee* pour lady Aline !

Tout l'auditoire applaudit de bon cœur, car c'était un air à succès.

Écarlate, Aline foudroya McKenna d'un regard vengeur, ce qui souleva l'hilarité générale. Il répondit d'un sourire innocent.

Les musiciens la contemplaient avec un intérêt évident, et elle ne put s'empêcher de leur sourire en retour alors qu'ils entonnaient la chanson célèbre dans tout le pays, accompagnés par pas moins de deux cents voix. Même quelques forains et marchands ambulants se joignirent au chœur, sans omettre de remplacer par « Aline » le nom de l'héroïne de la chanson.

La lune pâle se levait
Sur les vertes montagnes ;
Le soleil se couchait
Sur la mer bleue
Quand, avec mon amante,
Nous allâmes à la fontaine de cristal
Qui se niche au cœur de notre belle
Vallée de Tralee.

Elle était mignonne et pâle
Comme la rose de l'été,
Pourtant, ce n'est pas seulement
Sa beauté qui m'a conquis.
Oh, non ! C'est la pureté de son regard,
Qui m'a fait aimer Aline,
La Rose de Tralee.

Les ombres du soir
Étendaient leur frais manteau
Et Aline souriante m'écoutait.
La lune inondait
La vallée de ses rayons pâles,
Quand j'ai gagné le cœur
De la rose de Tra-leeee !

Le chant terminé, Aline fit une profonde révérence pour saluer. Elle offrit au violoniste sa main à baiser. Celui-ci s'exécuta, puis fit semblant de tomber à la renverse, évanoui, ce qui souleva une vague de rires et d'applaudissements.

Revenant vers McKenna, la jeune femme secoua la tête.

— Tu me le paieras !

— C'est toi qui voulais une sérénade.

— Oui, mais de ta bouche. Et non de toute la population de Stony Cross !

— Crois-moi, tu n'as rien perdu en ne m'entendant pas chanter.

— Autant qu'il m'en souvienne, tu as une voix superbe.

— Je manque de pratique.

Malgré tout, Aline était heureuse. Elle décida de jouer le jeu jusqu'au bout.

— Mais je croyais t'avoir aussi demandé un poème ?

La lueur provocante qui brillait dans ses yeux fit presque balbutier McKenna :

— Je t'ai dit que j'avais besoin de davantage d'inspiration.

— L'inspiration, c'est vague. De quoi exactement as-tu besoin pour te transformer en Virgile ?

— Réfléchis, ma chérie.

Aline fut frappée par ces mots. McKenna venait d'utiliser la même phrase qu'Adam lorsqu'ils avaient parlé des cicatrices de ses jambes.

Le sentiment d'impatience la reprit, elle avait du mal à retrouver son souffle au milieu de tant d'excitation et de confusion. Avec un peu d'audace, ce qu'elle désirait le plus au monde était à sa portée. Une nuit avec McKenna... Non, juste quelques brèves minutes arrachées à l'injustice du sort... Était-ce, grands dieux, trop demander ?

Non.

Quoi qu'il lui en coûte, elle était décidée à vivre quelques précieux moments d'intimité avec cet homme qu'elle n'avait jamais cessé d'aimer. Et elle y parviendrait sans lui révéler son terrible secret.

Ce soir ! se dit-elle dans un élan passionné.

Pour elle et McKenna, le moment de vérité était enfin arrivé.

12

Il était minuit passé, les torches s'éteignaient. Croquants et chemineaux, ivres pour la plupart, piétinaient dans les rues obscures. Résonnaient quelques chansons paillardes, l'écho de disputes d'ivrognes. À la faveur de l'obscurité, polissonnes et petits coquins échangeaient de furtifs baisers. Les plus sages étaient déjà rentrés ; les autres savaient qu'au fur et à mesure que la nuit avançait, tout devenait permis. Les musiciens jouaient près du grand feu, les danseurs continuaient de virevolter à la limite de la zone éclairée.

Les yeux perdus dans les braises rougeoyantes, Aline se laissa aller en arrière pour s'appuyer contre McKenna. Spontanément, il la soutint. Posant une main autour de sa svelte taille, il la saisit de l'autre au niveau du coude. En d'autres circonstances, leur étreinte aurait fait scandale. Mais, pour la durée de la fête, les convenances étaient observées de façon moins rigoureuse. Dans les remous de la foule, nul ne semblait remarquer la présence des deux jeunes gens.

Aline fermait à demi les yeux à cause de la chaleur du brasier.

— Tu as grandi, murmura-t-elle, rêveuse.

Autrefois, il pouvait poser le menton sur sa tête quand il était debout derrière elle. À présent, il fallait qu'il se penche pour le faire.

— Non, rétorqua-t-il gentiment à son oreille.

— Mais si, insista-t-elle car le vin lui avait délié la langue. Nous n'allons plus aussi bien ensemble.

— Au contraire, nous pourrions former un couple idéal. Essayons, et tu verras.

Aline sourit, elle avait envie de se coller à lui, de se fondre en lui… laisser sa tête aller en arrière et sentir la bouche de McKenna frôler la courbe de son cou. Mais elle demeura immobile comme une statue, hypnotisée par le feu. La peau et les vêtements de McKenna étaient imprégnés des parfums nocturnes de l'été. Leur attirance mutuelle était telle que le reste de la réalité semblait flou. Aline retrouvait dans le crépitement du feu et l'écroulement des braises l'expression parfaite de son agitation intérieure. Elle n'était plus, comme naguère, une jeune fille résignée, souffrant en permanence d'un grand vide en elle. Désormais, elle était en état d'insurrection. L'amour la rendait rebelle.

— Pas à la maison, s'entendit-elle murmurer.

Il laissa passer une minute entière avant de demander :

— Où ?

— Allons dans les bois, répondit-elle avec audace. Sur le sentier, vers le puits où l'on jette des pièces.

McKenna connaissait bien ce chemin sombre et peu fréquenté : ils l'avaient emprunté des milliers de fois dans leur jeunesse.

Un sourire triste se dessina sur les lèvres d'Aline, car elle savait que les ébats amoureux en pleine forêt sont loin d'être d'un grand romantisme. Furtifs, à la va-vite et assurément peu confortables. Mais l'amour tranquille, dans des draps blancs à la lumière des bougies, était un luxe qui lui était interdit. Pour empêcher McKenna de voir ses cicatrices, il fallait l'obscurité et la précipitation. Le simple fait qu'elle envisage cet acte sans tendresse était stupéfiant. Mais c'était tout ce qu'elle pouvait obtenir. Après tout, cela ne ferait de tort à personne. Il était manifeste que McKenna cherchait l'occasion de rafler ce qui lui avait été interdit dans le passé. Aline, de son côté, voulait un souvenir à chérir pendant les longues années qu'elle allait passer sans lui. Bref, chacun voulait quelque chose de l'autre pour des raisons égoïstes et il fallait s'en contenter.

— Le puits... murmura-t-il. Tu y vas encore de temps en temps ?

Quand elle était petite, elle allait souvent lancer dans l'eau limpide une piécette pour faire un vœu.

— Non, cela fait longtemps que cette source a perdu toute magie. Jamais elle n'a exaucé le moindre de mes vœux.

— Peut-être que tu ne lui demandais pas ce qu'il fallait.

— En effet, reconnut-elle non sans amertume.

McKenna la regarda avec intensité et l'entraîna loin du feu, vers la forêt qui entourait de tout côté Stony Cross. Ils se fondirent dans la nuit. Le chemin était à peine éclairé par la lune, entre deux nuages. Leurs yeux s'habituaient à l'obscurité, mais Aline avait le pied moins sûr que McKenna, car le sol était couvert de taillis de noisetiers et d'ormes. Il lui prit la main. Ce contact rappela à la jeune femme leurs caresses, l'audace de ses doigts aventurés dans des endroits qu'elle n'avait pas oubliés.

Elle retira sa main avec un rire nerveux.

— Je marche trop vite ? s'étonna-t-il.

— Un peu.

Ils avaient en effet marché toute la soirée. Aline sentait son genou droit se raidir.

— Eh bien, arrêtons-nous.

Il l'entraîna sous un chêne séculaire et ils restèrent debout dans une fourche entre les racines. La forêt les entourait de toute part, dans son humidité moussue. Alors qu'Aline s'adossait au tronc, McKenna s'approcha. Son haleine faisait voleter les petites mèches de cheveux sur son front.

— McKenna, fit-elle d'un ton badin, je voudrais te demander quelque chose…

Il frôla du bout des doigts le côté de son cou, là où la peau était si sensible.

— Je t'écoute.

— Parle-moi des femmes que tu as connues. Celles avec lesquelles tu…

Elle s'interrompit, car elle cherchait le mot exact.

Il se recula un peu.

— Que veux-tu savoir ?

— Si tu en as aimé une.

Il garda le silence un moment, dévisageant sa compagne avec une intensité qui la fit frissonner.

— Je ne crois pas en l'amour. C'est comme une dragée : sucrée au début, et amère quand il ne reste que l'amande.

Donc, se dit Aline, il n'a aimé que moi. D'une certaine façon, elle le regrettait. Mais, comme chaque fois qu'il s'agissait de lui, elle était égoïste. Elle n'avait pas oublié les serments échangés jadis. *Mon cœur est à toi pour toujours…*

— Et Sandridge ? s'enquit-il. L'aimes-tu ?

— Oui, confessa-t-elle.

Adam lui était plus que cher, mais pas de la même manière.

— Et pourtant, tu es là avec moi, murmura-t-il.

— Quoi que je fasse, il n'intervient pas. Ça n'a rien à voir avec lui... toi et moi...

— Ça, c'est sûr, s'écria-t-il avec une fureur soudaine. Bon Dieu, il aurait dû essayer de me trancher la gorge, au lieu de me laisser partir avec toi. Il devrait être capable de tuer pour garder les autres hommes à l'écart. Tu te mens si tu escomptes être un jour satisfaite par le genre de contrat qui liait tes parents. Tu as besoin d'un homme avec qui partager des choses, un homme qui te possède, explore chaque centimètre de ton corps, chaque recoin de ton âme. Un homme qui soit ton égal. Sandridge est aussi différent de toi que la glace du feu.

Il se pencha vers elle.

— *Moi,* je suis ton égal, dit-il d'un ton dur. Même si mon sang est rouge et non pas bleu comme celui de ce nobliau. Je suis condamné de naissance à ne jamais te posséder alors que, au fond, nous sommes pareils. Et je serais prêt à violer toutes les lois des dieux et des hommes si...

McKenna s'arrêta net, ravalant des mots qui pouvaient le trahir.

Elle se mit à lui déboutonner son gilet.

— Laisse-moi faire, chuchota-t-elle.

À travers les épaisseurs de tissus, elle sentait la cuirasse rigide de ses muscles.

McKenna, les poings serrés appuyés contre l'écorce du chêne, ne bougea pas. Après la rangée de boutons du gilet, Aline s'en prit à ceux de la chemise. Silencieux, il se laissait faire. Tremblante d'excitation, elle défit le dernier bouton de la chemise, et la tira hors du pantalon. Le tissu était fripé et tout chaud. La jeune femme glissa les mains sous les vêtements ouverts. Il avait la peau chaude, avec un parfum salé, grisant. Les paumes bien à plat, elle fit le tour du torse, frôlant la toison sur la poitrine. Elle était hypnotisée par les courbes de ce corps magnifique, si différent du sien. Décidée et ardente, elle trouva le mamelon et se pencha pour en faire le tour avec la langue. Elle sentait contre sa joue les bouclettes rêches.

McKenna eut comme un haut-le-corps et, des deux mains, se mit à défaire les attaches de la robe d'Aline dans le dos. Il se baissa et lui couvrit la gorge de baisers, tout en tirant fermement le corsage. La robe glissa jusqu'à la taille, dévoilant un corset qui faisait pigeonner ses seins sous une fine chemise de coton diaphane.

D'un coup, la jeune femme sentit ses dernières peurs s'envoler. Elle dégagea de ses épaules les bretelles de sa chemise, libéra ses bras et tira le vêtement vers le bas, au-dessus du corset. Ses seins se dressèrent, leurs pointes érigées à cause de la fraîcheur de l'air.

McKenna glissa les doigts sous la pâle courbure d'un sein, et inclina la tête. Elle sursauta en sentant sur son mamelon la chaleur de sa bouche. Il fit de la langue le tour de l'aréole, insistant sur la pointe pour chatouiller l'extrémité si sensible. Elle se tortilla, envahie de désir de la tête aux pieds. Ses effleurements la rendaient folle, elle se tordait en gémissant.

Il prit entre ses dents le mamelon palpitant, et se mit à le mordiller avec délicatesse. Des ondes de plaisir, aiguës comme des flèches, zébraient le corps d'Aline jusqu'aux orteils. Tétanisée par le plaisir, elle ne remarqua même pas qu'il la dépouillait de sa robe. Celle-ci tomba en tas à leurs pieds : elle n'avait plus sur elle que ses sous-vêtements. Égarée, elle se pencha d'instinct pour ramasser la robe, mais il la plaqua contre le tronc et prit possession de sa bouche d'un baiser ravageur. Ses doigts agiles se saisirent des rubans de ses culottes, les dénouèrent : elles lui tombèrent au niveau des genoux.

Maladroite, elle tâta du bout des doigts le haut de ses bas, pour s'assurer que ses jarretières n'avaient pas bougé. Elle crut défaillir quand la main de McKenna couvrit la sienne.

— Laisse-moi faire, chuchota-t-il avec l'intention évidente de détacher la jarretière.

— Non ! ordonna-t-elle en lui prenant la main pour la poser sur son sein.

Soulagée, elle constata qu'il se laissait volontiers distraire par cette manœuvre. Son pouce se mit à caresser le petit bouton dur.

Aline leva le visage pour lui offrir ses lèvres. Elle sentait contre sa cuisse la preuve de l'excitation de McKenna, derrière une rangée de boutons de culotte. Vorace, elle entreprit de les déboutonner. Lorsqu'elle le libéra enfin, tous deux eurent comme un sursaut : le membre viril jaillit de sa prison de tissu. Toute frémissante, elle referma délicatement les doigts sur cette chair si fine et brûlante.

Avec une sorte de grondement, McKenna lui leva d'une main les poignets au-dessus de la tête et les bloqua contre l'arbre. Il l'embrassait sur la bouche, la fouillait de la langue tandis que sa main libre glissait vers le bas de son ventre. Il fourragea un instant dans les bouclettes entre ses cuisses, et poussa d'un pied la cheville d'Aline, qui fut ainsi contrainte d'écarter les jambes. Elle savourait cette sensation d'être totalement possédée. Ayant déchaîné les passions de McKenna, il fallait à présent en accepter les conséquences... chose qu'elle était plus que prête à goûter.

Du bout des doigts, il parcourut les rebords de ses lèvres intimes gonflées de désir et les écarta avec une infinie délicatesse. Aline, tirant en vain sur ses poignets pour se libérer, se raidit quand elle sentit le doigt de McKenna glisser dans la moiteur de l'ouverture cachée. Il passa et repassa sur le tendre seuil de sa féminité, jusqu'à lui arracher de ronronnantes supplications.

Tandis qu'il l'embrassait à pleine bouche, il trouva enfin du bout du doigt le bouton de rose. Le baiser de McKenna se fit barbare, ardent, alors que le jeu de ses doigts était plein d'adresse délicate. Il se mit à tourmenter sans fin la petite pointe. Elle se tortillait sous la caresse, au bord d'un abîme qui l'empêchait de penser, et même de respirer.

Puis il la fit basculer par-dessus le sommet du plaisir.

Elle resta suspendue à lui, en proie à des spasmes qui électrisait tout son corps. Au bout de ce qui lui parut une éternité, le plaisir d'Aline décrut en vaguelettes exquises, et elle gémit contre les lèvres de McKenna.

Il se pencha pour soulever l'ourlet chiffonné de sa chemise. De sa langue soyeuse, il se mit à caresser l'endroit du ventre où le corset appuyait sur sa chair tendre. Alanguie, la jeune femme demeurait affalée contre le tronc, surveillant les mouvements de la tête brune de son amant.

— McKenna ! protesta-t-elle tandis qu'il s'agenouillait pour humer son parfum.

Elle se souvint de ses cicatrices et se baissa pour remonter ses jarretières.

— Attends ! supplia-t-elle.

Mais il avait déjà la bouche contre elle, il fouillait son sillon humide, sa langue descendait déjà plus bas que les boucles brunes…

Aline avait les jambes qui tremblaient avec violence. Sans l'appui du chêne, elle aurait glissé au sol. Elle porta ses mains tremblantes à la tête de McKenna, enfouit les doigts dans sa chevelure.

— McKenna ! gémit-elle.

Il la fit taire en fouaillant sa chair tendre qui fondait de plaisir. De nouveau, elle sentit l'extase monter, monter encore à chaque trajet de sa bouche.

— Je n'en peux plus, supplia-t-elle. Je t'en prie, McKenna… je t'en prie…

C'était sans doute les mots qu'il attendait. Il se redressa et, du même élan, la souleva de terre comme un fétu de paille. Il passa un bras derrière son dos pour la protéger de l'écorce rugueuse, tandis qu'il glissait l'autre sous ses fesses. Elle était ainsi complètement bloquée, incapable de bouger. Ses cicatrices la tiraillaient, elle leva le genou pour en diminuer la tension.

McKenna l'embrassa. Elle sentait le membre viril appuyer à l'endroit précis où elle était vulnérable. Sa chair résistait, se serrait, refusant d'instinct le risque de la douleur. La pointe du membre commença à la pénétrer. Il donna un léger coup de reins, tout en laissant le poids d'Aline s'empaler tout seul sur la longueur de son sexe. Elle eut un hoquet.

Soudain, il fut en elle. Il l'emplissait, la déchirait. Aline se cambra, serra les poings en étreignant le dos de McKenna.

Il s'immobilisa.

— Mon Dieu ! Ne me dis pas que tu es vierge. C'est impossible...

— Cela ne fait rien, répondit-elle. N'arrête pas. Tout va bien. Ne t'arrête pas !

Mais il demeurait pétrifié, scrutant le visage d'Aline dans l'obscurité. Il la serra contre lui au point de presque l'empêcher de respirer.

Il faisait partie d'elle, enfin, dans cet acte ultime auquel sa vie devait irrémédiablement déboucher.

Elle se collait à lui, s'abandonnait à l'étreinte légère et rassurante de ses bras. McKenna se pencha pour l'embrasser. Elle croisa autour de la taille de son amant ses jambes encore vêtues des bas. Il se mit à bouger en cadence, de façon lente.

La sensation de brûlure se dissipa sans disparaître complètement, mais Aline ne s'en souciait pas. Tout ce qui comptait, c'était de posséder cet homme, de serrer sa chair en érection. Elle savait, corps et âme, que l'invasion passionnée qu'elle était en train de subir la changerait pour toujours.

Avec un grognement de volupté, McKenna cala solidement ses pieds pour entrer plus profondément. Il se versa en elle longuement, avec une violence primitive. Aline l'enveloppait de toute son intimité. Elle passait sa bouche ouverte sur son visage et son cou.

Quand McKenna se retira, elle sentit le liquide chaud couler entre ses cuisses. Comprenant que ses bas avaient glissé, elle frémit d'inquiétude.

— Pose-moi, s'il te plaît.

Il la déposa tendrement au sol, en la retenant des deux mains. Fébrile, la jeune femme remonta ses bas et remit sur ses épaules les bretelles de sa chemise.

Une fois sa pudeur sauve, elle ramassa la robe, toute chiffonnée par terre.

Comme elle aurait voulu s'étendre avec lui quelque part, dormir contre lui et s'éveiller au matin en le découvrant près d'elle ! Mais ce n'était pas possible.

Maladroite, elle se rhabilla en détournant le visage, et laissa McKenna lui reboutonner sa robe dans le dos. Manquait une chaussure. Il dut la chercher une bonne minute avant de la retrouver derrière une racine du chêne.

Aline eut un sourire amusé quand il la lui tendit.

— Merci !

Mais lui ne souriait pas. Son visage était dur, ses yeux brillaient de façon inquiétante.

— Comment se fait-il, nom d'un chien, que tu étais encore vierge ?

— Cela n'a pas d'importance, marmonna-t-elle.

— Pour moi, si ! gronda-t-il en lui saisissant le menton pour lever son visage vers lui. Pourquoi n'as-tu jamais accepté de coucher avec un homme jusqu'à ce soir ?

Elle se passa la langue sur les lèvres, à la recherche d'une explication satisfaisante.

— C'est-à-dire que… j'avais décidé d'attendre le mariage.

— Cela fait cinq ans que tu fréquentes Sandridge, et tu ne l'as jamais laissé te toucher ?

— Mais ce n'est pas un crime, quand même ! C'est une question de respect, de décision mutuelle et de…

— Si, c'est un crime ! C'est contre nature, bon sang ! Et maintenant, il va falloir m'expliquer pourquoi tu m'as laissé, *moi*, te prendre ta virginité !

Aline cherchait fébrilement un mensonge capable de mettre un point final à cette histoire, et de cacher la vérité une fois pour toutes.

— Je… Je te le devais bien, après la façon dont je t'ai renvoyé de Stony Cross autrefois.

Il l'empoigna par les épaules.

— Et tu crois que nous sommes quittes ? Que non, milady ! Comprends-moi bien : tu n'as même pas commencé à payer. Et tu vas me rembourser de plus d'une façon, capital et intérêt.

Aline fut glacée d'inquiétude.

— Hélas, McKenna, c'est tout ce que j'ai à t'offrir : une nuit, sans promesse ni regret. Je suis désolée si tu en veux davantage : ce n'est pas possible.

— Détrompe-toi. Je vais t'apprendre la façon dont on gère une liaison amoureuse. Pendant toute la durée de mon séjour à Stony Cross, tu vas rembourser ta dette dans toutes les positions qu'il me plaira de t'imposer : sur le dos, à genoux…

Il l'écarta du chêne. Elle avait de la mousse dans les cheveux, avec de petits morceaux d'écorce. Il la plaqua contre lui et couvrit sa bouche d'un baiser destiné à lui prouver qu'elle lui appartenait.

La jeune femme savait qu'elle avait intérêt à ne pas réagir, mais ce baiser lui faisait tant d'effet qu'elle ne put résister. Elle n'avait pas la force de s'arracher à cette étreinte, à cette bouche possessive. Au bout de quelques secondes, elle se sentit fondre, toute tremblante et fiévreuse.

C'est seulement au moment où la réponse d'Aline fut évidente pour tous les deux que McKenna releva la tête. Sa respiration rapide se mêlait à celle de sa compagne.

— Je vais venir dans ta chambre cette nuit.

Elle s'arracha à son étreinte et faillit trébucher.

— Je m'enfermerai.

— J'enfoncerai la porte, alors.

— Ne fais pas l'entêté ! ordonna-t-elle, exaspérée, en forçant le pas, malgré les douleurs de ses jambes.

Jusqu'au manoir, ils n'échangèrent plus un mot. Le seul bruit était celui de leurs pas sur les feuilles, les brindilles et les graviers. Aline se sentait de moins en moins à l'aise. Ses cicatrices commençaient à démanger et à brûler. De sa vie, elle n'avait autant désiré un bain chaud. Elle espérait avec ferveur que McKenna ne remarquerait pas sa légère claudication.

Au manoir, tout était calme. Seules quelques lumières révélaient que certains invités avaient décidé de continuer à s'amuser. McKenna accompagna Aline jusqu'à la porte de service, où il y avait moins de chances qu'on les vît. Quiconque aurait aperçu la jeune femme ainsi ébouriffée n'aurait guère eu de mal à deviner ce qu'elle venait de faire.

— À demain ! l'avertit McKenna alors qu'il la regardait monter l'escalier lentement.

13

McKenna alla flâner sur la terrasse à l'arrière du manoir. Il se sentait perdu, égaré… un peu comme Gideon la fois où il l'avait récupéré, en train de se noyer dans l'océan déchaîné.

Chaque fois qu'il avait imaginé le déroulement de cette nuit cruciale, il s'était vu totalement maître de la situation. Il connaissait les femmes, ses propres goûts en amour, et les réactions de ses conquêtes. Il savait exactement ce qu'il allait faire avec Aline. Or voici qu'elle avait tout bouleversé.

Il s'assit dans le noir à une table de jardin, se prit la tête entre les mains et ferma les yeux. Il avait encore sur les doigts un faible parfum de chêne, de sève et de cyprine… Il le huma avidement, et sentit sa virilité se réveiller. Il se souvenait de ce qu'il avait ressenti en la pénétrant, cette chair voluptueuse qui l'enveloppait de façon si ferme. Ses halètements, le goût de sa bouche, épicée de vin et de gingembre. Elle l'avait fait jouir plus que toute autre femme avant elle, et déjà, il la désirait de nouveau.

Vierge ! Maudite garce qui l'avait excité, qui éveillait en lui à la fois la jalousie et le besoin de la protéger ! Il aurait parié jusqu'à son dernier sou qu'elle avait eu des amants par dizaines.

Il soupira. Elle n'était pas la jeune fille qu'il avait aimée autrefois, se rappela-t-il sombrement. Cette jouvencelle n'avait jamais vraiment existé. Et pourtant, cela semblait ne guère avoir d'importance. Aline était son destin, sa malédiction, son désir suprême. Il aurait beau mettre entre eux des océans, il ne cesserait de la désirer.

Son corps brûlant, la délicieuse odeur de sa peau, le doux parfum de sa chevelure... Au moment de la posséder, il avait eu l'impression de perdre la raison. Et au moment du plaisir absolu, la pensée de se retirer ne l'avait même pas effleuré.

Et si elle était enceinte ?

Cette perspective provoqua en lui une satisfaction primitive. Oui, il voulait l'enchaîner à lui avec des liens qu'elle serait incapable de rompre. Elle ne s'en rendait peut-être pas compte pour le moment, mais jamais elle ne pourrait se libérer de lui, ni des exigences qu'il lui imposerait.

Susan Chamberlain, la sœur de Gideon Shaw, revint de la fête de fort méchante humeur.

— Ces réjouissances de village, c'est d'un ennui ! grinça-t-elle.

Ils venaient juste de rentrer au manoir, ayant quitté le bourg au moment où les festivités commençaient à devenir intéressantes. Les Shaw et leurs amis étaient des citadins. Les diseuses de bonne aventure, les bateleurs et autres cracheurs de feu ne les amusaient guère, pas plus qu'ils n'appréciaient le vin que les paysans du coin avaient sorti de derrière les fagots.

— En effet, minauda son mari, M. Chamberlain. L'intérêt que je trouve à fréquenter les bouseux est bien éphémère.

Agacée par ce mépris, Livia ne put garder sa langue dans sa poche.

— Eh bien, monsieur Chamberlain, vous en avez, de la chance ! Avec des principes pareils, il semble que vous allez goûter souvent le privilège de passer du temps en votre propre compagnie.

Tandis que les époux Chamberlain la foudroyaient du regard, Gideon éclata de rire.

— Moi, déclara-t-il à Susan, je me suis bien amusé. Tu as l'air d'oublier, sœurette, que tous ces gens que vous appelez des bouseux ont de plus hautes origines que les Shaw. Après tout, nous ne sommes nobles que par alliance.

— Je ne risque pas de l'oublier, riposta-t-elle du tac au tac. Tu me le rappelles assez souvent.

Livia se mordit la lèvre pour ne pas rire.

— Bon, eh bien, je crois que je vais aller me coucher. Je vous souhaite à tous une bonne nuit.

— Déjà ? s'étonna Gideon. La soirée commence à peine, milady. Que diriez-vous plutôt d'une partie de cartes ou d'échecs ?

— Vous êtes joueur, monsieur Shaw ?

Le regard de Gideon était séducteur, mais le ton de sa voix se fit innocent :

— Oui, tous les jeux m'intéressent.

Chaque fois que Livia frôlait avec les dents sa lèvre inférieure, Amberley la trouvait adorable. Et voici qu'elle faisait son numéro de séduction devant Gideon Shaw. Elle comprit combien elle désirait l'attirer.

— Moi, je ne joue que lorsque j'ai des chances de gagner, déclara-t-elle. Je propose donc de vous faire visiter notre galerie de portraits, afin que vous voyiez mes ancêtres. Parmi eux, vous découvrirez un pirate. Une vraie brute, paraît-il.

— Comme mon grand-père ! s'exclama Shaw. Nous prétendons qu'il était capitaine au long cours, mais il a commis des actes à faire rougir un flibustier.

Sa sœur Susan s'étranglait d'indignation.

— Allez-y sans moi, lady Olivia. Manifestement, mon frère ne ratera pas une occasion de dénigrer notre sang.

Livia essaya de dissimuler son bonheur à la perspective d'être de nouveau seule avec Shaw, mais se trahit en rougissant.

— Je vous en prie, madame Chamberlain. Bonne nuit, donc.

Les deux Américains, s'ils répondirent, le firent sans se faire entendre. De toute façon, Livia n'entendait pas grand-chose, tant son cœur battait fort. Elle se demanda comment ils jugeaient le fait qu'elle reste avec Gideon sans chaperon. Puis elle se dit que cela ne comptait guère. Elle avait toute la nuit devant elle et – chose qu'elle ne s'était pas dite depuis longtemps – toute la vie ou presque.

Entraînant son compagnon dans la galerie de portraits, elle lui décocha une œillade malicieuse.

— C'est très méchant, de taquiner votre sœur de la sorte.

— Un frère a le devoir de persécuter sa grande sœur.

— Eh bien, je salue la façon dont vous accomplissez certains devoirs, répliqua-t-elle, hilare, en faisant une courbette.

Ils pénétrèrent dans le long couloir étroit où les tableaux étaient accrochés sur six rangées, jusqu'au plafond. À l'autre bout de la galerie se dressaient deux énormes trônes. Leurs dossiers mesuraient plus de deux mètres de haut, et les coussins dont ils étaient rembourrés étaient durs comme des planches de chêne. Aux yeux des Marsden, le confort de ces sièges comptait moins que leur âge : ils dataient du XVIe siècle, et étaient le symbole d'une lignée moins souillée par des alliances étrangères que celle du souverain régnant.

Ils arpentèrent la galerie, et leur conversation quitta vite la généalogie pour toucher des domaines plus personnels. Shaw parvint même à l'interroger sur sa relation avec Amberley. Il y avait des tas de raisons pour que Livia ne lui révèle rien sur ce point. Elle n'en tint pourtant aucun compte. Pour quelque raison mystérieuse, elle ne voulait rien cacher à Gideon Shaw, même pas certains détails choquants ou peu flatteurs. Ainsi, elle lui parla de sa fausse couche.

L'Américain s'installa sur un trône et, sans savoir comment, la jeune femme se retrouva assise sur ses genoux.

— Je ne puis ! protesta-t-elle à mi-voix. Si on nous voyait...

— Je surveille la porte. C'est plus confortable comme ça, non ?

— Oui, mais...

— Arrête de te tortiller, ma chérie, ou bien je ne réponds pas de mes réactions... Alors, tu disais ?

Livia rougit comme une pivoine. Ce tutoiement venait de façon naturelle, et leur contact prolongé et la chaleur de son regard lui donnaient des faiblesses dans tout le corps. Que disait-elle, déjà ? Ah oui, la fausse couche.

— Le pire, c'est que de l'avis général c'était une chance de perdre ce bébé. Personne ne me l'a dit comme ça, mais c'était sous-entendu.

— Peut-être qu'il eût été délicat de te retrouver seule, avec un enfant sans père.

— Oui. C'est ce que je me suis dit. Mais cela ne changeait rien à mon deuil. J'ai même eu l'impression de trahir Amberley : je n'étais pas capable de garder vivante cette partie de lui. Aujourd'hui, j'ai même du mal à me remémorer son visage, sa voix.

— À ton avis, il aurait préféré que tu commettes le sati ?

— Qu'est-ce que c'est ?

— Une coutume hindoue. La veuve est censée se jeter sur le bûcher funéraire de son mari. Son suicide est considéré comme une preuve d'attachement.

— Et si la femme meurt la première ? Le mari fait pareil ?

Il sourit.

— Non, il se remarie.

Elle esquissa une grimace.

— J'aurais dû m'en douter. Les hommes tirent toujours leur épingle du jeu...

— Tu es bien jeune pour être aussi blasée.

— Et toi ?

— Moi, je suis né blasé.

— Non, certainement pas, rétorqua-t-elle sans hésiter. On ne naît pas blasé. Quelque chose t'a fait le devenir, et tu devrais me dire ce que c'est.

— Pourquoi ?

— Tu me le dois bien, maintenant que je t'ai tout raconté sur Amberley et le scandale qui m'a touchée.

— Mais si je me mets à te raconter tous les scandales auxquels j'ai été mêlé, nous en avons pour la nuit.

— Une dette, c'est une dette. Un gentleman paie toujours ses dettes, surtout à une dame.

— C'est vrai que je suis un gentleman ! s'exclama Shaw, ironique.

Il prit dans la poche de sa veste sa petite flasque en argent. Il cala soigneusement Livia au creux de son bras, car il avait besoin de ses deux mains pour déboucher le récipient. La jeune femme frémit de se sentir pressée entre ses bras musclés. Ayant retiré le bouchon, Gideon porta le goulot à ses lèvres. Livia, vaguement inquiète, sentait le parfum de l'alcool.

Il eut un soupir d'aise.

— Alors, princesse Olivia ! Comment veux-tu que je te serve ton scandale, bleu ou bien cuit ?

— Saignant, bien sûr !

Il sourit et s'administra une deuxième lampée. Ils restèrent ainsi une longue minute en silence, Livia toujours juchée sur ses genoux, avec son joli corps emprisonné dans une multitude de jupes et de dessous.

Shaw réfléchissait : que dire et ne pas dire, et surtout comment le dire ?

— Avant que je t'explique quoi que ce soit, il te faut savoir une chose : aux yeux des Shaw, personne ne les vaut.

— De quels Shaw parles-tu ?

— Tous ou presque, et mes parents notamment. J'ai trois sœurs et deux frères. Crois-moi, ceux qui se sont mariés ont eu un mal fou à obtenir l'accord de mon père. Il était infiniment plus important pour mes parents que leurs enfants se marient avec des gens fortunés et de belle lignée, plutôt qu'avec une personne vraiment digne d'estime.

— Ou d'amour, risqua-t-elle.

— Tout à fait, confirma-t-il en caressant d'un pouce distrait le métal poli de sa flasque.

Livia eut du mal à détourner le regard : brusquement, elle avait envie que Shaw se décide à la caresser, elle, plutôt que sa réserve de bourbon. Heureusement, il était trop occupé par ses pensées pour remarquer la façon dont la jeune femme s'était soudain tendue.

— Je suis, ou plutôt j'étais le deuxième fils par rang d'âge. Alors que mon frère Frederick se battait pour répondre aux attentes de mes parents, je suis devenu la brebis galeuse de la famille. Quand je fus en âge de me marier, la femme dont je suis tombé amoureux ne correspondait pas du tout aux critères des Shaw. Cela ne faisait que la rendre plus séduisante à mes yeux.

Livia ne perdait pas un mot. Il poursuivit :

— Je l'avais avertie : ils risquaient de me déshériter, ils se montreraient cruels, jamais ils n'approuveraient une personne qu'ils n'avaient pas choisie. Elle me jura que son amour serait plus fort, que nous resterions ensemble à jamais. Je savais que je serais déshérité, mais cela ne faisait rien. J'avais trouvé quelqu'un qui m'aimait et, pour la première fois de ma vie, l'occasion de me prouver que je n'avais pas besoin de la fortune des Shaw pour réussir. Malheureusement, lorsque je la présentai à mon père, la réalité de notre liaison apparut au grand jour.

— Elle s'est effondrée devant la réprobation de ton père ?

Gideon eut un rire sardonique, remit le bouchon de sa flasque et celle-ci dans sa poche.

— S'effondrer n'est pas exactement le mot. En fait, ils se sont mis d'accord, tous les deux. Mon père l'a tout bonnement soudoyée : il lui a proposé une somme rondelette pour disparaître et ne jamais me revoir. Elle a fait monter les enchères, et ils ont marchandé comme une paire de maquignons. Et tout ça, sous mes yeux ! Dès qu'ils sont tombés d'accord, ma bien-aimée a pris le magot et a filé sans se retourner. Je me suis demandé qui je haïssais le plus : elle ou lui… Peu après, mon frère Frederick est décédé dans des circonstances inexpliquées et, de ce fait, c'est moi qui suis devenu l'héritier. Jusqu'au jour de sa mort, mon père ne m'a jamais caché combien cette situation le décevait.

Livia prit soin de ne pas faire de commentaires, de peur d'être mal comprise. Mille banalités lui venaient à l'esprit : qu'il trouverait un jour la femme de sa vie, que son père n'avait sans doute jamais voulu autre chose que son bien… Mais, après avoir entendu ces douloureuses confidences, elle refusait de proférer des banalités. Elle préféra rester ainsi assise en silence. Quand elle leva les yeux, il la regardait avec un sourire perplexe.

— À quoi penses-tu ? demanda-t-il.

— J'étais en train de me dire combien j'étais chanceuse. Je n'ai pas profité longtemps d'Amberley, mais au moins ai-je la certitude d'avoir été vraiment aimée.

Il lui frôla la joue d'une caresse. Le cœur battant, elle soutint son regard. Il continuait à la frôler du bout des doigts. Il s'attarda dans le petit creux derrière le lobe de l'oreille.

— N'importe qui t'aimerait.

Livia n'arrivait pas à détacher son regard du sien. Cet homme était dangereux : il offrait des frissons en guise de sécurité, la passion au lieu de la protection. Naguère, elle se croyait incapable d'avoir une liaison avec un homme qu'elle n'aimerait pas. Mais Gideon était irrésistible.

Prise d'un élan soudain, elle se pencha et posa sa bouche sur la sienne. Il avait les lèvres douces comme la soie, fraîches au début, puis brûlantes. Son baiser était comme un jeu, plein de douceur et de curiosité. Il finit par lui écarter les lèvres et se lança dans une longue exploration avec la langue.

Livia se pressa contre lui, elle sentait la tension des muscles de son torse... et, plus bas, une bosse qui la fit rougir quand elle comprit ce dont il s'agissait. D'une main, il caressait le dos de Livia avec des gestes lents. Elle se colla plus fort à lui et, tandis qu'elle promenait ses mains elle aussi, elle heurta par inadvertance la flasque d'argent. Cela la ramena à la réalité et elle se dégagea, tremblante.

— Pas encore, murmura Shaw car il sentait qu'elle était sur le point de descendre de ses genoux.

Il la prit par la taille à deux mains, mais elle s'esquiva.

— Je ne peux pas faire ça avec les regards de toute ma famille posés sur moi, dit-elle en désignant les augustes physionomies alignées sur le mur.

— Et pourquoi pas ? Ne m'approuvent-ils pas ?

Livia fit semblant de bien peser la question, interrogeant du regard les austères visages des Marsden.

— On ne dirait pas. Peut-être gagneraient-ils à te connaître davantage...

— Je ne pense pas, rétorqua-t-il sans hésiter. Je ne sors jamais grandi d'une connaissance plus approfondie.

La jeune femme se demanda comment prendre cette remarque : était-il sincère, manipulateur ou amateur d'humour noir ?

Perplexe, elle eut un sourire timide.

— Pour moi, plus tu es près et plus je t'apprécie.

Au lieu de répondre, Shaw lui prit la tête à deux mains et l'embrassa passionnément sur la bouche. Ce n'était plus du romantisme, c'était trop dur, trop rapide... et tellement brûlant. Ce baiser affecta Livia au tréfonds d'elle-même.

Alors qu'il la lâchait, elle laissa ses pieds glisser à terre avec l'impression étourdissante que le sol était en pente. Il s'adossa pour mieux la contempler.

— À quoi penses-tu ? s'enquit-elle à son tour.

— Je me demande, répondit-il avec une sincérité désarmante, à quel point je puis profiter de toi sans te faire du mal.

À cet instant, elle eut une certitude : avant que Gideon Shaw ne s'embarque pour l'Amérique, ils deviendraient amants. Elle lut dans ses yeux que lui aussi avait compris cette évidence.

Rougissante, elle s'écarta et bafouilla un vague « bonne nuit ». Tandis qu'elle s'éloignait de lui, elle ne put se retenir de lancer :

— Je n'ai pas peur d'avoir mal.

— D'accord. Mais sache que tu es la dernière personne au monde que j'aie envie de faire souffrir.

Aline s'aperçut que la porte de sa chambre était entrouverte. De l'intérieur filtrait une lumière dorée qui barrait d'un trait le plancher du couloir. Terriblement embarrassée, elle entra et hésita : Mme Faircloth attendait sur un fauteuil près de la cheminée. Comme d'habitude, la baignoire occupait le centre de la pièce, et la bouilloire était dans l'âtre.

Naturellement, la gouvernante comprit tout dès le premier coup d'œil.

Aline referma la porte sans oser la regarder.

— Bonsoir. Si tu veux bien me déboutonner dans le dos, ensuite je me débrouillerai. Je n'ai pas besoin de toi ce soir.

— Oh, que si ! rétorqua la brave femme.

Aline eut un sourire piteux.

Il n'y avait pas la moindre chance que la gouvernante laisse passer des événements pareils sans y mettre son grain de sel. Ayant aidé sa maîtresse à se dévêtir, elle prit la bouilloire sur les chenets et versa l'eau bouillante dans le bain.

— Tu dois être fourbue. L'eau chaude va te faire du bien.

Rougissant de la tête aux pieds, Aline dégrafa son corset et le laissa tomber sur le plancher. Le fait de pouvoir remplir d'air ses poumons lui fit tourner la tête, et elle attendit d'avoir retrouvé son équilibre pour se dépouiller du reste de ses vêtements. Ses jarretières lui laissèrent une marque rouge aux cuisses, et elle les dénoua pour retirer ses bas. Une chose la gênait : ce qu'elle venait de faire avec McKenna avait sans doute laissé sur son corps des traces visibles. Elle se dépêcha d'entrer dans la baignoire et s'enfonça dans l'eau avec un soupir de volupté.

Mme Faircloth s'activa quelques instants dans la pièce, tapota un coussin, déplaça un bibelot. Elle fronçait les sourcils.

— A-t-il vu tes cicatrices ?

Aline plia la jambe. Son genou affleurait à la surface de l'eau.

— Non, je me suis débrouillée pour qu'il ne remarque rien.

Brusquement, ses larmes jaillirent.

— Ô mon Dieu, quelle erreur j'ai faite ! Mais si merveilleuse ! J'ai eu l'impression de retrouver une part de moi-même que l'on m'avait arrachée.

Elle fit une grimace comme pour s'excuser d'être aussi mélodramatique.

— Je comprends, répondit la gouvernante.

— Vraiment ?

— Moi aussi, j'ai été jeune. Même si c'est difficile à imaginer...

— Qui avez-vous...

— Ça, c'est quelque chose dont je ne parle pas. Et qui n'a rien à voir avec, disons, la *situation délicate* dans laquelle tu te trouves avec McKenna.

La formule était pleine de tact.

Morose, Aline agita les mains dans l'eau tandis que Mme Faircloth y versait une huile essentielle.

— Je me suis comportée comme une gourmande. J'ai pris ce qui me faisait envie, sans songer aux conséquences.

— McKenna n'a pas fait mieux. Maintenant que vous avez eu tous les deux ce que vous vouliez, vous vous en mordez les doigts.

— Le pire est à venir, renchérit Aline. Maintenant, il faut que je me débarrasse de lui sans lui expliquer pourquoi. Comme la dernière fois !

— Tu n'es pas obligée.

— Tu me suggères de dire la vérité ? Mais tu sais comment il réagirait.

— On ne peut jamais prédire à coup sûr ce que vont faire les gens, milady. Toi, par exemple : je te connais depuis le jour de ta naissance, et tu te débrouilles encore pour me surprendre.

— Ce que j'ai fait avec McKenna ce soir... cela t'a-t-il surprise ?

— Non !

La réponse avait fusé si vite qu'elles éclatèrent de rire toutes les deux.

Aline appuya la nuque contre le rebord de la baignoire et plia les genoux. L'eau chaude assouplissait ses cicatrices.

— Ma sœur est-elle rentrée de la fête ?

— Oui, elle est revenue avec M. Shaw et les Chamberlain, il y a trois bonnes heures.

— Quelle tête faisait-elle ? Avait-elle l'air contente ?

— Plutôt trop que pas assez !

— Est-on jamais trop heureuse ? s'enquit Aline avec un faible sourire.

— J'espère simplement que lady Livia a compris quel genre de gentleman est M. Shaw. Il est clair qu'avant elle, il a connu cent femmes ou davantage. Et il continuera comme cela, longtemps après avoir quitté Stony Cross.

— Je lui parlerai demain. Peut-être réussirons-nous à nous calmer l'esprit l'une l'autre.

— Ce ne sont pas vos esprits qui ont besoin d'être calmés, observa Mme Faircloth.

Aline répondit par une grimace à cette remarque pleine de bon sens.

14

Le lendemain, Gideon Shaw ne se montra pas. Livia fut déçue. En revanche, les membres de son entourage ne remarquèrent son absence ni au petit déjeuner ni au déjeuner : de la part de Shaw, ils s'attendaient à tout. Après avoir demandé à Mme Faircloth de s'enquérir discrètement de lui, Livia apprit qu'il s'était enfermé dans le pavillon des célibataires et avait exprimé le souhait de n'être dérangé sous aucun prétexte.

— Est-ce qu'il est malade ? s'enquit Livia qui l'imaginait cloué sur sa couche par une forte fièvre. Est-ce raisonnable de le laisser seul si longtemps ?

— Il est ivre mort, ce n'est pas compliqué, répliqua Mme Faircloth d'un air réprobateur. Mieux vaut effectivement le laisser seul. Il est peu de spectacles plus désolants que celui d'un gentleman pris de boisson.

— Pourquoi fait-il ça ? demanda Livia, inquiète.

Elle était debout devant l'énorme table en chêne de la cuisine : les servantes venaient de rouler la pâte et de la découper. Distraite, la jeune femme s'amusait à tracer des dessins dans la farine.

— Qu'est-ce qui a déclenché cela ? Hier soir, il avait l'air très bien.

Mme Faircloth attendit pour répondre que les servantes aient emporté dans la pièce voisine les petits disques de pâte.

— Les ivrognes n'ont pas besoin de raison particulière pour s'imbiber.

Pour Livia, le mot ivrogne évoquait des hommes méchants, négligés et ridicules qui disaient des choses désagréables en se cognant à des meubles invisibles, et qui finissaient rubiconds et gros. Elle ne connaissait guère de grands alcooliques. Par exemple, elle n'avait jamais vu son frère Marcus en état d'ébriété, tant il parvenait à conserver la maîtrise de lui-même en toute circonstance.

— Shaw n'est pas un ivrogne, rétorqua-t-elle à mi-voix pour ne pas être entendue des marmitons. Disons qu'il est plutôt…

Elle s'interrompit pour réfléchir, le front ridé par l'effort.

— Enfin, bon, tu as raison : c'est un ivrogne, reconnut-elle. Comme j'aurais aimé qu'il ne le soit pas ! Si seulement quelque chose ou quelqu'un pouvait le faire changer…

— Ce genre d'homme ne change jamais, affirma Mme Faircloth avec fatalisme.

Livia s'écarta de la table pour laisser faire les servantes qui la nettoyaient avec un linge humide. Elle s'épousseta les mains et croisa les bras.

— Il faudrait que quelqu'un aille voir, pour se rendre compte si tout va bien.

— Je serais toi, milady, je ne me mêlerais pas de cela.

Livia savait qu'une fois de plus Mme Faircloth avait raison. Mais les minutes et les heures s'égrenèrent avec lenteur et, quand arriva l'heure du souper, elle se mit en quête d'Aline. D'ailleurs, songea-t-elle soudain, sa sœur avait semblé plutôt distraite aujourd'hui. Pour la première fois de la journée, Livia sortit Gideon Shaw de son esprit assez longtemps pour se demander comment Aline se débrouillait avec McKenna. Elle les avait vus ensemble à la fête, et elle avait assisté à la sérénade sur *La Rose de Tralee*. McKenna, toujours discret et réservé, était la dernière personne dont elle se serait attendue à pareille démonstration publique.

En vérité, l'affaire n'avait surpris personne, tant il était évident pour tout le monde que ces deux-là étaient attirés l'un par l'autre. Peut-être à cause de la façon dont ils échangeaient des regards furtifs : regards à la fois émerveillés et voraces. Ou bien de la façon dont la voix de McKenna s'altérait quand il parlait à la jeune femme.

Livia était convaincue qu'il était fou de sa sœur. Peut-être avait-elle tort, mais elle ne pouvait s'empêcher de souhaiter qu'Aline trouve le courage de tout lui dire au sujet de son accident.

Absorbée dans ses pensées, elle dénicha Aline dans le bureau de Marcus, ce même bureau que leur père avait occupé autrefois. À l'image du vieil aristocrate, la pièce était austère. Les murs étaient lambrissés de palissandre et ornés de fenêtres à vitraux rectangulaires. Aline venait souvent voir Marcus dans cette pièce pour discuter de la tenue du domaine mais, pour le moment, leur conversation semblait beaucoup plus personnelle. Ils avaient bel et bien l'air de se disputer.

Livia entra après avoir vaguement frappé à la porte pour la forme. Aline était au milieu de sa phrase :

— ... et je ne vois pas pourquoi tu prendrais l'initiative de...

Aucun des deux ne parut particulièrement heureux de la voir.

— Que veux-tu ? gronda Marcus.

Sans relever ce manque de savoir-vivre, Livia s'adressa à sa sœur.

— J'aimerais te parler avant le dîner, Aline. À propos de… enfin, bref, je te dirai. Mais pourquoi vous disputez-vous, tous les deux ?

— Je laisse à Marcus le soin de t'expliquer, répondit Aline d'un ton tranchant en s'asseyant sur l'angle du bureau bien ciré.

— Qu'est-il arrivé ? demanda Livia à son frère d'un air soupçonneux. Qu'as-tu fait ?

— Ce qu'il fallait.

Aline haussa les épaules avec indignation.

— Ce qui veut dire ? insista Livia. Marcus, tu crois que j'ai envie de jouer aux devinettes ? Dis-moi les choses sans détour.

Marcus se leva et se posta devant l'âtre vide. S'il avait été plus grand, il aurait pu poser les coudes sur le manteau de la cheminée, avec une nonchalance étudiée. Faute de mieux, il appuya ses larges épaules contre la tablette.

— J'ai jugé bon de mettre en garde quelques investisseurs potentiels – ceux que je connais bien – avant qu'ils ne se lancent dans le projet de Shaw. Je les ai informés d'éventuelles difficultés que risque de soulever le contrat proposé par Shaw et McKenna. Je leur ai signalé qu'étant donné le rythme de la croissance américaine, nous n'avons aucune garantie face à des défauts de qualité, des erreurs de conception, des délais non tenus et même des fraudes…

— Cela ne tient pas debout, l'interrompit Aline. Comme tous les Anglais, tu es terrorisé par la pro-

avoir passé toute la journée enfermé,
. Belle personnalité que tu as choisie,
rley serait fier de toi.
emme blêmit sous l'outrage et, aveuglée
fuit de la pièce sans prendre la peine de
porte.
été trop loin, Marcus, conclut Aline.
s que certaines choses ne peuvent pas
, une fois qu'elles ont été dites…
ne chose que Livia ferait bien de ne pas
e : tu as entendu ce qu'*elle* vient juste de dire.
ue tu es le portrait craché de papa. Tu le

oriquement.
us, tel que je te vois et tel que je t'entends
lques minutes, tu ne lui as jamais res-
vantage.
faux ! s'écria-t-il, indigné.
va les bras au ciel. Elle n'était plus d'hu-
lémiquer.
ute je ne vais pas perdre mon temps à me
vec toi. Mais, toi qui es si malin réflé-
onde. Combien d'autres façons avais-tu
te situation ? Tu as choisi le moins,
t le plus efficace pour arriv
r le nombre d'orteils q
Et si ça, ce n'est pas
de trouver Livia
roles, Aline
archait
ées

serais
Bon, je
traces de sa
gré les souf-
-toi un instan
it sa cadette : c
se rappela sou

duction à échelle industriel
les fonderies Shaw vont à l'é
— Rien ne prouve non plus
— À mon avis, Marcus,
Shaw et McKenna sont ca
inquiétudes de leurs investiss
— C'est à voir ! J'ai égale
Elham, qui est membre du con
de la Somerset Shipping Compa
sent ; il va réfléchir sérieusemen
Shaw ses droits d'accostage. Et
tent la plaque tournante du proj
Livia suivait la conversation av
seule chose qu'elle comprenait,
s'était mis à compliquer la tâch
Gideon et de McKenna.
— Pourquoi as-tu fait cela ?
— C'est clair, répliqua Aline s
temps à leur frère. En mettant de
roues de M. Shaw, Marcus l'obli
McKenna – pour Londres sans d
rer les dégâts qu'il a provoqués.
Furieuse, Livia toisa son frère
— Comment as-tu osé faire ça
loin plement pour garder
tou es sœurs. J'ai agi
fond ux. Un jour, vous
Liv
objet comportement
— Il egard autou
comme visage.
Marcu
— Au que tu
Shaw est

te
ri
Le
f
d
r
p

pa
n
aus
tu,
le t
dans
t roug

comment, il y avait bien longtemps, Livia encore petite avait décidé de construire avec des cubes une tour plus grande qu'elle. Après chaque écroulement, elle recommençait, de plus en plus furieuse, mais incapable d'admettre qu'elle tentait l'impossible.

— Il n'avait pas le droit de faire ça, déclara-t-elle, tremblante de fureur.

— Une fois de plus, Marcus s'est montré autoritaire et arrogant, et il s'est mis complètement dans son tort. Mais n'oublions pas qu'il a fait cela parce qu'il nous aime.

— Peu m'importe ses motivations : cela ne change rien au résultat.

— Qui est ?

Livia frappa du pied, exaspérée.

— Que je ne verrai pas M. Shaw, bien sûr !

— Marcus s'imagine que tu ne quitteras pas Stony Cross. Tu n'es pas sortie d'ici depuis la mort d'Amberley. Mais il y a une chose à laquelle tu ne sembles pas avoir pensé, ni Marcus d'ailleurs : c'est que tu pourrais aller à Londres.

Livia tressaillit.

— En effet, je...

— Eh bien, fais-le ! Qu'est-ce qui t'en empêche ?

— Mais Marcus...

— Que peut-il faire ? Te boucler dans ta chambre ? T'attacher à un fauteuil ? Va à Londres si cela te chante, descends à Marsden Terrace. Je me charge de Marcus.

— Mais... ça me semble un peu effronté, tu ne trouves pas ? Courir après M. Shaw...

— Tu ne lui cours pas après, la rassura Aline. Tu vas faire des achats en ville, et ce n'est pas trop tôt. Tu as grand besoin de passer chez la couturière, car toute ta garde-robe est tristement démodée. Qui trouvera à redire au fait que tu ailles à Londres au moment précis où M. Shaw y est ?

— Tu m'accompagnes, Aline ?

Celle-ci secoua la tête.

— Non, il faut que je reste à Stony Cross pour m'occuper des invités. D'ailleurs... ce ne serait pas plus mal que McKenna et moi soyons séparés un moment.

— Comment cela se passe-t-il entre vous ? À la fête, vous m'avez paru...

— C'était charmant. Il ne s'est rien passé... et je ne pense pas que cela aille plus loin.

Aline eut un pincement de regret en mentant à sa sœur, mais ce qu'elle avait vécu la veille au soir était trop intime pour être exprimé avec des mots.

— Mais tu ne crois pas que McKenna...

— Allez, va prendre tes dispositions. Tu as besoin d'un chaperon, par exemple. Je ne doute pas que notre grand-tante Clara accepterait de s'installer à Marsden Terrace avec toi, à moins que...

— Je vais inviter Mme Smedley, du village. Elle appartient à une famille respectable et sera ravie d'aller à Londres.

Aline eut un froncement de sourcils.

— Le problème, ma chérie, c'est que Mme Smedley est terriblement dure d'oreille et myope comme une taupe. Cela fait d'elle un chaperon peu efficace.

— Précisément, dit Livia avec une telle satisfaction qu'Aline éclata de rire.

— Bon, d'accord : va pour Mme Smedley. Mais si j'étais toi, je resterais discrète. Au moins jusqu'à ton départ.

— Tu as raison ! conclut Livia, tout excitée.

Elle se retourna et quitta le hall d'un bon pas.

Aline estima qu'en toute équité, elle avait le droit de mettre McKenna au courant de ce que son frère manigançait. Elle avait décidé d'aborder le sujet après le dîner. Mais l'occasion de lui parler se présenta plus vite qu'elle ne l'avait prévu, à la fin du repas, de façon étrange et précipitée. Gideon Shaw brillait par son absence et sa sœur, Susan Chamberlain, était d'une humeur de dogue.

Remarquant que Susan vidait son verre de vin dès qu'on le lui remplissait, Aline échangea avec le premier valet un coup d'œil entendu : ordre de mettre davantage d'eau dans le vin. Dans l'instant, le valet tendit une carafe de cristal à un subordonné, qui l'emporta à l'office et revint rapidement. Toute l'affaire était passée inaperçue, sauf pour McKenna, qui regarda Aline avec un sourire rapide.

Pendant que l'on desservait l'entrée – une soupe aux asperges et un saumon en sauce au homard –, la conversation bifurqua vers les négociations qui allaient se dérouler à Londres à propos des affaires de M. Shaw. M. Cuyler, qui n'était au courant de rien, demanda à Marcus son avis sur la façon dont les choses allaient se dérouler.

— Je ne pense pas, répondit le comte, que nous devrions aborder ce sujet en l'absence de M. Shaw, car l'issue dépendra de la manière dont il conduira tout cela. Attendons qu'il se remette.

— Qu'il se remette ? ricana Susan Chamberlain. Faites-vous allusion à l'habitude qu'à mon pochard de frère de se rincer le gosier de l'aube au crépuscule ? Ça, c'est un chef de famille !

Un ange passa. Prise de court par l'éclat de Susan, Aline tenta d'alléger l'atmosphère.

— Pourtant, madame Chamberlain, votre famille connaît la prospérité sous l'autorité de M. Shaw.

— Il n'y est pour rien, s'emporta Susan, malgré les efforts de son mari pour la faire taire. Non, laisse-moi parler. Je ne vois pas pourquoi je devrais me soumettre à Gideon, pour la simple raison qu'il a eu la chance d'hériter à la mort de ce pauvre Frederick... La prospérité des Shaw s'explique de la façon suivante, lady Aline : mon frère a confié la fortune de la famille à un immigré à moitié illettré, qui a fait preuve d'une chance insolente. L'ivrogne et le docker : quel beau couple ! Et mon avenir est entièrement entre leurs mains. Vous ne trouvez pas ça drôle ?

Nul n'avait envie de rire. Un lourd silence s'installa.

McKenna demeurait impassible. Il semblait parfaitement indifférent aux états d'âme de cette femme : cela faisait longtemps qu'il était immunisé contre ce genre de poison. Aline se demanda combien d'affronts et même d'insultes il avait dû essuyer au fil des ans.

Il se leva et, après une courbette, croisa brièvement le regard de la jeune femme.

— Je vous prie de bien vouloir m'excuser. Mon appétit m'a abandonné.

Tout le monde lui souhaita une bonne soirée, sauf Susan Chamberlain, qui vida d'un trait un nouveau verre de vin.

Aline savait que l'on avait besoin d'elle à table pour diriger la conversation. Mais, en voyant la chaise de McKenna vide, l'envie de le suivre devint insupportable. Reste où tu es et fais ton devoir, se disait-elle. Pourtant, avec chaque seconde qui passait, l'envie d'aller rejoindre son amant la tenaillait avec plus d'insistance.

Elle se leva à son tour. Tous les messieurs l'imitèrent, comme l'étiquette l'exigeait.

— Je vous demande pardon, murmura-t-elle en cherchant une raison de les planter là. Je... vous prie de m'excuser.

Et elle fila sans donner d'explication.

Laissant derrière elle quelques chuchotis, elle se lança sur les traces de McKenna. Elle monta jusqu'au palier : il l'y attendait.

Ils se firent face en silence. Les yeux de McKenna brillaient dans son visage sombre. Son regard perçant rappelait à Aline la façon dont ils s'étaient étreints dans la forêt. La façon dont elle s'était sentie emportée loin du monde, tandis qu'il la possédait.

Décontenancée, elle ferma les yeux. Elle avait le visage en feu. Quand elle les rouvrit, il la scrutait toujours d'un regard inquiet.

— Est-ce que tous les Shaw sont comme ça ? dit-elle en évoquant Susan Chamberlain.

— Non. Elle, c'est la plus gentille.

Elle eut un rire de surprise puis, en se tortillant les doigts, aborda le sujet qui lui tenait à cœur.

— Aurais-tu une minute à me consacrer ? J'ai des révélations à te faire...

— Où pouvons-nous aller ?

— Au petit salon, suggéra-t-elle.

Cette pièce, située à l'étage, convenait à merveille à ce genre de conversation.

— On risque de nous interrompre, observa McKenna.

— Je fermerai la porte.

— Pas question !

Il lui prit la main et l'entraîna. Subjuguée par son autorité, Aline le suivit sans résistance. Son cœur fit un bond lorsqu'elle comprit où il l'emmenait.

— Non, pas ma chambre ! objecta-t-elle à mi-voix.

Ne me dis pas que tu… Non, je t'assure, c'est impossible…

Ignorant ses protestations, McKenna ouvrit d'une bourrade la porte de la chambre où elle avait dormi toute sa vie. Aline comprit que ses protestations ne serviraient à rien. Après tout, il lui était difficile de le jeter dehors. Avec un soupir exaspéré, elle entra à son tour et referma la porte.

Une lampe à pétrole était posée sur la table près de l'entrée. Elle l'alluma en quelques gestes précis, et la flamme éclaira gaiement la chambre à coucher et le boudoir adjacent. Elle prit la lampe par sa poignée de porcelaine et suivit McKenna dans le boudoir, cet endroit secret où il n'avait jamais osé pénétrer pendant leur enfance.

Il n'y avait qu'un meuble : un lit de repos encombré de coussins brodés. À proximité, un collier de perles pendait à un crochet en or, près d'une collection de minuscules sacs à main et de réticules perlés. McKenna en manipula quelques-uns : ils avaient tous l'air ridiculement petits pour lui.

Aline s'approcha de l'unique fenêtre. Ses vitres gauchies par le temps offraient sur l'extérieur une vision un peu floue, comme si l'on regardait à travers un aquarium. Les trois autres côtés du boudoir étaient lambrissés de miroirs argentés carrés, qui se renvoyaient une myriade de reflets. McKenna était debout derrière elle : Aline vit leurs visages se refléter de façon vertigineuse à la lumière de la lampe.

Il s'avança vers la fenêtre et prit un objet sur le rebord. C'était un jouet d'enfant, un petit cheval de métal, avec un cavalier. La jeune femme comprit qu'il reconnaissait le bibelot… Il avait beaucoup aimé ce jouet, c'était l'un de ses préférés autrefois.

Il s'en était tant servi que les couleurs vives de la peinture s'étaient estompées.

McKenna reposa sans commentaire cheval et cavalier.

— Qu'as-tu à me dire ?

Aline était fascinée par l'équilibre étonnant de dureté et de douceur sur son visage. La ligne du nez était nette, la lèvre inférieure pulpeuse. Les cils soyeux jetaient une ombre légère sur les pommettes.

— Figure-toi que mon frère s'est arrangé pour compliquer tes négociations.

— De quelle façon ?

McKenna n'avait pas l'air affolé. Elle lui exposa toute l'affaire.

— Ne t'inquiète pas, conclut-il quand elle eut fini. Je peux tout expliquer aux investisseurs. Et je me fais fort de convaincre Elham qu'il est de son intérêt de nous vendre les droits d'accostage. S'il refuse, nous le construirons nous-mêmes, ce fichu quai.

— Ce ne sera pas facile, observa Aline en souriant de la confiance qu'il avait en lui-même.

— Nulle grande œuvre n'est facile.

— Je suis sûre que tu en veux à Marcus. Mais s'il a fait cela, c'est dans le seul désir de...

— ... vous protéger, ta sœur et toi, acheva McKenna comme elle hésitait. Je ne peux guère lui en vouloir. Il faut bien quelqu'un pour te protéger des gens comme moi.

Aline se retourna et, dans la mosaïque des miroirs, constata qu'elle était toute rouge. Il vint juste derrière elle. La lumière de la lampe déposait des reflets sur ses cheveux d'un noir de jais. Leurs regards se croisèrent sur leur image partagée en cent fragments.

— Il faut que tu partes pour Londres sans délai, n'est-ce pas ?

Elle était troublée de le sentir si proche.

— Oui, demain.

— Que vas-tu faire pour Shaw ?

Il pencha la tête, si près qu'elle sentait son haleine sur sa tempe. Il leva la main jusqu'à l'épaule nue d'Aline et frôla sa peau claire avec la légèreté d'une aile de papillon.

— Il faudra que je le dégrise, j'imagine.

— Quel dommage qu'il cède à…

— Je n'ai pas envie de parler de Shaw, dit-il en la faisant pivoter vers lui.

Ses mains glissèrent sur le cou de la jeune femme, puis se posèrent autour de ses joues.

— Que fais-tu ? demanda-t-elle quand une main de McKenna glissa dans son dos.

— Précisément ce que tu savais que je ferais, si tu me laissais entrer ici.

Et il l'embrassa, tout en entreprenant de déboutonner la robe.

— Mais tu ne m'as pas laissé le choix ! Tu t'es précipité comme un hussard et…

Il la fit taire d'un baiser tout en continuant à faire sauter les boutons. Lorsque les lacets du corset furent accessibles, il en défit le nœud d'un coup sec, puis desserra l'ensemble pour libérer la taille resserrée d'Aline. Le corset glissa par terre, sous la robe qu'elle portait encore. La chair tendre de la jeune femme n'attendait qu'une chose : que les mains de McKenna se posent sur elle.

Son cœur s'emballa tandis que, de sa bouche possessive, il la fouaillait d'un long baiser. Elle s'enivrait du parfum viril de sa peau, elle reconnaissait l'odeur épicée de l'eau de Cologne, celle de l'amidon dont sa chemise était empesée, et les effluves du tabac. Elle devenait folle à la perspective de le sentir de nouveau en elle. Mais, en même temps, elle entendait une petite voix intérieure qui la mettait en garde : il ne fallait pas qu'il continue à l'explorer à sa guise, sinon il découvrirait ses cicatrices.

— Dépêche-toi, ordonna-t-elle d'une voix mal assurée. Vite, je t'en supplie !

Une nouvelle fois, il lui écrasa la bouche d'un baiser brûlant et délicieux. Cette proximité grisante excitait Aline de la tête aux pieds. Il passa les doigts par la vaste échancrure de la robe ouverte, descendit le dos d'un geste caressant pour lui attraper les fesses à pleines mains. Aline ressentit un pincement exquis entre les cuisses.

Il lâcha ses lèvres et l'écarta en la saisissant par les épaules.

— Mets-toi à genoux, souffla-t-il.

Elle ne comprit pas tout de suite. Il la guida d'une douce pression des mains, et elle s'agenouilla face au lit, au milieu des vagues chatoyantes de sa robe. Elle avait le nez sur un coussin brodé.

Elle entendit McKenna se débarrasser de son habit, qui atterrit sur le lit devant elle. Il y eut d'autres froissements d'étoffe et de boutonnière, puis il se mit à genoux derrière elle.

Avec adresse, il plongea les mains sous ses jupes et écarta des mètres de tissu pour découvrir son corps vulnérable. Il l'attrapa par les hanches, ses pouces plantés dans la rondeur de ses fesses. Puis il glissa une main entre ses jambes, à la recherche de la fente dans ses culottes de lin.

Aline frémit quand, du bout des doigts, il frôla sa toison bouclée, sous le tissu. Il eut besoin de ses deux mains pour déchirer l'ouverture sur quelques centimètres, afin d'ouvrir en grand la culotte. Avec douceur, il la pencha sur le lit et lui écarta les cuisses avec les genoux, jusqu'à ce qu'elle soit largement offerte devant lui.

Il s'approcha plus près et se coucha contre elle, les épaules un peu voûtées.

— Doucement, murmura-t-il car elle frissonnait. Doucement. Tu n'auras pas mal, cette fois-ci.

La jeune femme était incapable de répondre. Elle ne pouvait que trembler et attendre. Les yeux clos, elle posa le visage sur l'avant-bras de McKenna. Elle sentit qu'il bougeait les hanches, quelque chose la frôla entre les jambes… l'organe viril de son amant, qui poussait la peau fragile qu'il avait dénudée. De sa main libre, il s'activait sous ses jupes, la caressait du haut en bas de son ventre, jusqu'au pubis. Il écarta les douces lèvres. Elle gémit sous sa tendre caresse. Il dessinait des ronds autour du petit noyau si sensible.

Puis, de la même main, il lui toucha le visage, caressa sa lèvre inférieure de la pointe du majeur. Docile, elle ouvrit la bouche et il y glissa son doigt. Il redescendit alors la main sous les jupes d'Aline et cette fois, lorsqu'il recommença à l'effleurer, son doigt était glissant. Il la caressa jusqu'à ce qu'elle s'agrippe de tous ses ongles à la tapisserie du lit, et enfonce le front entre les coussins. Elle eut un gémissement en sentant le doigt la pénétrer, se glisser de plus en plus loin entre ses chairs gonflées. Elle haussa les fesses pour se coller étroitement contre lui. Dévorée de désir, elle attendait tandis qu'il la préparait à l'invasion qui allait suivre.

De nouveau, elle sentit son organe viril la frôler. Il était tout raide, avec un toucher soyeux. Le souffle coupé, elle demeura d'une passivité absolue, les cuisses ouvertes dans une offrande docile. McKenna la pénétra d'une seule poussée lente...

Elle éprouva une sensation stupéfiante de plénitude mais, cette fois, avec à peine un pincement de douleur. Il s'enfonça profondément. Chaque fois qu'il se retirait avant d'enfiler de nouveau le tunnel, elle se tortillait afin qu'il s'appuie davantage contre elle. Du bout des doigts, il jouait dans les boucles humides de son mont de Vénus, frottait la source de toutes ses attentes, la caressait avec une habileté exquise en contrepoint du rythme de ses allées et venues.

Des sensations nouvelles s'éveillaient avec chaque assaut délicieux. Elle le sentait dur en elle, immense. Le plaisir devenait à la fois plus aigu et plus profond. Enfin, elle n'y tint plus. Cambrée en appui sur ses doigts, elle se déchaîna en spasmes impossibles à maîtriser, étouffant ses cris dans le rembourrage du lit.

McKenna la retenait en grondant. Un son primitif jaillit des profondeurs de sa gorge au moment où il explosa en elle...

Pendant de longues minutes, hors d'haleine, ils restèrent soudés l'un à l'autre. McKenna l'étouffait presque, pesant sur elle de tout son poids. Aline aurait voulu ne plus jamais bouger. Elle gardait les yeux fermés, ses cils humides lui collaient aux joues.

Puis elle sentit qu'il la quittait. Elle se mordit les lèvres pour ne pas protester d'un gémissement. Elle demeura prostrée sur les coussins, au milieu de la soie froissée et du lin déchiré, les membres alanguis jusqu'au bout des orteils après cette scène d'amour.

McKenna se rajusta et récupéra son habit. Il fut obligé de se racler la gorge avant de parler, sa voix était rauque.

— Ni promesse ni regret : juste ce que tu voulais.

Quand il sortit du boudoir, Aline ne bougea pas. Elle attendit d'entendre le loquet de la porte qui se refermait pour laisser couler sa première larme.

Le dîner avait été insupportablement long et pénible. Même si Livia savait qu'à Stony Cross Park tout le monde ou presque se doutait qu'elle était partie au pavillon des célibataires, elle songea qu'il serait plus décent de se montrer discrète. Elle emprunta un sentier écarté et longea une haute rangée d'ifs, avant de se glisser jusqu'à la résidence. Une chose était sûre : il eût été plus sage de ne pas faire cette démarche. Mais la santé de Gideon Shaw lui tenait tant à cœur qu'elle ne pouvait s'empêcher d'aller le voir. Lorsqu'elle aurait la certitude qu'il allait bien, elle reviendrait au manoir et prendrait un gros roman pour s'occuper.

Elle frappa et attendit. Rien. Inquiète, elle frappa plus fort.

— Ohé ! Il y a quelqu'un ?

Livia était sur le point de partir demander à Mme Faircloth une clef, quand on déverrouilla la porte. Elle s'entrouvrit : c'était le valet de Gideon.

— Oui, milady ?

— Je suis venue voir M. Shaw.

— M. Shaw ne reçoit pas à cette heure-ci, milady.

La porte se serait refermée, si elle n'avait coincé son pied dans l'ouverture.

— Je ne partirai pas sans l'avoir vu.

Le valet eut un regard exaspéré, mais demeura d'une courtoisie impeccable.

— M. Shaw n'est pas en état de recevoir, milady.

Livia décida de prendre le taureau par les cornes.

— Est-il ivre ?

— Comme deux Polonais, confirma le valet avec aigreur.

— Dans ce cas, je vais faire apporter du thé et des sandwichs.

— M. Shaw a demandé du cognac, rien que du cognac.

La jeune femme serra les dents et repoussa le valet afin d'entrer. Celui-ci, n'ayant pas le droit de toucher une dame, s'esquiva en protestant, pendant qu'elle scrutait l'obscurité. Cela sentait l'alcool et le tabac.

— Fini, le cognac, décréta-t-elle d'un ton sans réplique. Allez au manoir, et rapportez une théière et une assiette de sandwichs.

— Il risque de mal le prendre, milady. Personne ne peut se mettre entre M. Shaw et ce qu'il désire.

— Eh bien, il est plus que temps que quelqu'un le fasse, rétorqua-t-elle en le congédiant d'un geste de la main.

Le valet partit à contrecœur, et Livia s'enfonça dans les profondeurs du bâtiment. Dans la grande chambre à coucher régnait une douce lumière couleur d'ambre. La jeune femme entendit le tintement caractéristique de glaçons dans un verre. Elle entra.

Le spectacle qu'elle découvrit la cloua sur place.

Gideon Shaw était vautré dans une baignoire devant la cheminée, la nuque appuyée contre le rebord d'acajou, une jambe pendant négligemment par-dessus le bord. Il avait en main un verre rempli de glaçons et, au moment où il allait prendre une lampée, son regard croisa celui de Livia. Des nuages de vapeur montaient de l'eau du bain, laissant des gouttelettes sur ses épaules dorées, les poils frisés de son torse et les petits cercles de ses mamelons.

Dieu du ciel, pensa-t-elle, sidérée. Jusque-là, elle avait toujours cru que les gentlemen en proie aux affres du dégrisement avaient piètre allure. Pourtant, elle n'avait jamais eu sous les yeux tableau aussi somptueux que celui de Gideon Shaw dans son bain, mal rasé et tout décoiffé.

Renfrogné, il se redressa en s'appuyant sur les coudes. Une vaguelette sauta par-dessus le bord de la baignoire. Des ruisselets brillants coulaient sur son torse musclé.

— Qu'est-ce que tu fais là ? demanda-t-il sèchement.

Livia était si fascinée que les mots lui manquaient. Elle se passa la langue sur les lèvres.

— Je suis venue voir si tu allais bien.

— Bon, tu as vu : je vais bien. Maintenant, file.

— Tu ne vas pas bien. Tu es ivre, et je parie que tu n'as rien mangé de la journée.

— Je mangerai quand j'aurai faim.

— Tu as besoin de quelque chose de plus nourrissant que le contenu de ce verre.

— Je sais ce dont j'ai besoin, gamine ! Sauve-toi vite, ou bien tu vas tout connaître de Gideon Shaw.

Livia ne s'était jamais entendu traiter de gamine. En principe, elle aurait dû se formaliser, mais elle ne put retenir un sourire.

— J'ai toujours trouvé qu'il est pompeux de parler de soi-même à la troisième personne.

— Mais je suis un Shaw ! répondit-il comme si cela l'autorisait à toutes les grandiloquences.

— Tu sais ce qui va t'arriver, si tu continues à boire comme ça ? Tu vas devenir une épave, un déchet, avec le nez rouge et une grosse brioche.

— Vraiment ? se moqua-t-il, impassible, en finissant son verre.

— Oui, et ton cerveau va se décomposer.

— Il me tarde de voir ça.

Il se pencha par-dessus le bord de la baignoire pour poser son verre sur le tapis.

— Et surtout, ajouta Livia, tu vas devenir impuissant. Tôt ou tard, l'alcool prive l'homme de sa virilité. Quand as-tu fait l'amour à une femme pour la dernière fois ?

Ce défi ne pouvait rester ignoré. Avec un ricanement, Gideon sortit de sa baignoire.

— Tu veux la preuve de ma puissance virile ? Eh bien, la voilà !

Du coin de l'œil, elle constata que l'impuissance ne le menaçait pas pour l'instant, et elle rougit jusqu'à la racine des cheveux.

— Euh... je crois que je vais m'en aller, maintenant. Je te laisse réfléchir à notre conversation...

Elle se détourna pour filer mais, sans lui laisser le temps de faire un pas, il bondit et la saisit par-derrière. Livia ferma les yeux en sentant ce grand corps d'homme mouillé appuyé contre son dos. Pour mieux la tenir, il passa son avant-bras ruisselant sous les seins de la jeune femme.

— Oh, pour réfléchir, milady, je réfléchis ! Ma conclusion, c'est qu'il y a une façon et une seule de clore ce débat.

— Ce n'est pas la peine, souffla-t-elle tandis que, levant le bras un peu plus haut, il lui saisissait le sein gauche à pleine main.

L'eau et la chaleur traversaient le tissu. Elle sentit son mamelon durcir sous sa paume.

— Oh... !

— Il ne fallait pas émettre le moindre doute sur ma virilité. Sur ce point-là, les hommes sont très susceptibles.

Livia commença à trembler. Elle laissa sa tête aller en arrière, contre son épaule. Il lui lâcha le sein, lui caressa le cou et glissa la main sous le bord de son corsage. Elle sursauta quand il toucha la pointe de son mamelon.

— Il faut que je me souvienne de ça… murmura-t-elle.

— Tu as intérêt !

Il la fit pivoter et captura sa bouche. Livia trouvait follement excitant le contact simultané de ses lèvres douces et des poils de barbe rêches comme des fils de fer. Elle se cambra avec ferveur, et le caressa sans retenue.

Vaguement consciente qu'elle allait prendre pour la première fois un amant depuis Amberley, elle tenta de recouvrer ses esprits… Mais il lui était impossible de penser normalement alors que Gideon l'embrassait partout et qu'ils glissaient tous les deux à genoux sur le tapis.

Il poussa Livia à la renverse et s'installa sur ses jupes. Il défit les premiers boutons de son corsage, puis baissa le haut de sa chemise, dénudant ses petits seins. Elle brûlait qu'il les embrasse. Elle avait envie de sentir sur elle sa bouche, sa langue… À cette idée, elle gémit.

Le souffle court, Gideon se hissa au-dessus d'elle pour attraper quelque chose derrière sa tête. Elle entendit tinter les glaçons et, un instant perplexe, se demanda s'il avait vraiment choisi ce moment pour s'administrer une petite lampée. En fait, il attrapa un glaçon dans le verre, le mit dans sa bouche et, à la stupeur de la jeune femme, pencha la tête sur elle.

Il lui aspira la pointe d'un sein dans un baiser glacé. Sa langue allait et venait souplement sur son mamelon.

Livia se tortilla avec un cri de surprise, mais il la garda plaquée sous lui et insista jusqu'à ce que, le glaçon fondu, sa bouche se réchauffe. Elle sentait entre ses cuisses toute la longueur de sa virilité. À chaque caresse de sa langue, une spirale de plaisir crépitait au bas de son ventre.

Elle plongea les doigts dans son épaisse chevelure dorée pour retenir sa tête tandis qu'elle cambrait les hanches à sa rencontre.

Mais soudain, Gideon s'écarta d'un coup, roulant de côté en grognant.

— Non, dit-il, le souffle court. Il ne faut pas que cela se passe ainsi la première fois. Je suis trop ivre pour faire ça bien, je ne voudrais pas te faire cette injure…

Livia, affolée de désir, le regardait sans comprendre. Elle avait les seins qui palpitaient, qui fourmillaient.

— Je ne me sentirai absolument pas injuriée. Ce que tu faisais était loin d'être désagréable, à vrai dire…

— Et par terre, en plus ! Pardonne-moi, Livia. Tu ne mérites pas d'être traitée ainsi.

— Le pardon est accordé, répondit-elle fébrilement. J'étais… très bien comme ça. J'adore ce tapis. Viens…

Mais déjà son compagnon s'était relevé.

Il trouva une robe de chambre, l'enfila d'un geste et noua la ceinture. Revenant vers la jeune femme, il la mit debout.

— Je suis désolé, s'excusa-t-il en la rajustant et en reboutonnant sa robe à la diable.

— Mais ça ne fait rien, je t'assure...

— Il faut que tu t'en ailles, Livia. Et vite, sinon je risque de perdre la tête.

Par quelque sotte vanité, elle ne lui révéla pas à quel point cette perspective eût été à son goût. Mais il était manifestement décidé à se débarrasser d'elle. Avec un soupir déçu, elle se laissa pousser hors de la pièce.

— J'ai envoyé ton valet chercher des sandwichs, annonça-t-elle en le précédant dans le couloir.

— Ah bon ?

— Oui. Et tu vas les manger. Côté cognac, c'est fini pour ce soir.

— Je n'ai pas faim.

Livia prit un ton grondeur.

— Tu mangeras quand même : c'est ta pénitence, pour avoir tenté de me prendre par terre...

— Bon, d'accord... d'accord !

Elle s'efforça de ne pas sourire, le laissa ouvrir la porte et franchit le seuil. Une fois la porte refermée derrière elle, elle eut un soupir tremblant et murmura :

— Comme j'aurais voulu que tu ailles jusqu'au bout !

15

Gideon n'était qu'en partie dégrisé quand, le lendemain, McKenna le hissa dans la voiture. Néanmoins, il avait le mérite d'être propre et rasé. Ils partaient pour le Rutledge, un hôtel de Londres composé de quatre maisons luxueuses, destinées aux gentlemen aisés et à leurs familles arrivant de l'étranger. McKenna espérait que les négociations qu'il allait conduire l'occuperaient assez pour qu'il cesse de penser à Aline, ne serait-ce que quelques minutes.

Un faible râle monta du côté où se trouvait Gideon. Plongé dans un état nauséeux, il n'avait pratiquement rien dit depuis le matin.

— Nom de Dieu ! jura-t-il. Je suis assis dans le mauvais sens. Ça t'ennuie de changer ?

McKenna s'exécuta, se rappelant un peu tard que son ami n'aimait pas voyager tourné vers l'arrière.

Une fois installé, Gideon posa le pied sur le siège opposé, sans se soucier du fin tissu de velours.

— Pourquoi es-tu si maussade ? demanda-t-il en posant le menton dans sa main, comme pour empêcher sa tête de lui tomber des épaules. Ça n'a pas marché avec lady Aline ?

Il frotta ses tempes douloureuses et ajouta :

— Je vais te dire une chose : les sœurs Marsden, avec leur petit arrière-train aristocratique, ont quelque chose que je trouve irrésistible.

McKenna esquissa un sourire.

— Tu as un œil sur Livia, on dirait.

— Oui, et cela fait des années que je n'étais pas tombé sur une enquiquineuse pareille.

McKenna fut stupéfait de découvrir que son compagnon éprouvait un vif attrait pour la sœur d'Aline. Quel couple saugrenu !

— Tu n'es pas un peu vieux pour elle ?

Gideon sortit de sa poche sa fidèle amie, la flasque en argent, et constata avec un dépit extrême qu'il avait oublié de la remplir. Agacé, il la jeta sur le plancher puis continua à la regarder fixement, de ses yeux injectés de sang.

— Je suis trop *tout*, pour elle. Trop vieux, trop blasé, trop pochard… la liste est sans fin.

— Prends garde, sinon Westcliff va te saigner comme un goret et mettre ta tête sur un plat, avec du persil dans les oreilles.

— S'il fait ça vite, pas de problème… Bon sang, McKenna, pourquoi m'as-tu persuadé de venir à Stony Cross ? Nous aurions dû filer directement à Londres, faire nos affaires et rentrer à New York par le bateau suivant.

— Tu n'étais pas obligé de me suivre.

— Et moi qui voulais t'empêcher de faire des bêtises ! Et puis, au fond, j'avais envie de savoir quel genre de femme avait fait de toi un imbécile.

Seulement lady Aline Marsden, répliqua intérieurement McKenna, en suivant d'un œil morose le paysage qui défilait des deux côtés de la route. Une femme si exigeante qu'elle a préféré rester célibataire plutôt que d'accepter un soupirant indigne d'elle…

— Je compte la ramener à New York avec moi, lança-t-il.

Gideon garda longtemps le silence avant de répondre.

— Lady Aline a-t-elle manifesté un intérêt pour cette proposition ?

— Non. En fait, elle m'a clairement annoncé la couleur : cinq minutes de temps en temps pour une petite étreinte, c'est tout. Car je ne suis pas de son monde.

— Évidemment, rétorqua Gideon. Tu as réussi par ton travail alors que, dans son milieu, on récompense les parasites et on méprise l'ambition.

— Toi aussi, tu travailles.

— Oui, mais de façon sporadique : tout le monde sait que je ne suis pas obligé. En outre, j'appartiens à une vieille famille, tout au moins selon les normes new-yorkaises.

Il resta un moment songeur, puis poursuivit :

— J'espère que je me fais bien comprendre, McKenna. Tu sais que j'ai à ton égard une estime unique, je donnerais ma vie pour toi s'il le fallait. Mais, dans l'échelle sociale, tu n'es pas seulement une marche en dessous de lady Aline. Elle est en haut de la montagne, et toi, au pied de l'éboulis.

Voilà qui ne faisait rien pour arranger l'humeur de McKenna. Au moins, il pouvait toujours compter sur la franchise de Gideon : il préférait cela aux mensonges les plus gentils. Il hocha la tête et se plongea dans l'observation de ses chaussures noires bien cirées.

— Cependant, ta situation n'est pas désespérée, continua son ami. Tu présentes des avantages dont nombre de femmes se contenteraient, même lady Aline, pour racheter le fait que tu n'es qu'un bâtard. Tu plais beaucoup, et Dieu sait que tu ne manques pas d'argent. En outre, tu sais te montrer sacrément convaincant quand tu veux bien t'en donner la peine. Ne me dis pas qu'il est au-dessus de tes forces de convaincre de t'épouser une célibataire du Hampshire âgée de trente et un ans. Surtout si elle t'a déjà accordé... ses faveurs, comme ça m'en a tout l'air.

— Mais je n'ai jamais parlé de mariage !

Cette fois, Gideon était pris de court.

— Mais tu viens de dire que tu voulais la ramener à New York.

— Mais pas comme épouse.

— Comme maîtresse ? s'exclama Gideon, incrédule. Tu ne t'imagines quand même pas qu'elle va s'abaisser à ce point ?

— Je l'y obligerai. Par tous les moyens.

— Et sa liaison avec lord Sandridge ?

— J'y mettrai fin.

Gideon n'en revenait pas.

— Peste ! Si je t'ai bien compris, McKenna, tu es fermement décidé à ôter à lady Aline tout espoir de mariage, à souiller sa réputation sur deux continents, à rompre ses liens familiaux et amicaux, et à lui interdire l'espoir d'être de nouveau admise en société ? Avec probablement un bébé en route, pardessus le marché !

McKenna eut un sourire froid.

— Une Marsden mettant au monde le bâtard d'un bâtard... Oui, cela me conviendrait parfaitement.

— Sacré bon sang ! Je ne t'aurais jamais cru capable de pareille perfidie.

— C'est que tu ne me connais pas, alors.

— En effet, grommela Gideon.

Il aurait volontiers continué la conversation, mais le chemin était défoncé et il se rencogna dans son siège en se tenant la tête, avec un gémissement.

McKenna tourna son regard vers le paysage. Une ombre de sourire errait encore sur ses lèvres.

Le soulagement de Marcus après le départ de Shaw et McKenna dura un jour pile : jusqu'au moment où il s'aperçut que, dès le lendemain, Livia était partie pour Londres.

Cela n'avait pas été un mince exploit de la part de sa cadette de faire ses bagages et de prendre ses dispositions dans le plus grand secret. Aline avait été sûre qu'un membre du personnel vendrait la mèche. Mais grâce à Mme Faircloth, les lèvres demeurèrent closes de l'office aux écuries : nul n'osait risquer la fureur de la gouvernante.

Quand la voiture de Livia prit la route, le soleil dardait ses premiers rayons sur l'allée conduisant à Stony Cross. Aline, debout à la porte d'entrée, eut un soupir de soulagement. Elle portait une robe bleu clair et des pantoufles de feutre élimées. Elle échangea un sourire avec Mme Faircloth : le caractère ambigu du voyage de Livia n'avait pas empêché la fidèle gouvernante de faire tout ce qui était en son pouvoir pour aider la jeune femme.

Aline étreignit sa main.

— Dis-moi, cela fait combien d'années que tu regardes les Marsden commettre des actes que tu réprouves ?

La gouvernante répondit d'un sourire et, unies dans un silence affectueux, elles regardèrent la voiture disparaître au bout de l'allée.

Une voix derrière elles les fit sursauter : c'était Marcus, en tenue de chasse.

— Auriez-vous l'obligeance de m'expliquer ce qui se passe ? demanda-t-il de but en blanc.

— Bien sûr, mon grand. Tu peux nous laisser, dit Aline à Mme Faircloth. Tu as certainement mille choses à faire…

— Oui, milady.

Et la brave femme disparut, soulagée de ne pas avoir à essuyer la colère de Marcus : elles étaient rares, mais terribles.

— Qui était dans cette voiture ?

— Si nous allions au salon ? suggéra Aline. Je vais faire porter du thé et…

— Dis-moi que ce n'était pas Livia !

— D'accord : « Ce n'était pas Livia. »

Elle se tut une seconde, puis tenta d'amadouer son frère.

— Bien sûr que c'était elle. Mais avant que tu ne te fâches…

— Par tous les saints ! Ma sœur qui se précipite à Londres pour courir derrière cet infâme libertin ! tonna Marcus, au comble de la fureur.

— Tout ira bien pour elle. Elle descend à Marsden Terrace, elle a un chaperon et…

— Je vais la chercher de ce pas, décréta-t-il en s'élançant vers la porte.

— Pas question, Marcus.

Elle ne haussa pas le ton, mais il s'arrêta net.

— Si tu oses la suivre, j'abattrai ton cheval sous toi.

— Mais bon sang, Aline ! Je n'ai pas besoin de te dire ce qu'elle risque !

— Je sais parfaitement ce que Livia risque, et elle le sait aussi, répliqua-t-elle en entrant dans le salon qui donnait sur le hall, son frère sur les talons.

Il claqua la porte d'un coup de pied.

— Donne-moi une bonne raison pour que je reste ici à me tourner les pouces.

— Livia t'en voudra à jamais, si tu t'en mêles.

Elle soutint son regard, sans un mot. Puis Marcus parut se calmer et tomba lourdement dans le fauteuil le plus proche. Aline ne pouvait se défendre d'un soupçon de pitié vis-à-vis de son frère : pour un homme d'action, l'inaction forcée était la pire des tortures.

— Pourquoi lui ? Pourquoi n'a-t-elle pas choisi un jeune homme convenable, dans une vieille famille anglaise ?

— M. Shaw n'est pas si terrible, observa-t-elle sans pouvoir réprimer un sourire.

— Tu ne vois que ses cheveux blonds et son charme creux. J'ignore ce que les femmes trouvent à ce fat d'Américain.

— Tu oublies ses mignons petits dollars.

Il leva les yeux au ciel.

— Il va se servir d'elle, et lui briser le cœur.

Seuls ceux qui connaissaient bien Marcus étaient capables de reconnaître dans sa voix l'étendue de son inquiétude.

— Écoute, Marcus, insista Aline avec douceur. Livia et moi sommes plus fortes que tu ne le crois. Et tout le monde devrait de temps en temps prendre le risque d'avoir le cœur brisé.

Elle s'approcha du fauteuil de son frère et passa la main dans ses boucles noires.

— Même toi.

Il haussa les épaules, agacé, et écarta brusquement la tête.

— Je ne prends pas de risques inutiles.

— Même par amour ?

— Surtout par amour.

Elle sourit, attendrie.

— Pauvre Marcus. Comme il me tarde de te voir succomber au charme d'une femme !

— Tu risques d'attendre longtemps, rétorqua-t-il en se levant d'un bond pour quitter la pièce.

L'hôtel Rutledge était en pleins travaux : il se préparait à devenir l'hôtel le plus élégant et le plus moderne d'Europe. Depuis cinq ans, son propriétaire, Harry Rutledge, un gentleman aux origines quelque peu mystérieuses, rachetait discrètement mais à bon prix tous les terrains situés dans sa rue : c'était le cœur du quartier des spectacles de Londres. Dans son désir de bâtir ce qui se faisait de mieux, il avait fait un voyage en Amérique pour observer les dernières tendances sur le plan de l'architecture et des services hôteliers, qui se développaient beaucoup plus rapidement aux États-Unis qu'ailleurs. Pour le moment, l'hôtel Rutledge consistait en une rangée de maisons particulières, qui allaient être rasées pour céder la place à un bâtiment monumental, comme Londres n'en avait jamais vu.

Lord Westcliff avait mis Marsden Terrace à la disposition de McKenna et de Gideon, mais ils avaient préféré cet hôtel, mieux situé.

Gideon s'installa dans une suite élégante, toute meublée d'acajou. Il constata vite que la réputation de l'hôtel n'était pas surfaite. Il s'accorda une bonne nuit de repos, puis un petit déjeuner à base de crêpes et d'œufs de pluvier. Il était déterminé à changer l'idée qu'il se faisait de Londres. Après tout, une ville comptant autant de bars, de jardins et de théâtres ne pouvait pas avoir que des défauts. De surcroît, c'est l'endroit où étaient nés le sandwich et le parapluie – deux inventions majeures de l'espèce humaine.

Après une longue journée de réunions et un interminable dîner dans une taverne du quartier, Gideon était éreinté mais il eut des difficultés à s'endormir. Pour une fois, il avait du mal à faire face à la réalité. Il craignait fort d'être attaché à Livia Marsden. Il l'adorait et la désirait de toutes ses forces, elle lui manquait à chaque instant. Mais quand il tentait d'imaginer une solution concrète avec elle, c'était le néant. Il n'était pas du genre à se marier et, même si cela avait été le cas, il n'avait aucune envie de la jeter en pâture à la meute de loups qui constituait sa famille. Enfin, il était trop esclave de la bouteille pour envisager de prendre femme : et cela, il n'y pouvait rien changer, même s'il le souhaitait ardemment.

Dehors, c'était l'orage. La pluie tombait à seaux. Gideon entrouvrit une fenêtre pour jouir de l'odeur de la pluie d'été. Couché entre ses draps de lin frais, il essaya en vain de ne pas penser à Livia.

Vers le milieu de la nuit, on frappa discrètement à la porte de sa chambre. C'était son valet.

— Monsieur Shaw ? Pardonnez-moi, monsieur. Quelqu'un vous attend dans le hall. J'ai demandé à cette personne de revenir à une heure convenable, mais elle refuse de partir.

Gideon s'assit et bâilla en se grattant la poitrine.

— Quelle personne ?

— Lady Olivia, sir.

— Livia ? Elle ne peut pas être ici, elle est à Stony Cross.

— Elle est bel et bien ici, monsieur.

— Doux Jésus ! s'exclama-t-il en sautant du lit à

la recherche d'une robe de chambre. Qu'est-il arrivé ? Comment est-elle ?

— Trempée comme une soupe, sir.

Il pleuvait toujours. Inquiet, Gideon se demandait pourquoi diable elle venait le trouver en plein orage.

— Quelle heure est-il ?

Le valet, qui avait manifestement enfilé ses vêtements en catastrophe, eut un soupir accablé.

— Deux heures, sir. Du matin !

Sans prendre le temps de se chausser ni de se coiffer, Gideon descendit en coup de vent dans le hall. Livia était là, dans une flaque d'eau. Elle lui sourit : ses yeux verts étaient ravissants sous son chapeau qui dégouttait.

C'est à ce moment précis que Gideon Shaw le cynique, le jouisseur, l'ivrogne et le libertin, tomba éperdument amoureux. Jamais de sa vie il n'avait été fou de quelqu'un à ce point. Transporté, éperdu ! Des mots doux lui venaient à l'esprit par milliers, et il comprit que c'était son tour de devenir ce dont il avait accusé McKenna la veille : un imbécile.

— Livia, murmura-t-il en approchant.

Avec sa petite frimousse giflée par la pluie, elle avait l'air d'un ange dépenaillé.

— Tout va bien ?

— Parfaitement bien !

Elle baissa les yeux sur les pieds nus de Gideon, et rougit en se disant que, sous sa robe de chambre, il était nu.

Il la débarrassa de son manteau dans une giclée de gouttelettes. Il tendit le vêtement à son valet, qui alla le suspendre à une patère à côté. Le chapeau suivit le même chemin, mais Livia grelottait : le bord de ses jupes était trempé et souillé de boue.

— Pourquoi es-tu venue ? demanda Gideon avec sollicitude.

La jeune femme haussa les épaules. Elle claquait des dents.

— J'avais des courses à faire. Comme c'est à... d-deux pas, je me suis dit que j'aaa-llais passer.

— En pleine nuit ?

— Les magasins n'ouvrent qu'à n-neuf heures. Cela nous laisse le temps de ba-bavarder.

Il sourit.

— Oui, en sept heures, ça ira... Dans le salon ?

— Non : dans ta chambre.

Elle croisa les bras pour cesser de trembler.

Gideon scruta ses yeux : il y cherchait l'indécision, il n'y trouva qu'un besoin d'intimité pareil au sien. Elle soutint son regard mais continua à grelotter. Il faut que je la réchauffe, se dit-il.

Brusquement, sans prendre le temps de réfléchir, il donna ses ordres. Il fit signe au valet et lui glissa plusieurs phrases : il fallait renvoyer la voiture et le valet de pied. Au matin, lady Olivia aurait besoin d'être raccompagnée discrètement jusqu'à sa résidence.

Puis il prit la main de la jeune femme, lui passa un bras derrière le dos et la guida jusqu'à sa chambre.

— Mon lit n'est pas fait. Je ne m'attendais pas à le partager à une heure pareille...

— J'espère bien, répondit-elle d'un air pincé.

Après avoir fermé la porte de la chambre derrière eux, Gideon alluma un petit feu dans l'âtre. Livia, docile, se laissa déshabiller à la lumière dansante des flammes. Silencieuse et passive, elle leva les bras au moment opportun, et fit un pas pour enjamber sa robe tombée par terre.

Un par un, Gideon posa ses vêtements trempés sur le dossier d'un fauteuil et la débarrassa successivement de ce qu'elle portait de mousseline, de coton et de soie.

Quand elle fut enfin nue, la clarté du feu jeta des ombres dorées sur son corps mince et sa longue chevelure châtaine. Gideon ne prit même pas le temps de la contempler. Il retira sa robe de chambre et l'en couvrit : la soie portait encore la chaleur de sa propre peau.

Livia eut un haut-le-corps lorsqu'il la souleva d'un seul élan et la porta sur le lit pour la déposer au milieu des draps froissés. Il la couvrit jusqu'au menton et se glissa derrière elle, en chien de fusil. Il la serra dans ses bras et posa sa joue contre ses cheveux.

— Tu es bien, comme ça ? chuchota-t-il.

— Oh, oui ! fit-elle avec un long soupir d'aise.

Ils restèrent ainsi sans bouger. La jeune femme se détendait, son corps drapé de soie se réchauffait, devenait souple. Elle bougea un pied, explora du bout des orteils la jambe velue de Gideon. Puis elle recula les hanches pour mieux se pelotonner contre lui. Étant donné la finesse du tissu qui les séparait, elle n'avait aucun doute quant à la rigidité de son érection.

— Es-tu sobre ?

Gideon était violemment excité par le frôlement voluptueux de Livia contre son membre.

— Cela m'arrive, quand ma vigilance est prise en défaut. Pourquoi ?

Elle lui saisit la main et la posa sur son sein.

— Maintenant, tu peux me séduire sans prétendre plus tard que tu ne savais pas ce que tu faisais.

La petite éminence sous ses doigts était irrésistiblement tentante : Gideon la caressa légèrement à travers le tissu de soie, puis immisça la main sous la robe de chambre.

— Hélas, Livia chérie, il se trouve – pour mon malheur – que je sais pratiquement toujours ce que je fais.

— Pourquoi dis-tu que c'est pour ton malheur ?

— Parce que, en des moments comme celui-ci, ma conscience me crie de ne pas te toucher.

Elle se retourna et posa la cuisse sur sa hanche.

— Eh bien, tu lui diras ça, à ta conscience, rétorqua-t-elle en capturant sa bouche.

Gideon n'avait pas besoin d'être davantage encouragé. Il lui couvrit les lèvres de lents baisers, pour une exploration en douceur. Il écarta la robe de chambre en soie, baissa la tête et fit tendrement glisser sa bouche sur la peau duveteuse. Il trouva les endroits vulnérables où son pouls battait le plus fort, et les caressa des lèvres et de la langue. Puis il la mordilla en douceur, jusqu'à lui arracher des gémissements vibrants. Il n'avait jamais ressenti un désir si puissant. En chuchotant son nom, il la toucha entre les cuisses, là où la chair est douce comme la soie et toute mouillée. Il glissa les doigts en elle.

Livia se cambra à ce contact. Elle ouvrait et refermait fébrilement les mains sur les épaules de Gideon.

Il continua à la caresser avec langueur. Il goûtait son expression d'abandon total. Elle haletait, arquait le dos tandis que son plaisir montait. Quand elle atteignit le sommet, elle devint toute raide.

— Oui, dit-il alors que son pouce taquinait son clitoris. Oui, ma douce, ma chérie…

Il la fit redescendre en douceur, dessinant des motifs érotiques dans les boucles humides entre ses cuisses. Il lui embrassa les seins jusqu'à ce qu'elle se calme, toujours sous lui. Puis il glissa la bouche vers le bas de son ventre et, des deux mains, lui écarta les jambes.

Livia gémit. Gideon la taquinait et la mordillait. Rapidement, elle monta de nouveau vers le sommet. Il sentit sur son pouce se resserrer ses muscles intimes et comprit qu'elle était au bord d'un nouvel orgasme. Lentement, il retira sa main.

Avec un petit cri de protestation, elle s'étira dans sa direction. Il s'étendit au-dessus d'elle et insinua son membre viril dans son intimité palpitante.

— Mon Dieu ! soupira-t-il, brusquement incapable de bouger tant son plaisir était puissant.

Livia noua les bras derrière son dos et bascula les hanches pour mieux l'engloutir, l'attirer plus profond. Alors il plongea en elle, encore et encore. Elle retint son souffle et frissonna.

À cet instant, Gideon se retira avec un cri rauque. Son membre palpitait frénétiquement tandis qu'il se répandait sur le ventre de Livia.

Il s'affala à côté d'elle, étourdi. Les battements de son cœur résonnaient dans sa poitrine, ses reins, ses oreilles. Un long moment s'écoula.

Livia releva la tête et lui adressa un sourire ensommeillé.

— Amberley n'a jamais fait ça, à la fin, avoua-t-elle en jouant du bout du doigt avec la toison de son torse.

Il sourit.

— C'est la méthode de contraception dite du bistro.

— Du bistro ?

— Tu entres et tu ressors sans bourse délier. Livia… il faut que je te protège des conséquences de ce que nous faisons, jusqu'à ce que…

— Je sais, répondit-elle en s'écartant.

Il était clair qu'elle n'avait pas envie de se lancer dans de grandes discussions. Elle se glissa hors du lit et lui décocha une œillade provocante.

— Nous parlerons de tout cela plus tard mais, pour le moment…

— Oui ?

— Viens prendre un bain avec moi !

Il s'exécuta sans hésiter.

16

Le premier matin où Livia s'éveilla dans les bras de Gideon Shaw, elle eut l'impression que le monde avait basculé pendant son sommeil. Elle ne s'était pas crue capable d'éprouver de nouveau ce sentiment de lien intime avec un homme. Seuls peut-être ceux qui ont aimé et connu le déchirement de l'absence sont aptes à en goûter pleinement l'enchantement, songea-t-elle en se collant à la douce toison de son torse.

Quand il dormait, Gideon perdait son masque impassible : on aurait dit un ange. Livia se rassasiait de cette beauté altière : le nez bien droit, les lèvres bien ourlées, la raie qui lui faisait tomber une mèche dorée sur le front…

— Tu es plus beau que je ne saurais le dire, murmura-t-elle lorsqu'il bâilla en s'étirant. Je me demande comment font les gens pour t'écouter sérieusement alors qu'au fond, ils ne pensent probablement qu'à passer des heures à te regarder.

Sa voix était encore enrouée de sommeil.

— Je n'ai pas envie que quiconque m'écoute sérieusement. Ce serait dangereux.

Livia écarta une mèche qui tombait sur le front de son amant.

— Il faut que je rentre à Marsden Terrace avant le réveil de Mme Smedley.

— Qui est Mme Smedley ? demanda Gideon en roulant sur elle pour déposer de petits baisers dans son cou.

— Mon chaperon. Elle est âgée, très dure d'oreille et atrocement myope.

— Parfait !

Il se laissa glisser un peu plus bas, prit un sein dans chaque main et les embrassa avec douceur l'un après l'autre.

— J'ai des réunions ce matin, continua-t-il. Mais j'aimerais bien vous accompagner quelque part cet après-midi, Mme Smedley et toi… Que dirais-tu de déguster des fruits rafraîchis ?

— Volontiers, et peut-être une projection.

Ses mamelons durcissaient à cause des caresses de sa bouche.

— Gideon…

— Hum… je doute que nous trouvions un spectacle aussi beau que celui-ci…

— Le soleil va se lever, protesta-t-elle en se tortillant pour se dégager. Il faut que je m'en aille.

Plus tard, le même jour, Gideon s'avéra le plus amusant des compagnons de promenade, surtout avec Mme Smedley qui, en robe de soie marron et chapeau à plumes, ressemblait à une imposante mère poule. Elle avait beau scruter Gideon à travers son face-à-main aux lentilles épaisses comme des fonds de bouteille, elle ne percevait pas son extraordinaire beauté. De toute façon, le fait qu'il fût américain ne plaidait pas en sa faveur, car la digne duègne avait une sainte horreur de tout ce qui ressemblait à quelque chose d'étranger.

Gideon sut faire preuve de persévérance et finit par l'amadouer. Il acheta les meilleures places dans la salle de projection : la séance se composait de paysages de Naples et de Constantinople. Il s'assit à côté de Mme Smedley et, inlassablement, beugla les commentaires de ces images dans l'énorme cornet acoustique qu'elle portait vissé à l'oreille. Pendant l'entracte, il fit plusieurs fois la navette avec le bar pour la gaver de rafraîchissements.

Après la séance, ils firent un tour en voiture dans Hyde Park. Il écouta avec humilité les enseignements de Mme Smedley sur les méfaits du tabac. Il confessa, les yeux baissés, qu'il lui arrivait de s'offrir à l'occasion un petit cigare. La vieille dame, stimulée par cette abomination, se lança dans une nouvelle diatribe. Le tabac était désagréable et corrupteur... Le fait d'être dans une pièce envahie de fumée exposait à la vulgarité et même à l'obscénité.

Pour Mme Smedley, le fait d'avoir Gideon à tancer était le comble du bonheur. En les entendant, Livia riait sous cape. De temps en temps, elle croisait le regard de son compagnon, et son cœur battait plus fort.

En fin de compte, le plaidoyer contre le tabac donna lieu à une digression sur la question de l'étiquette, puis sur le domaine plus délicat de la cour qu'un homme doit faire à une femme. Gideon s'amusait beaucoup des principes de Mme Smedley.

— Il ne faut surtout pas épouser quelqu'un à qui l'on ressemble. Un gentleman aux cheveux noirs ne doit en aucun cas épouser une brune, pas plus qu'un homme corpulent ne doit choisir une fiancée trop ronde. Le flegmatique doit choisir une passionnée, le nerveux une stoïque, et l'évaporée un intellectuel.

— Mais je croyais souhaitable que deux personnes passionnées se marient…

Gideon ne regardait pas Livia, mais il esquiva de justesse le coup de pied qu'elle lui lança en visant son tibia. La pointe de la bottine heurta seulement le panneau laqué de la voiture.

— Pour rien au monde ! insista le chaperon, catégorique. Imaginez le tempérament des enfants !

— J'en frémis, convint-il avec un regard amusé à la jeune femme.

— Surtout, c'est le rang social qui importe, enchaîna Mme Smedley. Les personnes doivent être du même milieu… Ou bien, s'il y a une différence, c'est le mari qui doit être supérieur à la femme. En effet, une femme ne saurait avoir de l'estime pour un homme d'une origine plus humble que la sienne.

Livia se tendit, et Gideon garda le silence. Elle n'avait pas besoin de l'interroger pour savoir qu'il pensait à McKenna et Aline.

— Aurai-je l'occasion de voir McKenna à Londres ? demanda-t-elle tandis que Mme Smedley continuait à discourir sans se rendre compte que nul ne l'écoutait.

— Demain soir, confirma Gideon, si vous me faites l'honneur de m'accompagner au théâtre.

— Oui, cela me plairait vraiment.

Elle baissa le ton pour ajouter en aparté :

— Est-ce que McKenna t'a parlé de ma sœur dernièrement ?

— Oui.

— A-t-il exprimé d'une façon ou d'une autre la nature de ses sentiments vis-à-vis d'elle ?

— En quelque sorte, répondit sèchement Gideon. Il est aigri, et brûle de se venger. Les blessures qu'elle lui a infligées jadis sont si profondes qu'elles ont failli le tuer.

— Mais rien n'était de la faute d'Aline ! Elle n'acceptera jamais d'expliquer ce qui s'est passé, ni les raisons de son comportement.

— Raconte-moi.

— Je ne peux pas, rétorqua Livia, malheureuse. J'ai promis à ma sœur de ne révéler aucun de ses secrets. Une fois, j'ai arraché la même promesse à une amie, qui m'a trahie. Et cela m'a fait beaucoup souffrir. Jamais je ne trahirai Aline de cette façon. Je sais bien que tu m'en voudras de garder le silence, mais…

— Pas du tout.

— Qu'en penses-tu, alors ?

— Je pense que chaque chose nouvelle que j'apprends sur toi me rend plus amoureux.

Soufflée par cette déclaration, Livia resta un instant sans voix.

— Gideon…

— Tu n'as pas besoin de me dire que tu m'aimes aussi. Pour une fois, je veux avoir le plaisir d'aimer quelqu'un sans rien attendre en retour.

Au théâtre, on rencontre deux genres de personnes : celles qui y vont par amour de la comédie, et les autres – l'écrasante majorité – qui ne viennent que pour être vues. Le théâtre est un endroit où l'on se montre, où l'on échange des cancans et où l'on marivaude.

Assise dans une loge avec Gideon Shaw, McKenna, Mme Smedley et deux autres couples, Livia renonça à entendre ce qui se passait sur la scène : la majorité de l'auditoire bavardait sans désemparer. Elle jugea que le spectacle était dans la salle, à voir le nombre de personnes qui passaient et repassaient devant leur loge, intéressées par la présence des deux industriels américains.

Gideon, familier des mondanités, était parfaitement détendu. Aimable et souriant, il bavardait avec les visiteurs. McKenna en revanche était davantage sur la réserve et ne parlait que par phrases brèves, en choisissant ses mots. Dans son smoking noir et blanc, McKenna le beau ténébreux était le contraire parfait de Gideon, le blond élégant. Livia était terriblement intimidée par lui et effrayée par le fait qu'Aline ait jeté son dévolu sur un tel homme.

Gideon s'esquiva pour aller chercher une tisane pour Mme Smedley et un verre de citronnade pour Livia. Celle-ci profita de l'occasion pour échanger quelques mots avec McKenna, sa duègne étant sourde comme un pot. Il se montra poli et plutôt distant. Livia ne pouvait se défendre d'un certain sentiment de pitié à son égard. Malgré l'invulnérabilité apparente de l'ancien palefrenier, elle lisait sur son visage des traces d'épuisement. Les cernes sous ses yeux trahissaient de nombreuses nuits d'insomnie. Elle savait à quel point il est tragique d'aimer une personne que l'on n'aura jamais. Pour McKenna, c'était pire encore, parce qu'il ne saurait jamais pourquoi Aline l'avait rejeté.

Livia s'empourpra de honte en se remémorant le rôle qu'elle avait joué dans son départ de Stony Cross autrefois.

Il remarqua son rougissement.

— Milady, ma présence vous dérange-t-elle de quelque façon ?

— Non ! répondit-elle en toute hâte.

— Je crois que si. Je vais trouver un autre endroit pour assister à la fin de la pièce. Comme cela, vous serez plus à l'aise.

Livia croisa son regard turquoise. Elle songea aux excuses qu'elle rêvait de lui présenter depuis douze ans. Elle était bourrelée de remords en repensant à la promesse qu'elle avait faite à Aline de ne jamais révéler l'existence de ses cicatrices. Mais elle n'avait pas promis de taire les manipulations du comte, leur père.

— McKenna, mon désarroi est dû à un souvenir qui remonte à de longues années. Une injustice dont je me suis rendue coupable à vos dépens.

— À l'époque où j'étais domestique à Stony Cross Park ? Mais vous n'étiez qu'une fillette.

— Il est des fillettes qui s'y entendent pour faire de grosses bêtises. Moi, par exemple : c'est par ma faute que l'on vous a placé à Bristol avec tant de précipitation.

Soudain, il la scruta avec intensité, mais il garda le silence.

— Vous vous souvenez comme j'avais l'habitude de suivre Aline partout : je l'admirais tant que je copiais tout ce qu'elle faisait. Évidemment, j'étais au courant du lien qui vous unissait. J'étais peut-être un peu jalouse : j'aurais voulu accaparer l'amour et l'attention d'Aline, car elle était comme une deuxième mère pour moi. Or il arriva qu'un jour, je vous ai surpris tous les deux dans le garage des voitures…

Livia était rouge comme une cerise à présent.

— Je n'aurais pu faire pire. Je n'en mesurais pas les conséquences, à l'époque… Je suis allée voir mon père et lui ai raconté ce que j'avais vu. C'est pourquoi on vous a congédié et envoyé à Bristol. Par la suite, j'ai compris la portée de mon acte. J'ai vu combien Aline souffrait. J'ai été tenaillée par les pires remords. J'ai toujours regretté mon geste. Je n'attends pas votre pardon, mais je tenais à vous présenter mes excuses.

— Aline souffrait ? répéta McKenna d'une voix atone. Elle m'a fait placer à Bristol parce qu'elle avait honte d'être amoureuse d'un larbin. Je n'allais pas tarder à devenir un fardeau pour elle...

— C'est faux ! coupa Livia, véhémente. C'est à cause de notre père. Vous ne pouvez pas savoir de quoi il était capable. Il a dit à ma sœur que, si elle vous revoyait ne serait-ce qu'une fois, il vous détruirait. Il vous poursuivrait sans relâche jusqu'à ce que vous soyez sans logis, sans travail – c'est-à-dire mort ou en prison. Et Aline l'a cru, car il l'aurait fait, elle le savait. Jamais elle n'aurait voulu vous voir quitter Stony Cross, mais elle l'a fait par nécessité, pour vous protéger, vous sauver. La seule raison pour laquelle père vous a mis en apprentissage à Bristol, au lieu de vous jeter à la rue, c'est parce qu'elle l'a exigé.

— Dans ce cas, rétorqua McKenna avec un mauvais sourire, pourquoi ne me l'a-t-elle pas dit sur le moment ?

— Ma sœur était convaincue d'une chose : si elle vous laissait le moindre espoir, vous auriez tout risqué pour revenir. Avait-elle tort ?

— Non, soupira-t-il après réflexion.

Livia leva les yeux : McKenna regardait sans le voir ce qui se passait sur la scène. Il semblait impassible, mais une goutte de sueur perlait sur son front, et son poing posé sur sa cuisse était tellement crispé que ses phalanges étaient blanches.

Elle se força à poursuivre :

— Après votre départ, Aline n'a plus jamais été la même. Elle vous aimait, McKenna... au point qu'elle a préféré que vous la détestiez plutôt que l'on vous fasse du mal.

— Si ce que vous dites est vrai, riposta-t-il avec une agressivité retenue, elle m'aurait tout dit à présent. Votre père est mort, que le diable ait son âme ! Rien ni personne n'empêche Aline de remettre les pendules à l'heure.

— Certes, concéda Livia. Mais elle ne veut surtout pas que vous vous pensiez avoir une dette à son égard. À moins qu'elle n'ait peur, pour une raison que vous ignorez. Si seulement vous...

McKenna leva brusquement la main pour lui faire signe de se taire, sans quitter la scène du regard. Elle se tut, mais remarqua que sa main tremblait un peu. Elle avait cru que ces révélations susciteraient sa reconnaissance, ou son soulagement. En fait, il était sous le choc.

Il baissa lentement la main, les yeux toujours fixés sur un objet lointain.

Gideon ne tarda pas à revenir avec les boissons. Il s'aperçut tout de suite de la tension qui régnait dans la loge. Il reprit place à côté de Livia et, avec ses manières charmantes, ne tarda pas à la détendre et à lui rendre le sourire.

McKenna, pendant ce temps, paraissait en proie à des visions de cauchemar. Il était tendu de la tête aux pieds, et tout en sueur. Il n'avait pas l'air de se rendre compte de l'endroit où il était. Comme il semblait sur le point d'exploser, il se leva brusquement et partit.

Gideon n'en revenait pas.

— Que diable lui as-tu dit pendant mon absence ?

McKenna sortit directement du théâtre. Des marchands ambulants faisaient les cent pas devant Covent Garden. Il dépassa les énormes colonnes dominant le frontispice et s'arrêta dans un coin sombre. Son esprit était en déroute. Les révélations de Livia avaient déclenché en lui une avalanche : tout ce qu'il croyait depuis douze ans avait volé en éclats…

C'était terrifiant.

Brusquement, il se souvint d'un serment fait jadis : « *Aline, je ne te quitterai que si tu me demandes de le faire…* »

Ce qui n'était d'ailleurs pas entièrement vrai. Si McKenna avait conservé le moindre espoir qu'Aline l'aimait, il serait revenu et revenu sans cesse, poussé par un besoin dépassant tout instinct de conservation.

Aline le savait.

Il se passa sur le visage la manche de son beau manteau de drap fin. Si elle l'avait chassé à seule fin de le soustraire à la vengeance du vieux comte… c'est qu'elle l'aimait. Peut-être ne restait-il rien à présent de cet amour mais, à l'époque, elle l'avait aimé.

Il luttait pour s'empêcher d'y croire, assailli par un torrent d'émotions presque trop fortes pour un homme. Il éprouvait le besoin d'aller la trouver, de lui demander si c'était vrai. Mais déjà il connaissait la réponse.

Aline l'avait aimé…

Cette certitude était grisante.

Les passants s'étonnaient de cette sombre silhouette appuyée contre l'énorme colonne, la tête penchée tel un colosse défaillant. Mais nul n'osait s'arrêter pour lui demander s'il allait bien. Ils percevaient dans son silence une menace latente, une folie peut-être, capable de lui faire commettre un acte de désespoir. La prudence est mère de sûreté : chacun ses affaires, après tout…

Plus tard dans la nuit, Gideon vint retrouver Livia. Il se glissa dans la maison et monta dans sa chambre. Il la déshabilla méticuleusement et fit l'amour avec elle longtemps.

Elle se dit qu'elle faisait avec Gideon des choses qui ne lui seraient pas venues à l'esprit avec Amberley. Il n'y avait pas place dans ce lit pour la moindre illusion : seulement une implacable sincérité qui ne laissait à l'esprit nul endroit où se cacher. Elle voulait qu'il la connaisse en totalité, même ses défauts. Il y avait quelque chose en lui – une sorte d'animalité, peut-être – qui la débarrassait de toute inhibition. Elle se sentait comme libérée d'un fardeau, libre de répondre tout entière à ce qu'il lui offrait. Tout ce qu'il lui demandait, elle le faisait avec élan. De son côté, il lui faisait l'amour de certaines façons qu'il ne lui serait jamais venu à l'esprit de demander.

Ensuite, ils restèrent prostrés en toute paix, enlacés et comblés. Livia reposait à moitié sur le corps de Gideon, elle avait une jambe croisée par-dessus les siennes. Elle sentait les doigts de l'Américain courir dans ses cheveux, palper la courbure de sa tête sous ses fines boucles, descendre le long de la nuque. Elle leva un peu la jambe, sentit contre sa cuisse la pression de son membre viril, encore à demi érigé. D'une main paresseuse, elle recommença à le taquiner.

— Tu es insatiable, accusa-t-elle d'un ton rieur.

Avec un sourire, il la prit sous les bras et la souleva contre lui.

— Pas plus que toi !

Elle baissa la tête jusqu'à ce que leurs nez se touchent.

— Je le confesse, monsieur Shaw : je commence à m'enticher de vous.

— À t'enticher ? Mais tu es folle amoureuse de moi, voyons !

— Pourquoi commettrais-je la bêtise de tomber amoureuse de toi ?

— Pour une foule de raisons… Non seulement je te donne du plaisir au lit, mais je suis l'un des hommes les plus riches du monde civilisé…

— Je me fiche de ton argent.

— Je le sais bien, nom d'une pipe ! C'est l'une des raisons pour lesquelles il faut que je te possède.

— Possède ?

— Oui, que je t'épouse.

Livia fronça les sourcils et se laissa glisser sur le matelas, mais il la rattrapa par les hanches et la garda sur lui.

— Cela vaut la peine d'être envisagé, non ? s'enquit-il.

— Mais cela ne fait pas quinze jours que je te connais.

— Dis-moi combien de temps je dois te faire la cour. J'attendrai.

— Il faut que tu repartes à New York.

— J'attendrai.

La jeune femme soupira et posa la joue contre les boucles rêches qui couvraient son torse. Elle fit un effort pour être sincère.

— Rien ne saurait me convaincre de t'épouser, mon chéri.

Gideon l'enlaça des deux bras. Il la serrait un peu trop fort.

— Pourquoi ?

— Parce que je tiens trop à toi pour assister à ta déchéance.

Elle sentit qu'il se tendait brusquement. De nouveau, elle fit mine de rouler de côté en se disant que, cette fois, il la libérerait. Mais il resserra les bras sur son dos et, d'une main, lui appliqua plus fermement la tête contre sa poitrine.

— Tu veux que je m'arrête de boire, dit-il d'un ton morne.

— Non : je ne veux pas être mêlée à cette décision de quelque façon que ce soit.

— Mais... tu envisagerais de m'épouser si je ne buvais plus ?

— Oui. Dans ce cas-là, je l'envisagerais sans doute.

Gideon soupira lourdement.

— Je ne sais pas si je suis capable d'arrêter. Je ne sais même pas si j'en ai envie. Je préférerais continuer à boire et t'avoir par-dessus le marché...

— C'est hors de question. Même si tu es un Shaw.

Il se tourna sur le côté, en gardant sa tête au creux de son coude pour mieux la regarder.

— Je te donnerai tout ce dont tu as envie. Je t'emmènerai n'importe où dans le monde. Tout ce que tu demanderas...

— Un jour, cela arrivera peut-être.

Livia se jugeait folle de refuser une proposition que n'importe quelle femme aurait acceptée en tombant à genoux de reconnaissance. En voyant l'expression de Gideon, elle eut un petit sourire. À l'évidence, il n'avait pas l'habitude qu'on lui refuse quoi que ce soit.

— Goûtons les moments que nous avons à passer ensemble, ajouta-t-elle. Je rentrerai à Stony Cross dans quelques jours, mais d'ici là…

— Quelques jours ? Non, reste davantage. Et rentrons ensemble.

— Nous ne pouvons nous permettre de voyager ensemble. Les gens jaseraient.

— Je m'en fiche ! Livia, prends-moi tel que je suis…

— Je le ferais si je tenais moins à toi.

Il lui ferma les paupières à coup de baisers fragiles sur les cils, les joues, le bout du nez. Elle poursuivit :

— Mais je ne supporterais pas de te perdre petit à petit, jusqu'à ce que l'alcool te tue, ou que tu deviennes quelqu'un que je ne reconnaîtrais plus.

Gideon s'écarta pour mieux la regarder.

— Dis-moi au moins une chose : est-ce que tu m'aimes ?

Livia se tut, ignorant si le fait de dévoiler ses sentiments allait améliorer les choses ou pas.

— Il faut que je sache, insista-t-il. Si je change de vie pour toi, il me faut une raison d'espérer.

— Je refuse que tu changes de vie pour moi. Car tu devras prendre la même décision chaque jour, encore et encore : ce ne doit être que pour toi, et toi seul. Autrement, tôt ou tard, tu m'en voudras.

Il brûlait d'envie de protester, et cela se voyait. Mais il se contenta de poser sur la taille de Livia un bras alangui.

— Je ne veux pas te perdre.

— Je suis à la dérive depuis si longtemps, soupira-t-elle. Depuis la mort d'Amberley, en fait. Mais à présent, me voilà de nouveau prête à vivre. Tu es arrivé au moment où j'avais besoin de toi. Pour cette raison, je me souviendrai toujours de toi avec reconnaissance et gratitude.

— Reconnaissance ? répéta-t-il, outré. Gratitude ?

— Ne t'attends pas à ce que j'admette que je ressens autre chose. Ce serait faire pression sur toi.

— Je crois que je dois mettre ta détermination à l'épreuve… gronda-t-il, joueur.

— Bien volontiers, répondit Livia du tac au tac.

Sa phrase aurait pu être taquine, mais le ton était mélancolique. Et elle l'étreignit de toutes ses forces, comme pour le protéger des démons qui le dévoraient de l'intérieur.

Aline soupira et sortit une nouvelle feuille de papier crème du tiroir de son bureau. Elle essuya sa plume avec un cube de feutre noir. Elle avait devant elle une douzaine de lettres d'amis et de parents, tous contrariés de son retard à leur répondre. Mais il ne suffisait pas de se précipiter sur un encrier pour répondre n'importe quoi. L'art de la correspondance exigeait de soigner les détails. Il fallait narrer les dernières nouvelles dans un style élégant, riche de bons mots et de traits d'esprit. Si la vie était morne, il fallait y trouver quand même des détails amusants ou, à défaut, faire preuve d'un profond esprit philosophique.

Aline relisait sans indulgence les trois lettres qu'elle avait achevées. Elle y égrenait de menus incidents de la vie domestique, relatait quelques cancans, et faisait même des remarques d'ordre météorologique.

Je suis vraiment devenue experte pour tout dire sauf la vérité, songea-t-elle avec un sourire désabusé. Car la vérité tout entière, sans fard, risquerait fort de faire grincer des dents…

J'ai pris un amant dernièrement. Nous nous sommes offert deux parties de jambes en l'air résolument torrides, la première en forêt et la deuxième dans le boudoir de ma chambre. Ma sœur Livia se porte bien, elle est ces jours-ci à Londres pour un bref séjour. À l'heure où je vous écris, elle est sans doute en train de faire des galipettes avec un Américain ivre de l'aube au crépuscule…

Elle réprima un sourire en songeant à l'effet qu'aurait pareille missive sur telle cousine coincée ou telle grand-tante.

La voix de son frère se fit entendre à la porte.

— Seigneur ! Faut-il que tu t'ennuies pour te résoudre à écrire !

— Cela m'amuse d'entendre cela de la bouche de la seule personne au monde plus nulle que moi pour écrire !

— Certes, reconnut Marcus, j'exècre de prendre la plume. Mais il y a pire qu'écrire une lettre : c'est le fait d'en recevoir une ! Je ne sais pas ce qu'ont les gens à croire que je me passionne pour leurs précieuses existences.

Aline posa sa plume et remarqua une minuscule tache d'encre à la pointe de son doigt.

— Y a-t-il quelque chose que je puisse faire pour toi ? s'enquit-elle. N'importe quoi, pourvu que tu m'éloignes de cette insupportable corvée.

— Tes désirs sont des ordres. J'ai quelque chose qui va te distraire.

Il lui montra un pli encore cacheté, en faisant une drôle de tête.

— Une livraison est arrivée de Londres. Il y avait ceci avec.

— De Londres ? Si ce sont tes huîtres, elles ont deux jours d'avance.

— Ce ne sont pas des huîtres, répliqua Marcus en ressortant. C'est pour toi. Viens voir dans le hall.

— Tout de suite !

Aline remit soigneusement le bouchon de la bouteille en verre taillé contenant la colle dont elle fermait ses enveloppes, puis elle referma sa boîte de cire à cacheter rouge. Une fois tout rangé, elle se leva et suivit son frère dans le hall. Il y régnait un merveilleux parfum de rose.

— Doux Jésus ! s'exclama-t-elle, stupéfaite.

Elle s'arrêta net en découvrant les énormes bouquets que deux valets de pied et le cocher déchargeaient d'une charrette devant la porte. Des montagnes de roses blanches, certaines en boutons, d'autres complètement épanouies. Chaque bouquet était enveloppé dans du papier de soie blanc.

— Quinze douzaines ! déclara Marcus. Je me demande s'il reste une seule rose blanche dans tout Londres !

Le cœur d'Aline battait la chamade. D'un geste lent, elle prit une frêle corolle dans l'un des bouquets, et inclina la tête pour en humer le délicieux parfum. Les pétales lui frôlèrent la joue.

— Et ce n'est pas tout, continua-t-il.

Aline suivit le regard de son frère : le majordome surveillait un autre valet de pied en train d'ouvrir au pied-de-biche une caisse de bois pleine de paquets de la taille d'une brique, enveloppés dans du papier marron.

— Qu'est-ce que c'est, Salter ?

— Avec votre permission, milady, je vais m'en assurer.

Le maître d'hôtel ouvrit avec précaution l'un des paquets. Il déplia le papier et trouva à l'intérieur une tranche de pain d'épice, dont l'odeur se mêla au parfum des roses.

Aline porta la main à sa bouche pour ne pas éclater de rire, mais tout son corps se mit à trembler.

— Du pain d'épice ? s'étonna Marcus. Mais pourquoi McKenna t'envoie-t-il une pleine caisse de pain d'épice ?

— Parce que j'aime ça, répondit-elle, suffoquée. Mais toi, comment sais-tu que cela vient de McKenna ?

Son frère lui lança un regard éloquent, comme s'il fallait être stupide pour penser à quelqu'un d'autre.

Aline, maladroite, ouvrit l'enveloppe et en sortit un feuillet. Il portait quelques lignes d'une écriture sans fioritures.

Ni le désert immense, ni les montagnes altières, ni l'immensité bleue de la mer,
Ni les mots, ni les larmes, ni la peur
Ne m'empêcheront de revenir vers toi.

Manquait la signature : elle était inutile.

Aline ferma les yeux. Des larmes brûlantes sourdaient entre ses cils. Elle pressa furtivement ses lèvres contre la missive.

— C'est un poème, annonça-t-elle d'une voix mal assurée. Il est... sublime.

Jamais elle n'avait lu mots si charmants. Elle se tamponna les yeux avec sa manche.

— Fais voir.

D'un geste vif, Aline glissa le poème dans son corsage.

— Non, c'est personnel.

Elle avala péniblement sa salive car elle avait la gorge serrée. Elle cherchait à reprendre le dessus.

— McKenna, murmura-t-elle, tu me brises le cœur.

Soupirant profondément, Marcus lui tendit un mouchoir.

— Que puis-je faire ? marmonna-t-il, décontenancé par sa réaction.

Il allait l'enlacer d'un bras protecteur quand ils furent distraits par l'arrivée d'un visiteur, dans le sillage des valets chargés de brassées de roses. C'était lord Adam Sandridge, les mains dans les poches, éberlué par tant de fleurs.

— J'imagine qu'elles sont pour toi, lança-t-il à Aline en retirant les mains de ses poches.

— Sandridge, s'exclama Marcus en lui serrant la main. Vous tombez au bon moment : je crois que lady Aline a besoin de distraction.

— Eh bien, comptez sur moi pour être distrayant, répliqua Adam avec un sourire.

Il s'inclina avec élégance sur la main d'Aline.

— Viens faire quelques pas avec moi dans le jardin, supplia-t-elle en s'accrochant à ses doigts.

— Excellente idée ! répondit Adam en cassant un superbe bouton couleur ivoire pour le mettre à sa boutonnière.

Il tendit le bras à Aline. Ils traversèrent le hall et disparurent par les portes-fenêtres à l'arrière du manoir.

Les jardins étaient au comble de leur splendeur estivale, avec d'épais massifs de myosotis, de mélisse et d'hémérocalles d'un jaune éclatant. Çà et là, des rosiers jaillissaient parmi les clématites grenat. Plus loin, des rangées d'épiaires laineux argentés s'étiraient entre de grandes urnes en pierre, pleines de pivoines multicolores. Ils descendirent l'escalier de la terrasse et s'engagèrent sur un sentier sinueux couvert de gravillons, entre les ifs bien taillés.

Adam était de ces rares personnes que le silence ne dérange pas. Il attendait patiemment qu'elle parle.

Calmée par la sérénité du jardin et la présence de son ami, la jeune femme laissa échapper un long soupir.

— Les roses, c'est de la part de McKenna, avoua-t-elle enfin.

— Je ne suis pas complètement idiot.

— Il y avait aussi un poème, dit-elle en le sortant de son corsage.

Adam était la seule personne au monde à qui elle pouvait confier quelque chose d'aussi intime. Il s'immobilisa au milieu du chemin, déplia la feuille et lut les quelques lignes.

Quand il releva les yeux, il lut dans le regard d'Aline un mélange de douleur et de plaisir.

— Très touchant, dit-il en toute sincérité en lui rendant la feuille. Que vas-tu faire ?

— Rien. Je vais renvoyer McKenna, comme prévu.

Adam pesa longuement ces mots. Il fut un instant sur le point de s'exprimer, puis changea d'avis et haussa les épaules.

— Si c'est ce que tu penses être le mieux, fais-le.

De toutes les personnes qu'elle connaissait, pas une n'aurait dit cela. Aline lui prit la main.

— Adam, une des qualités que j'apprécie le plus en toi, c'est que tu n'essaies jamais de me donner des conseils.

— Je n'aime pas les conseils : cela ne sert à rien.

Ils passaient devant la fontaine des naïades, dont le jet éclaboussait d'épais massifs de delphiniums.

— J'ai songé tout avouer à McKenna, mais cela tournera mal de toute façon.

— Pourquoi, chérie ?

— Si je lui montre mes cicatrices, soit il les trouvera hideuses et détalera, soit, pire encore, il me prendra en pitié et se sentira obligé, par pur sens de l'honneur, de demander ma main... Ce qui fait qu'un jour ou l'autre, il regrettera sa décision.

Adam grommela un vague acquiescement.

— Est-ce que j'ai tort ? s'enquit-elle.

— Je ne trancherais pas la question en termes de tort ou de raison. Il faut à chaque fois faire le meilleur choix selon les circonstances, puis éviter de revenir dessus. Sinon, on devient fou.

Aline ne pouvait s'empêcher de comparer la souplesse d'Adam à la rigidité de Marcus, pour qui tout était forcément juste ou faux, bon ou mauvais.

— Cher Adam, je réfléchis depuis quelques jours à ta proposition...

— Oui ?

Ils s'arrêtèrent de nouveau, face à face, en se tenant par les mains.

— Je ne puis accepter. Ce serait injuste pour toi comme pour moi. J'imagine que, ne pouvant conclure un vrai mariage, je ne saurais être heureuse avec quelque chose qui y ressemble. En d'autres termes, je préfère partager avec toi une authentique amitié plutôt qu'une fausse union.

Il décela un reflet de tristesse dans ses yeux et l'étreignit chaleureusement.

— Très chère Aline ! Mon offre demeure valable indéfiniment. Restons de vrais amis jusqu'au jour de ma mort. Et si d'aventure tu changes d'avis quant au mariage, tu n'as qu'à claquer des doigts. Les faux chefs-d'œuvre sont parfois appréciés quand l'original est inaccessible.

17

Après sept nuits à Londres, Livia prit le chemin du retour, avec assez de cartons et de paquets pour faire croire qu'elle était allée en ville faire des achats. Toutes les invitées s'extasièrent devant ses emplettes. Il y avait un petit chapeau tout en hauteur, orné de plumes multicolores ; des gants brodés décorés de perles aux poignets ; des châles de dentelle, de cachemire et de soie ; une liasse de dessins et d'échantillons de tissus d'une maison de couture de Londres, pour commander des robes.

Évidemment, Susan Chamberlain demanda à Livia si, pendant qu'elle était à Londres, elle avait aperçu M. Shaw et M. McKenna. La jeune femme répondit avec une désinvolture joviale.

— Mais bien sûr ! Mon chaperon, Mme Smedley, et moi-même avons passé avec eux une charmante soirée à Covent Garden. Nous avions des loges très bien placées. Ce fut étourdissant !

Malgré la spontanéité charmante avec laquelle Livia se justifiait, son récit fut accueilli par des regards soupçonneux et un silence incrédule. Chacun se doutait que les choses avaient dû aller beaucoup plus loin que ce qu'elle voulait bien en dire.

Aline, quant à elle, avait eu la primeur du récit de Livia dès son retour. Elle s'était rendue dans la chambre de cette dernière. Les deux sœurs s'assirent sur le lit, un verre de vin à la main. Aline était adossée à l'un des montants sculptés, tandis que Livia prenait ses aises au milieu des oreillers.

— J'étais dans ses bras chaque soir, raconta-t-elle à son aînée, les joues en feu. Sept nuits de paradis !

— Ah bon ? Est-il un bon amant ? demanda Aline, piquée de curiosité.

— Le plus merveilleux, le plus grisant, le plus...

Incapable de trouver un superlatif adéquat, Livia soupira et prit une gorgée de vin.

— C'est incroyable à quel point il est différent d'Amberley, et pourtant il me convient autant. Mieux même, à certains égards.

— Vas-tu l'épouser ?

En posant cette question, Aline avait mal au cœur : elle était heureuse pour sa sœur, mais l'Amérique était très loin. Et puis, si elle était tout à fait honnête avec elle-même, il lui fallait admettre un soupçon d'envie : pourquoi ne pouvait-elle obtenir, elle, ce qu'elle souhaitait le plus au monde ?

— Il m'a demandé ma main, figure-toi. J'ai refusé.

— Pourquoi ?

— Tu sais bien pourquoi.

Aline acquiesça d'un signe de tête. Elle baissa les yeux et, de la pointe du doigt, fit le tour du bord de son verre.

— Je suis sûre que tu as pris la bonne décision, ma chérie, même si elle n'est pas facile.

— En effet, ce fut dur.

Elles gardèrent le silence une minute, puis Livia demanda :

— Tu ne veux pas de nouvelles de McKenna ?

— Comment va-t-il ?

— Il est calme, parfois distrait. Nous... avons parlé de toi.

— Qu'est-ce que tu entends par « nous avons parlé de toi » ?

Livia avala une grande gorgée de vin.

— Cela s'est bien passé, en fait. Tout au moins, il n'y a pas eu de catastrophe. Enfin, on ne sait jamais avec lui...

— Livia, explique-toi ! Que lui as-tu dit exactement ?

— Pas grand-chose. Je me suis enfin décidée à lui présenter mes excuses pour ce que je vous avais fait à tous les deux, jadis. Tu sais, quand je suis allée raconter à père que...

— Livia, tu n'aurais pas dû ! s'écria Aline.

Elle tremblait si violemment que le vin dansait dans son verre.

— Tu n'as aucune raison de t'inquiéter, assura Livia d'un ton qui exaspéra sa sœur davantage. J'ai tenu ma promesse : je n'ai pas dit un mot à propos de ton accident, ni de tes cicatrices. Je lui ai juste révélé le rôle que j'avais joué, et la façon dont père a manipulé tout le monde. Et je lui ai expliqué la raison pour laquelle tu l'avais renvoyé : pour le protéger parce que notre père avait menacé de le détruire...

— Quoi ? Mais je ne voulais surtout pas qu'il sache cela ! Mon Dieu, Livia, qu'as-tu fait ?

— Je ne lui ai révélé qu'une partie de la vérité, s'excusa Livia en rougissant jusqu'aux oreilles. Je suis désolée si cela te chagrine. Mais, comme on dit, le temps travaille pour la vérité et, en l'occurrence…

— Avec des dictons de bonne femme, on peut justifier n'importe quoi, et le temps ne change rien à l'affaire. Enfin, Livia, tu ne comprends pas dans quelle situation tu me mets ? Comment vais-je faire pour me débarrasser de lui, maintenant qu'il est au courant ? D'ailleurs, quand lui as-tu parlé ?

— Le deuxième soir où j'étais à Londres.

Aline ferma les yeux. Les fleurs étaient arrivées deux jours plus tard. C'était donc la raison pour laquelle McKenna lui avait envoyé les cadeaux et le poème.

— Livia, je pourrais te tuer !

— Je ne vois pas ce qu'il y a de mal à abattre un obstacle qui se dressait entre McKenna et toi. Il ne te reste plus qu'une chose à lui dire : ce qui est arrivé à tes jambes.

— Jamais de la vie !

— Tu n'as rien à perdre. J'ai toujours énormément admiré ton courage, et maintenant que le bonheur est à ta portée, tu le rejettes par pur entêtement, tu te montres timorée…

— Je n'ai jamais été courageuse, riposta Aline. Le courage ne consiste pas à supporter quelque chose quand il n'y a pas d'alternative. La seule raison pour laquelle, depuis douze ans, je ne me suis jamais roulée par terre en hurlant, c'est parce que cela n'aurait rien changé. Mes jambes resteront immondes jusqu'à ma mort. Toi-même, tu n'arrives pas à les regarder : comment oses-tu suggérer qu'en refusant de les montrer à McKenna, je fais preuve de lâcheté ? Tu es une satanée hypocrite, Livia. À t'entendre, McKenna est prêt à m'accepter quels que soient mes défauts, mais tu refuses de faire pareil avec M. Shaw.

— Tu es injuste ! protesta sa sœur. Nos deux situations n'ont rien à voir. Tes cicatrices n'ont rien de comparable avec son penchant pour la boisson. Comment oses-tu insinuer que j'ai fait preuve d'étroitesse d'esprit en le refusant ?

Aline, hors d'elle, se leva.

— Laisse-moi tranquille. Et plus un mot à McKenna sur quoi que ce soit !

Au prix d'un grand effort, elle quitta la pièce sans claquer la porte.

Aline et Livia s'entendaient plutôt bien. Comme elles avaient sept ans d'écart, Aline avait d'emblée adopté une attitude maternelle vis-à-vis de sa cadette. Quand il leur arrivait de se disputer, elles s'évitaient un moment, le temps de se calmer, puis reprenaient leurs relations comme si rien n'était arrivé. En cas de dispute grave, elles consultaient Mme Faircloth chacune de son côté. La gouvernante leur rappelait toujours que rien n'était plus important que les liens qui les unissaient.

Mais cette fois-ci, Aline ne dit mot à Mme Faircloth, sachant d'ailleurs que sa sœur ne le ferait pas non plus. Les enjeux étaient trop intimes. Elle continua donc à vivre en traitant Livia avec une politesse guindée : elle ne pouvait faire mieux. L'idéal eût été de présenter des excuses… mais elle avait toujours eu du mal à reconnaître ses torts. Il ne fallait pas non plus compter sur Livia pour demander la paix.

Au bout de trois jours, elles avaient à peu près normalisé leurs relations, mais il restait un petit froid entre elles.

Le samedi soir, Marcus donna un dîner en plein air, mais le temps se gâta. Le ciel prit une couleur prune foncé et quelques gouttes tombèrent sur la foule, en faisant grésiller les torches du jardin. Les invités commencèrent à refluer vers l'intérieur. Aline multipliait les ordres pour protéger les fauteuils et les petits-fours.

Au milieu de ce remue-ménage, elle aperçut quelque chose qui la cloua sur place : Livia en conversation avec Gideon Shaw, lequel venait sans doute de rentrer de Londres. Ils étaient debout à côté de l'entrée, la jeune femme adossée contre le mur. Elle riait à quelque bon mot de l'Américain, radieuse, les mains croisées derrière le dos comme si elle avait du mal à se retenir de se pendre à son cou.

Si Aline avait encore le moindre doute quant aux sentiments de Livia pour Gideon Shaw, c'était bien fini. Elle n'avait vu qu'une fois sa cadette regarder un homme avec cet air-là. Elle ne distinguait pas le visage de Shaw de l'endroit où elle se trouvait, mais la position protectrice qu'il adoptait était révélatrice. Quel dommage, se dit-elle. Il était clair qu'en dépit de leurs différences ils s'entendaient à merveille.

Aline fut arrachée à ses pensées par une curieuse chaleur qui picota soudain sa peau, jusqu'à la racine de ses cheveux. Tétanisée, elle demeura plantée comme une souche alors que tout le monde s'agitait autour d'elle : on courait s'abriter tandis que l'orage approchait. L'air était humide et crépitait d'énergie.

— Aline, dit une belle voix grave derrière elle.

Elle en eut le vertige. Elle dut garder les yeux rivés au sol, comme si celui-ci basculait. Quand elle fut capable de bouger, elle pivota. McKenna était à un moins d'un mètre. Son cœur se déchaîna dans sa poitrine. Elle avait du mal à croire qu'elle ait sans cesse besoin de lui : ce manque frisait parfois le délire.

Ainsi se tenaient-ils face à face au bord du jardin, comme deux statues de marbre.

Elle avait les nerfs tendus à se rompre. Il a tout compris, se dit-elle. Quelque chose avait changé en lui. Il la regardait comme avant, il la dévorait des yeux ouvertement. Cela déchaînait en elle des sensations que lui seul était capable de faire surgir.

Aline restait muette et immobile. Une goutte de pluie lui frappa la joue et coula jusqu'à la commissure de ses lèvres. McKenna approcha lentement, cueillit la goutte avec le pouce et la frotta entre ses doigts comme un élixir de grand prix. Par réflexe, elle recula d'un pas. Il la rattrapa avec aisance, glissant une main dans son dos. Lentement, il l'attira pour se cacher avec elle dans la haie d'ifs.

Incapable de le regarder en face, Aline pencha la tête tandis qu'il la collait contre lui avec grand soin, jusqu'à ce que le visage de la jeune femme repose contre le col de sa chemise. Sa peau sentait bon. Elle éprouvait plus que du plaisir. C'était du bonheur, un bonheur complet. La chaleur des mains de McKenna la pénétrait jusqu'à la moelle. Il appuyait sa cuisse entre ses jambes avec une douce insistance. Il la tint ainsi contre lui, la bouche sur sa tempe, son souffle brûlant sur sa peau. Leurs corps étaient si près, et pourtant pas assez près encore. Aline aurait donné le reste de sa vie pour une nuit d'intimité totale, peau contre peau.

— Merci, murmura-t-elle au bout d'un moment.

— De quoi ?

— Des cadeaux. C'était charmant.

McKenna replongea dans le silence, il respirait le parfum de ses cheveux. Comme pour ériger une dernière défense, elle tenta de relancer la conversation.

— Cela s'est bien passé pour vous, à Londres ?

À son grand soulagement, il répondit.

— Oui. Nous avons obtenu de Somerset Shipping le droit d'accostage, et tous les investisseurs potentiels ont signé un engagement ferme et définitif.

— Même mon frère ?

— Oui, il a annoncé qu'il suivrait le mouvement.

— Bravo.

— Maintenant que tout est réglé, il me faut repartir à New York. Il y a beaucoup à faire, des tas de décisions à prendre...

— Je comprends. Quand pars-tu ?

— Mardi.

— Déjà ?

— Gideon et moi rentrons. Les Chamberlain, les Cuyler et les autres veulent faire un peu de tourisme. D'abord Paris, puis Rome.

Si le navire appareillait mardi, McKenna et Shaw n'avaient sans doute pas plus de deux jours à passer à Stony Cross. Comment croire qu'elle allait le perdre si vite ?

La pluie commença à tomber plus dru. Des perles gouttaient sur les boucles noires de McKenna.

— Il faudrait rentrer, suggéra Aline.

Elle fit tomber quelques gouttes de ses cheveux. Il lui prit la main, et appuya les lèvres au bout de ses doigts.

— Quand puis-je te parler ? demanda-t-il.

— Mais nous parlons !

— Tu sais ce que je veux dire.

Aline avait le regard perdu dans la haie, derrière les épaules de son amant. Oui, elle savait exactement ce dont il avait l'intention de parler avec elle, et elle aurait donné n'importe quoi pour y échapper.

— De bon matin, avant le réveil des invités, proposa-t-elle. On se retrouve aux écuries, et on va se promener quelque part…

— D'accord.

— À demain, donc, dit-elle en penchant la tête pour le contourner.

Mais il la rattrapa et la serra de nouveau contre lui. Il lui inclina la tête en arrière, pour couvrir sa bouche d'un baiser. Aline haletait tandis qu'il l'explorait de la langue.

Sentant qu'elle s'échauffait, il l'attrapa par les hanches et glissa un genou entre ses jambes. Le cœur de la jeune femme s'emballait, elle avait la peau qui brûlait malgré la fraîcheur de la pluie. La tête lui tournait, elle s'accrochait aux épaules de McKenna tandis que celui-ci multipliait baisers et mots tendres, contre ses lèvres entrouvertes.

Il l'attira vers lui jusqu'à la mettre à cheval sur sa cuisse. De ses grandes mains, il la balança sur un rythme délicieux. Ce frottement soutenu, à l'endroit exact où elle sentait son désir fulgurer… Le plaisir monta rapidement, elle lutta pour le réprimer avec un gémissement.

McKenna la lâcha enfin, hors d'haleine. Il se débarrassa de son habit et en couvrit Aline comme d'un parapluie.

— Viens à l'intérieur. Nous finirions par nous faire foudroyer en restant ici. D'ailleurs, je ne sais même pas si nous nous en rendrions compte !

18

Juste après deux heures du matin, Livia se glissa dans le pavillon des célibataires. L'obscurité était totale, mais elle fut accueillie dès l'entrée. Étouffant un cri de surprise, elle se sentit projetée contre un puissant corps d'homme. C'était Gideon, vêtu de sa seule robe de chambre en soie. Elle se détendit dans ses bras et lui rendit ses baisers avec ardeur, emmêlant sa langue à celle de son amant. Il l'embrassa avec fougue, comme s'ils étaient séparés depuis des mois et non depuis quelques jours.

— Pourquoi as-tu tant tardé ? gémit-il.

Il la serra à l'écraser, puis la souleva pour la porter jusqu'à la chambre.

— Il n'est pas facile d'être discrète avec tant d'invités dans tout le manoir. J'ai attendu d'être sûre que personne ne me verrait. D'autant que l'on nous soupçonne déjà.

— Nous ?

Il la déposa à côté du lit, et se mit à lui déboutonner sa robe dans le dos.

— Évidemment, nous ! J'ai couru à Londres alors que tu venais juste d'y arriver, comme par hasard. Et puis, il y a la façon dont tu me regardes... Autant mettre des affiches pour annoncer à tout le canton que nous avons couché ensemble ! Toi qui es réputé raffiné, tu caches mal tes états d'âme.

— Quels états d'âme ? demanda-t-il en plaquant la main de Livia sur la preuve de son émoi viril.

Elle pouffa en s'esquivant et, d'une secousse, fit glisser sa robe : elle était nue dessous. Gideon, surpris, la dévorait des yeux.

— Je m'attendais vaguement à ce qui allait m'arriver, expliqua-t-elle béatement.

Il secoua la tête comme s'il s'ébrouait, ôta sa robe de chambre et s'approcha d'elle. Il lui effleura les hanches des deux mains, comme s'il frôlait une sculpture de grand prix.

— Moi aussi, je m'y attendais vaguement. J'ai même rapporté quelque chose de Londres.

Ses mains cueillirent les seins de Livia, dont il se mit à effleurer les mamelons avec les pouces.

— Je ne sais pas si ça va te plaire.

Intriguée, la jeune femme se pendit à son cou tandis qu'il la soulevait pour la déposer sur le lit. Puis il saisit un paquet sur la table de nuit et le lui tendit. C'était un petit objet enveloppé dans du papier de soie. Elle l'ouvrit et trouva une sorte d'anneau élastique, couvert d'une peau fine et transparente. Observant l'objet de près, Livia se sentit rougir quand elle comprit quel en était l'usage.

— Oh ! C'est un...

— Exactement, confirma-t-il d'un air vaguement penaud. Au risque de paraître présomptueux, je me suis dit que nous passerions peut-être une nouvelle nuit ensemble.

— Présomptueux, en effet, confirma-t-elle en posant le préservatif dans la paume de sa main.

— Tu en avais déjà vu ?

— Non, mais j'en avais entendu parler, répondit-elle, de plus en plus rouge. C'est quand même une idée bizarre... et peu romantique.

— Une grossesse intempestive, ce n'est pas très romantique non plus, répliqua franchement Gideon, repoussant les couvertures pour la rejoindre dans le lit. J'aimerais bien te faire un enfant, mais pas par accident.

La seule pensée de porter son bébé... Livia détourna les yeux, incapable de s'empêcher d'espérer des choses qui semblaient ne jamais pouvoir arriver.

Il tira les couvertures sur eux et se mit à l'embrasser avec délicatesse.

— Tu veux essayer avec ça ?

— Pourquoi pas ?

Elle observait la fine membrane par transparence à la lumière de la lampe.

Gideon avait du mal à s'empêcher de rire.

— Ça ne fait pas mal, assura-t-il. Et en plus, tu apprécieras peut-être le fait que, quand un homme porte ça, il met plus longtemps avant d'éjaculer.

— Ah bon ? Pourquoi ? Parce que tu ne sens pas grand-chose ?

— Eh oui. C'est un peu comme si on buvait sa soupe à travers la nappe.

Livia lui rendit le préservatif.

— Dans ce cas, ne le mets pas. Faisons comme d'habitude.

Il secoua la tête.

— Je me méfie de moi-même. Il m'est presque impossible de me retirer au moment précis où je désire le plus être en toi... Allons, aide-moi à l'enfiler. Il faut tout essayer ne serait-ce qu'une fois, comme je dis toujours.

Livia, timide, suivit les indications qu'il lui murmurait et déroula le bord sur toute la longueur de son membre viril, en s'arrangeant pour qu'il subsiste une petite poche au bout.

— Ça a l'air bien serré, observa-t-elle.

— Heureusement. Sinon ça glisserait.

Sa tâche accomplie, elle s'allongea sur le dos.

— Et maintenant ?

— Maintenant, dit-il en s'étendant sur elle, je vais faire l'amour avec toi de la façon dont je rêve depuis cinq nuits.

Livia, les yeux mi-clos, sentit qu'il penchait la tête sur ses seins et dessinait des dessins compliqués sur sa peau, du bout de la langue. Il prit un mamelon dans sa bouche et se mit à l'agacer du bout des dents, à le lécher jusqu'à ce qu'il soit tout gonflé et foncé. Puis il s'attaqua à l'autre sein pour lui administrer le même traitement. Livia gémissait et se tordait sous lui. Il lui fit l'amour avec une tendre dextérité, attentif à chaque tressaillement, à chaque frémissement.

Il l'abandonna un instant pour prendre quelque chose sur la table de nuit. Elle l'entendit ouvrir le couvercle d'un flacon. Ensuite, il passa la main entre ses cuisses pour y étaler une mince couche de crème. De ses doigts, il glissa la crème dans les doux interstices et dessina quelques cercles à l'entrée de sa féminité.

— Gideon, dit-elle, éperdue. Je suis prête.

Il sourit tout en continuant à la titiller paresseusement.

— Petite impatiente !

— Je m'impatiente parce que je suis prête... Pourquoi faut-il que tu lambines à chaque fois ?

— Parce que j'adore te tourmenter.

Il se pencha pour l'embrasser au creux du cou tandis que, du bout des doigts, il fourrageait dans ses bouclettes humides. Livia leva les bras vers les montants du lit et empoigna à deux mains les lourds cylindres de bois. Il s'agenouilla entre ses cuisses et ajouta encore un peu de pommade bien glissante, ses doigts s'enfonçant loin en elle.

La jeune femme n'en pouvait plus.

— Gideon, viens maintenant, je t'en prie !

Il la pénétra adroitement, s'enfonça jusqu'à ce qu'elle gémisse, soulagée.

— Ça va ? demanda-t-il en plaçant ses avant-bras de chaque côté de sa tête. Tu n'es pas mal ?

Pour toute réponse, elle donna un coup de reins pour mieux s'empaler. Elle vibrait de plaisir de la tête aux pieds. Gideon, attendri de voir ce visage ravagé par la passion, posa le pouce sur le petit bouton sensible et la caressa en entamant de profondes poussées cadencées. Ils connurent l'extase au même instant...

— Livia, dit-il longtemps après, en la câlinant contre sa poitrine. Et si je décidais de ne pas rentrer à New York ?

La jeune femme crut avoir mal entendu. Elle se leva et alluma une lampe. Gideon était allongé sur le côté, la hanche vaguement couverte par le drap. Elle revint au lit et, une fois face à lui, tira le drap jusque sous ses aisselles.

— Tu envisages de rester à Londres ? Combien de temps ?

— Un an au moins. Je dirigerai le bureau de Londres, et je développerai nos affaires dans toute l'Europe. Je pourrais me rendre aussi utile ici qu'à New York, sinon davantage.

— Mais toute ta famille est à New York.

— Raison de plus pour rester ici. Une période de

séparation leur ferait autant de bien qu'à moi. Je suis las d'être le patriarche de la famille : ils peuvent parfaitement se débrouiller seuls.

— Mais les usines, les…

— Je donne à McKenna tout pouvoir en mon absence. Il est prêt à assumer cette responsabilité, et j'ai davantage confiance en lui qu'en mes propres frères.

— Je croyais que tu n'aimais pas Londres.

— Faux ! J'adore Londres, je *l'idolâtre* !

Amusée par la rapidité de sa conversion, Livia avait du mal à garder son sérieux.

— Pourquoi es-tu tombé si soudainement amoureux de Londres ?

Gideon caressa ses cheveux, lui remit une mèche folâtre derrière l'oreille. Dans les profondeurs de ses yeux bleus chatoyants, la lumière de la lampe allumait des reflets dorés.

— Parce que c'est plus près de toi.

Elle ferma les yeux, car ces mots l'emplissaient d'indécision et de vains espoirs.

— Gideon, il me semble que nous avons déjà discuté…

— Je ne demande pas à te voir, ni à te faire la cour, coupa-t-il précipitamment. Je dirai même que j'exige de ne pas te voir durant six mois au moins, le temps de savoir si je suis capable de rompre définitivement avec l'alcool. La désintoxication n'est guère agréable, paraît-il. Pendant quelque temps, je serai infréquentable. Pour cette raison – entres autres – mieux vaut garder nos distances.

Livia était stupéfaite de l'importance de l'effort qu'il était prêt à consentir.

— Qu'attends-tu de moi ?

— De m'attendre.

Elle soupira.

— Je suis incapable de rester plus longtemps recluse dans le Hampshire, ou je vais devenir folle. J'ai besoin de voir des gens, de parler, de rire, de voyager…

— Naturellement. Je ne veux pas t'enterrer à Stony Cross. Mais quant aux autres hommes… je veux dire… Ne promets le mariage à personne, ne tombe pas amoureuse d'un petit crétin de vicomte… Tâche de rester célibataire six mois. Est-ce trop te demander ?

— Non, bien sûr que non. Mais si c'est pour moi que tu fais ça…

— Je mentirais en disant que ce n'est pas pour toi, au moins en partie. Mais c'est également pour moi. J'en ai assez de ne voir la vie qu'à travers le brouillard de l'alcool.

Livia lissa de la paume son avant-bras musclé.

— Peut-être que, en sortant du brouillard, tu ne voudras plus de moi. Tes perceptions auront changé, tes besoins aussi…

Il lui saisit la main et entrecroisa ses doigts aux siens.

— Je ne cesserai jamais d'avoir besoin de toi.

Elle regarda leurs mains croisées.

— Quand as-tu l'intention de t'y mettre ?

— Tu parles de cette saleté d'abstinence ? J'ai déjà commencé. Cela fait douze heures que je n'ai pas bu une goutte. Dès demain matin, je ne serai qu'une épave tremblante et hargneuse. D'ici à quarante-huit heures, j'aurai probablement assassiné quelqu'un. C'est une bonne chose que je quitte Stony Cross.

Livia n'était pas dupe de son attitude désinvolte. Elle se blottit contre sa poitrine et posa les lèvres sur son cœur.

— J'aimerais pouvoir t'aider, murmura-t-elle en frottant sa joue contre sa toison. Je voudrais endurer tout cela avec toi.

— Livia...

Très ému, il passait doucement la main dans ses cheveux.

— Personne ne peut m'aider, ce coup-ci. Cette croix-là, c'est à moi de la porter, car c'est moi qui me la suis fabriquée tout seul. Je ne veux donc pas te charger de ce fardeau. Mais il est une chose que tu peux faire pour en alléger le poids... quelque chose qui m'aidera dans les moments les plus difficiles...

Elle s'écarta pour le regarder dans les yeux.

— Quoi ?

Gideon eut un petit soupir.

— Je sais que tu ne vas pas reconnaître que tu m'aimes, et je comprends pourquoi. Mais, sachant que je vais vivre six mois d'enfer, pourrais-tu me faire juste un petit cadeau ?

— Lequel ?

— Un clin d'œil.

— Un *quoi* ? s'exclama-t-elle, interloquée.

— Si tu m'aimes... fais-moi un clin d'œil. Un seul. Tu n'as besoin de rien dire, juste...

Leurs regards ne se lâchaient plus.

— Juste un clin d'œil. S'il te plaît, Livia !

Elle ne se serait pas crue capable d'aimer ainsi de nouveau. Certains auraient pris ce geste pour une trahison vis-à-vis d'Amberley, mais Livia n'était pas de cet avis. Amberley la voulait heureuse, pleine de vie. Il aurait sans doute eu de l'estime pour Gideon Shaw, si farouchement déterminé à se débarrasser de ses défauts... C'était un être chaleureux, humain.

Gideon attendait toujours. Elle soutint son regard et sourit.

Avec une grande lenteur, elle ferma un œil et le rouvrit.

Aline était épuisée par une nuit blanche, et glacée d'appréhension en se rendant aux écuries où elle avait rendez-vous avec McKenna. Maintes et maintes fois, elle avait passé et repassé en revue la liste de ses objections, de ses arguments... Les mots, elle les connaissait à présent par cœur, mais elle ne parvenait même pas à se convaincre elle-même.

Toute la maisonnée dormait, à l'exception de quelques domestiques à l'intérieur qui s'activaient à transporter du charbon et des brocs d'eau chaude, tandis que d'autres travaillaient dans les écuries et aux jardins. Aline passa devant un valet chargé de tondre la pelouse ; derrière lui, un jardinier ratissait l'herbe
coupée. Dans les écuries, les palefreniers distribuaient le foin et nettoyaient les stalles. L'air était saturé d'odeurs familières de foin et de cheval.

McKenna était déjà là, il l'attendait à côté de la sellerie. Aline avait autant envie de courir vers lui que de détaler en sens inverse. Il eut un faible sourire. La jeune femme sentit qu'il était aussi nerveux qu'elle.

— Bonjour ! lança-t-elle.

Il lui offrit le bras.

— Descendons à la rivière.

Tout de suite, Aline comprit où il l'emmenait... dans ce petit coin qui leur avait toujours appartenu. Un endroit parfait pour faire ses adieux, songea-t-elle, lugubre.

Ils marchèrent en silence. L'aube couleur de lavande tournait lentement au jaune pâle. Leurs ombres s'étiraient sur la pelouse. Aline avait les genoux raides, comme chaque matin avant qu'elle n'assouplisse ses cicatrices en s'activant. Elle s'efforçait de marcher sans boiter, tandis que McKenna marquait le pas pour ne pas la devancer.

Ils atteignirent enfin leur clairière au bord de l'eau. Une bergeronnette dessina quelques cercles au-dessus des roseaux, avant de piquer pour se percher. Aline s'assit sur un gros rocher plat et disposa ses jupes avec soin, alors que McKenna restait debout à quelques mètres. Il se pencha pour ramasser quelques petits cailloux plats. Avec des gestes précis, il se mit à faire des ricochets. Elle le regardait faire, fascinée par sa haute silhouette, son profil viril, la gracieuse élégance de chacun de ses mouvements. Quand il se retourna un instant pour la regarder par-dessus son épaule, ses yeux pers étaient d'une couleur vive dans son visage bronzé.

— Tu sais ce que j'ai l'intention de te demander.

— Oui. Mais avant que tu ne commences à parler, je dois te dire que jamais…

— Non, écoute-moi jusqu'au bout, puis tu répondras. Il y a des choses que je dois te confier. Si difficile cela soit-il, j'ai l'intention de te parler en toute franchise. Autrement, je le regretterais toute ma vie.

Aline n'aurait pu entendre pire propos. La franchise ! La seule chose qu'elle était incapable de lui donner en retour.

— Je vais refuser, quoi que tu dises. Épargnons-nous les horreurs…

— Je ne vais épargner personne. C'est maintenant ou jamais. Aline, après mon départ, demain, je ne reviendrai pas.

— En Angleterre ?

— Non, vers toi.

McKenna se jucha sur un rocher et s'assit. Il se pencha pour poser les coudes sur ses cuisses. Il baissa la tête un moment, les rayons du soleil miroitaient dans ses cheveux noirs. Puis il la scruta d'un regard pénétrant.

— La malédiction de ma vie a été de me faire engager sur ce domaine. Dès le premier instant où je t'ai vue, j'ai senti qu'il y avait un lien entre nous : un lien qui n'aurait jamais dû exister, ni surtout durer. J'ai essayé de t'admirer à distance... comme les étoiles que je voyais dans le ciel et que je savais ne jamais pouvoir toucher. Mais nous étions trop jeunes et j'étais trop souvent avec toi pour garder mes distances. Tu étais mon amie, ma camarade... et plus tard, j'en suis venu à t'aimer plus fort qu'un homme n'a jamais aimé une femme. Cela n'a jamais changé en moi, même si je me suis menti des années. J'ai beau tenter de me convaincre du contraire, je t'aimerai toujours. Mais je ne suis qu'un roturier et un bâtard, alors que toi, tu es de haute noblesse...

— McKenna, coupa-t-elle, malheureuse, je t'en supplie...

— Mon seul but en revenant à Stony Cross était de te retrouver. C'était assez clair, j'imagine, car il n'y avait pas de raison concrète de profiter de l'hospitalité de ton frère. En l'occurrence, je n'avais même pas besoin de venir en Angleterre : Shaw se serait très bien débrouillé tout seul, je pouvais rester à New York. Mais j'avais besoin de prouver que mes sentiments à ton égard étaient vrais. J'avais fini par me convaincre que je ne t'avais jamais aimée... ou plutôt que tu représentais tout ce que je ne pourrais jamais avoir. J'ai pensé qu'une liaison avec toi dissiperait ces illusions, et que tu t'avérerais semblable aux autres femmes.

Il se tut un moment. Un oiseau chanta.

— Puis j'avais l'intention de rentrer à New York et de prendre femme. Là-bas, un homme dans ma situation, même s'il n'a ni nom ni famille, peut faire un beau mariage. Ce n'est pas compliqué. Mais à présent que je t'ai retrouvée, je me suis finalement rendu compte que tu n'avais jamais été une illusion pour moi. Mon amour pour toi a été la chose la plus forte de ma vie, et la plus authentique.

— Tais-toi, soupira Aline, les larmes aux yeux.

— Je te demande, avec toute l'humilité dont je suis capable, de m'épouser et de venir en Amérique. Une fois Westcliff marié, il n'aura plus besoin de toi comme maîtresse de maison. Tu n'auras plus vraiment ta place à Stony Cross Park. Mais si tu deviens ma femme, tu seras la reine de la bonne société newyorkaise. Je possède une véritable fortune, Aline, et l'espoir d'en tripler le montant d'ici à quelques années. Si tu me suis, je n'aurai de cesse de te rendre heureuse.

Il parlait de façon calme et méthodique, comme un homme qui joue sa vie entière sur un coup de dés.

— Évidemment, il va t'en coûter de quitter ta famille et tes amis, et l'endroit où tu as vécu depuis ta naissance. Mais tu pourras revenir en visite, la traversée prend douze jours à peine. Tu pourrais commencer une vie nouvelle avec moi. Dicte-moi tes conditions : je les accepte d'avance.

À chaque phrase, Aline se sentait sombrer plus profondément dans le désespoir. Un énorme poids lui écrasait la poitrine.

— Il faut me croire quand je te dis que nous n'avons aucune chance d'être heureux ensemble. Tu m'es cher, McKenna, mais je... je ne t'aime pas de cette façon, je ne saurais t'épouser.

— Tu n'es pas obligée de m'aimer. J'accepterai tout ce que tu pourras me donner.

— Non, McKenna.

Il s'avança jusqu'à elle, s'accroupit et prit sa main, qui était froide. Par comparaison, il avait les mains brûlantes.

— Aline, je t'aime assez pour deux. Et il y a en moi assez de qualités qui méritent d'être aimées. Si tu acceptais juste d'essayer...

Le besoin de dire toute la vérité la rendait folle. La simple idée de le faire emballait son cœur et des sueurs froides lui couraient sur toute la peau. Elle tenta de s'imaginer dévoilant ses hideuses cicatrices, là, tout de suite. Non. *Non*.

Elle se sentait prisonnière comme d'un filet, et tentait frénétiquement de se débarrasser des liens du passé.

— Ce n'est pas possible, dit-elle en agrippant le tissu de soie de sa robe.

— Pourquoi ?

Le ton était dur, mais la fragilité qu'il cachait était émouvante, à donner envie de pleurer. Aline savait ce que McKenna voulait, et ce dont il avait besoin : une compagne qui lui céderait volontiers, au lit comme ailleurs. Une femme qui serait fière de lui, et indifférente à sa basse condition. Jadis, elle aurait pu jouer ce rôle. Mais il était trop tard.

— Tu n'es pas de mon milieu. Nous le savons tous les deux.

C'était le seul argument susceptible de le convaincre. Tout américain qu'il était, McKenna était né anglais et il ne parviendrait jamais à se débarrasser de son complexe d'infériorité, forgé en dix-huit ans d'existence servile. Le fait de se l'entendre dire de la bouche d'Aline représentait la trahison suprême. Elle détourna la tête pour ne pas voir son expression. Elle avait l'impression de mourir intérieurement, de mettre son cœur en cendres.

— Mon Dieu, Aline !

— Je suis d'un autre sang, continua-t-elle d'une voix rauque. Ma place est ici, avec... avec lord Sandridge.

— Tu ne me feras pas croire que tu le prendrais plutôt que moi. En tout cas, pas après ce qui s'est passé entre nous, bon sang ! Tu m'as laissé te toucher d'une façon que tu ne lui as jamais permise.

— J'ai eu ce que je voulais. Et toi aussi. Après ton départ, tu comprendras que cela valait mieux.

McKenna lui serra la main plus fort. Puis il lui tourna la paume vers le haut, et posa sa joue dessus.

— Aline, j'ai peur de ce que je deviendrai si tu ne veux pas de moi...

La jeune femme avait mal à la gorge, à la tête. Soudain, ses larmes débordèrent. Elle arracha sa main de la sienne, alors que son seul désir était de la poser sur son sein.

— Ça ira, tu verras, promit-elle, essuyant de la manche son visage alors qu'elle s'éloignait sans se retourner. Ça ira, McKenna. Repars à New York, je ne veux pas de toi.

Mme Faircloth était en train de ranger les verres en cristal sur les étagères d'une annexe du cellier, dont elle seule avait la clef. On y enfermait les objets les plus précieux. La porte était entrouverte, elle sentit quelqu'un approcher à pas traînants. Elle suspendit sa tâche et reconnut sur le seuil la haute silhouette de McKenna, le visage dans l'ombre. Un poignant regret la saisit quand elle songea que c'était sans doute la dernière fois qu'il venait la voir.

McKenna lui avait offert de l'emmener en Amérique. L'invitation l'avait tentée mais, à son âge, on ne quitte pas ses racines.

Et il n'était pas question pour elle d'abandonner lady Aline, qu'elle chérissait tant et depuis si longtemps. Elle l'avait suivie de la naissance à l'âge adulte ; elle avait partagé ses joies, ses peines et même ses drames.

Mme Faircloth aimait beaucoup Livia et Marcus, mais elle avait toujours eu un faible pour Aline. Pendant ces heures terribles où celle-ci avait frôlé la mort, elle avait éprouvé le désespoir d'une mère sur le point de perdre son enfant. Les années suivantes, comme Aline était aux prises avec de terrifiants secrets et des rêves brisés, les liens qui les unissaient s'étaient renforcés. Elle était à la fois employée, conseillère, amie et mère : comment balayer toutes ces raisons de rester auprès d'elle ? Aussi longtemps qu'Aline aurait besoin d'elle, la gouvernante n'imaginait pas pouvoir la quitter.

— McKenna ! s'exclama-t-elle en l'accueillant dans la pièce.

La lampe jetait une lumière tranquille, éclairant ce visage qu'elle connaissait bien mais qui la troublait, comme la première fois où elle avait aperçu ce pauvre orphelin aux yeux pers si froids. Malgré son impassibilité, il était en proie à une fureur et à un chagrin absolus, trop profonds pour être exprimés avec des mots. Il restait là, debout à la regarder, ne sachant ce qu'il voulait. Simplement, il n'avait nul autre endroit où aller.

Pour Mme Faircloth, une chose était claire : il ne pouvait avoir qu'une raison d'être aussi défait. Elle ferma vivement la porte. Nul domestique à Stony Cross Park ne la dérangerait une fois cette porte close, à moins qu'il n'y ait le feu au château.

Elle se retourna et lui ouvrit les bras. McKenna s'approcha d'elle, ses cheveux noirs se posèrent sur la douce épaule de la gouvernante, et il éclata en sanglots.

Aline ne garda du reste de la journée qu'un souvenir vague. Elle fit son devoir de maîtresse de maison de façon automatique, avec un mot ou un sourire pour chacun, sans vraiment remarquer ce qu'elle disait. Livia eut la gentillesse de se multiplier pour accaparer l'attention, afin de décharger son aînée.

Quand on remarqua que McKenna n'était pas au grand dîner de départ des Américains, Gideon Shaw l'excusa d'un ton léger.

— Bah, il met nos affaires en ordre avant son départ demain. Je lui ai d'ailleurs donné une longue liste.

Avant que les questions ne fusent, Gideon stupéfia l'assistance en révélant que, au lieu de rentrer à New York avec McKenna, il restait à Londres pour diriger le bureau qu'il venait de créer.

Malgré son égarement, Aline mesura l'importance de la nouvelle. Elle glissa un coup d'œil rapide à Livia, qui se concentrait sur la dissection d'une pomme de terre en microscopiques lamelles. Elle avait beau faire semblant de ne pas s'intéresser à la conversation, elle était trahie par la couleur de ses joues.

Aline comprit que Gideon restait pour Livia. Elle se demanda à quel genre d'accord ils étaient parvenus.

Marcus, qui siégeait en bout de table, se posait manifestement la même question.

— Londres a de la chance que vous restiez, monsieur Shaw, observa-t-il. Puis-je savoir où vous résiderez ?

Gideon répondit avec le sourire étrange d'un homme qui vient de découvrir sur son propre compte quelque chose d'inattendu.

— Je reste au Rutledge jusqu'au début des travaux, après quoi je louerai un appartement convenable.

— Permettez-moi de vous proposer mon aide, continua Marcus, toujours courtois.

Il était évident qu'il souhaitait maîtriser la situation d'aussi près que possible.

— Je puis glisser un mot à des gens bien placés pour vous faciliter les choses, précisa-t-il.

— Je n'en doute pas une seconde, répliqua Gideon avec un pétillement enjoué dans le regard, montrant qu'il avait percé à jour les véritables intentions de Marcus.

— Mais il faut absolument que tu rentres à New York ! s'écria soudain Susan Chamberlain en foudroyant son frère du regard. Gideon, tu ne peux tout de même pas abandonner tes responsabilités ! Qui va veiller sur les intérêts de la famille, prendre les décisions et…

Elle se tut brusquement.

— Ah non ! Ne me dis pas que tu as confié à ce docker les intérêts de la famille ! Espèce de pochard irresponsable !

— Je suis à jeun, rétorqua Gideon, affable. Les procurations sont rédigées et signées : il ne te reste que tes yeux pour pleurer, sœurette. McKenna est parfaitement introduit auprès de toutes nos relations d'affaires, et lui seul est renseigné sur nos comptes et nos contrats. Il a carte blanche : laisse-le faire et détends-toi, tu es en de bonnes mains.

Bouillonnant sous l'affront, Susan Chamberlain empoigna son verre et le vida d'un trait, tandis que son mari – toujours aussi courageux – bredouillait de vagues apaisements.

Gideon Shaw continua tranquillement son repas, sans se soucier de l'émoi qu'il venait de soulever. Au moment de saisir son verre d'eau, il croisa le regard de Livia, qui lui adressa un faible sourire.

— J'espère, monsieur Shaw, que nous aurons de temps en temps le plaisir de vous voir, murmura Aline.

Le bel Américain demeura impénétrable.

— Ce serait avec plaisir, milady. Toutefois, je vais être très occupé pendant un bon moment.

— Je comprends, acquiesça Aline.

Elle prit à son tour son verre d'eau, le leva discrètement comme pour porter un toast, et son invité répondit d'un signe de tête reconnaissant.

Aline n'était pas lâche au point de rester tapie dans sa chambre pour éviter McKenna... bien que cette perspective ne fût pas sans attrait. Les mots qu'il avait prononcés la veille l'avaient terrassée. Elle savait à quel point son rejet était inexplicable : la seule issue qu'elle lui laissait, c'était de croire qu'il lui était désormais indifférent. L'éventualité de le rencontrer au matin était insupportable... mais elle tenait à lui dire au revoir.

Le hall et la cour grouillaient de domestiques et d'invités sur le départ. Une rangée de voitures stationnaient dans l'allée : on y chargeait sacs, coffres, malles et cartons.

Aline et Marcus sillonnaient la foule, accompagnant les invités jusqu'aux voitures. Livia se faisait remarquer par son absence. Aline la soupçonna de faire ses adieux à Gideon Shaw en particulier.

D'après ce que sa sœur lui avait révélé en quelques mots le matin même, Gideon et elle avaient décidé de ne plus se voir durant plusieurs mois, afin de laisser à l'Américain le temps et la tranquillité dont il avait besoin pour sortir de son alcoolisme. Ils étaient néanmoins convenus de correspondre pendant cette séparation : la cour qu'il faisait à Livia continuerait donc sur le papier. Aline trouvait l'idée excellente, et touchante.

— J'ai l'impression que vous faites tout à l'envers, vous deux. En général, une liaison commence par une correspondance, puis davantage si affinités. Tandis que M. Shaw et toi…

— … nous avons commencé sur l'oreiller, et nous continuons par correspondance, avait achevé Livia d'un ton sec. Oui, nous autres les Marsden, nous ne faisons rien comme tout le monde, n'est-ce pas ?

— Exact, avait confirmé Aline, heureuse de s'être réconciliée avec sa petite sœur. Je suis curieuse de savoir ce que deviendront vos relations, en les limitant à un échange de lettres pendant une longue période.

— Moi aussi, cela m'intéresse. Il me sera plus facile de démêler mes sentiments vis-à-vis de Gideon en communiquant uniquement par le cœur et l'esprit, sans le brouillard créé par la passion.

Elle avait réfléchi un instant et souri en rougissant.

— Mais celle-ci me manquera, je ne te le cache pas…

Aline fixait un point lointain par la fenêtre. Elle avait songé, rêveuse, combien lui manqueraient à elle aussi les joies que l'on trouve dans les bras d'un homme.

— Cela finira bien, avait-elle conclu. Je nourris les plus grands espoirs à propos de toi et de M. Shaw.

— Et McKenna et toi ? Est-ce que tu nous laisses la moindre raison d'espérer ?… Bon, tant pis : je n'aurais pas dû poser la question. Je m'étais promis de ne pas aborder le sujet. Dorénavant je tiendrai parole, même si la curiosité me dévore…

Aline fut ramenée au présent en avisant un valet de pied, Peter, qui avait le plus grand mal à hisser un énorme coffre à l'arrière d'une voiture. C'était pourtant un garçon robuste, mais la malle bardée de ferrures était trop lourde pour lui. Le fardeau glissa et Peter faillit partir à la renverse. Deux invités, M. Cuyler et M. Chamberlain, remarquèrent les déboires du valet, mais il ne leur vint pas à l'esprit de lui prêter main-forte. Ils s'écartèrent du véhicule tout en continuant à bavarder, surveillant du coin de l'œil les vains efforts de Peter.

Aline jeta un regard autour d'elle, à la recherche d'un autre domestique pour aider le valet. Avant qu'elle n'ait dit mot à quiconque, McKenna survint, se plaça à l'arrière de la voiture et cala son épaule sous la malle. Ses muscles saillants étaient nettement visibles contre les coutures de son habit tandis qu'il forçait le coffre à prendre sa place. Il le maintint alors que Peter grimpait lestement pour bloquer le fardeau avec une sangle de cuir.

Cuyler et Chamberlain se détournèrent pudiquement, gênés de voir un invité aider un domestique dans sa tâche. En vérité, la force physique remarquable de McKenna jouait contre lui : elle trahissait le fait qu'il avait autrefois exercé des activités incompatibles avec l'état de gentleman.

Enfin, la malle fut amarrée et le valet de pied le remercia d'un bref signe de tête. Aline se dit que, si McKenna n'avait jamais quitté Stony Cross, il serait certainement parvenu à la place de Peter : valet de pied. Et, pour elle, cela n'aurait pas eu la moindre importance. Elle l'aurait aimé où qu'il aille et quoi qu'il fasse.

Sentant son regard, McKenna leva les yeux et les détourna tout de suite. Il demeura un moment immobile, le visage fermé, puis se résolut à croiser de nouveau son regard. Elle en eut la chair de poule. Il semblait glacial. La passion qu'il éprouvait pour elle se transformait en hostilité.

Bientôt, il la haïrait, si ce n'était déjà le cas.

Il vint à elle. Ils restèrent face à face, tandis que de petits groupes de personnes bavardaient et circulaient autour d'eux. Au prix d'un immense effort, Aline leva le menton et le regarda dans les yeux. Ses iris turquoise si exotiques étaient en partie mangés par la noirceur des pupilles. Il était pâle sous sa peau hâlée, et sa vitalité proverbiale paraissait étouffée par son humeur sinistre.

— Je ne te souhaite que du bien, McKenna.

— Moi aussi, je te souhaite le meilleur.

— J'espère que tu feras une agréable traversée.

— Merci.

Maladroite, Aline lui tendit la main. McKenna ne la prit pas. Elle allait la retirer quand il la saisit et la porta à ses lèvres. Il avait la bouche fraîche et sèche.

— Au revoir, murmura-t-il.

La jeune femme, la gorge nouée, demeura silencieuse et tremblante, la main en l'air. Elle referma lentement les doigts, posa son poing contre son estomac et se détourna, comme aveuglée.

Elle sentit qu'il la suivait des yeux pendant qu'elle partait. Elle gravit les marches du perron devant l'entrée.

Ses affreuses cicatrices lui tiraient la peau, brûlure persistante qui lui faisait monter des larmes de rage.

19

Après le départ des invités, Aline alla se changer, enfila une robe d'intérieur plus confortable et se rendit au petit salon. Elle se pelotonna dans l'angle d'un profond canapé et resta des heures les yeux dans le vague. Malgré la chaleur du jour, elle frissonnait sous un plaid, elle avait les doigts et les orteils glacés. Sur sa demande, une bonne fit du feu dans la cheminée et lui apporta une théière brûlante.

Mais rien ne pouvait la réchauffer.

Les domestiques s'activaient dans les chambres, montaient et descendaient les escaliers. On remettait le manoir dans son état initial, la maison reprenait son rythme habituel. Aline avait plusieurs choses à faire. Il fallait dresser l'inventaire général, voir avec Mme Faircloth quelles chambres il fallait fermer, faire la liste des courses pour le marché. Mais elle n'arrivait pas à s'arracher à la stupeur qui s'était abattue sur elle. Elle se donnait l'impression d'être une pendule en panne, glacée et inutile.

Elle sommeilla par intermittence sur le canapé, jusqu'à ce que le feu baisse. La vive lumière du soleil, qui se glissait entre les rideaux à demi tirés, fit place aux rougeurs du couchant. Un léger bruit l'éveilla et elle s'étira à contrecœur. Ouvrant des yeux bouffis de sommeil, elle constata que Marcus était entré dans la pièce. Debout près de la cheminée, il la regardait.

— Que veux-tu ? demanda-t-elle, l'air renfrogné.

Elle s'assit et se frotta les yeux. Marcus alluma une lampe.

— Mme Faircloth m'a dit que tu n'avais rien mangé de la journée.

— Je suis fatiguée. Je prendrai quelque chose plus tard.

— Tu as une mine de déterrée.

— Merci. Je te l'ai dit, je suis lasse. J'ai besoin de sommeil, c'est tout.

— Mais tu as dormi presque tout le jour. Et cela ne t'a guère fait de bien...

— Mais que veux-tu, à la fin ?

Il enfonça les mains dans les poches de son habit, comme chaque fois qu'il réfléchissait. Finalement, il regarda les jambes de sa sœur, dont on distinguait la silhouette sous les multiples plis de ses jupes de mousseline bleu marine.

— Je suis venu te demander quelque chose.

— Quoi ?

— Je voudrais les voir.

— Mes jambes ?

— Oui, dit-il, impassible, en s'asseyant lui aussi sur le canapé.

Jamais il n'avait formulé pareille requête. D'où venait sa curiosité après tant d'années ? Aline ignorait ses motivations, mais elle était trop épuisée pour faire le tri des émotions qui l'assaillaient. Que risquait-elle ? Avant qu'elle n'y réfléchisse à deux fois, elle se débarrassa de ses pantoufles. Sous sa robe, ses jambes étaient nues. Elle les posa sur les coussins du canapé, hésita une seconde, puis remonta l'ourlet de ses jupes et ses jupons jusqu'aux genoux.

À la vue de ses jambes, Marcus n'eut pas de réaction particulière. Il examina l'enchevêtrement noueux des cicatrices, les taches sur la peau et les pieds d'une blancheur incongrue. La jeune femme, qui essayait de lire sur le visage de son frère ce qu'il ressentait, retint sa respiration jusqu'à ce que ses poumons la brûlent. Puis elle eut un long soupir.

— Oui, ce n'est pas très joli, admit-il enfin. Mais je m'attendais à pire.

Il prit les jupes et recouvrit les jambes de sa sœur.

— Souvent, les choses que l'on n'a pas vues prennent dans l'imagination plus d'importance qu'elles n'en ont en réalité.

Aline observa avec curiosité cet homme énergique et protecteur, souvent exaspérant, ce frère qu'elle chérissait tendrement. Quand ils étaient enfants, ils étaient des étrangers l'un pour l'autre mais, depuis la mort de leur père, Marcus s'était conduit en homme honorable et prévenant. Comme elle, il était indépendant à l'excès, étonnamment secret. Mais, à la différence de sa sœur, il se montrait toujours d'une honnêteté intransigeante, même si la vérité était difficile à formuler.

— Pourquoi as-tu souhaité les voir aujourd'hui ?

— Je n'ai jamais su quelle attitude adopter à propos de ton accident, sauf bien sûr pour maudire le jour où il est arrivé. C'est plus fort que moi, j'ai toujours eu l'impression d'avoir failli envers toi. Le fait de voir tes jambes dans cet état, et de savoir que je n'ai rien pu faire, est très douloureux pour moi.

— Par tous les saints, Marcus, comment aurais-tu pu empêcher cet accident de se produire ? Il ne faut pas pousser le sens des responsabilités trop loin, tu ne crois pas ?

— J'ai choisi de n'aimer que quelques personnes en ce monde, mais Livia et toi êtes au-dessus de toutes. Je donnerais ma vie pour vous éviter la moindre souffrance.

Aline lui sourit. Malgré ses résolutions, elle ne put s'empêcher de poser la question qui lui brûlait les lèvres.

— Marcus, si tu aimais une femme, est-ce que des cicatrices pareilles t'empêcheraient de...

— Non, coupa-t-il sans hésiter. Non, elles n'empêcheraient rien du tout.

Elle se demanda s'il était sincère. Essayait-il de la protéger en disant cela pour lui faire plaisir ? Non, Marcus n'était pas homme à mentir par gentillesse.

— Tu ne me crois pas ? s'enquit-il.

— Si, je veux te croire.

— Tu as tort d'imaginer que j'exige la perfection chez une femme. Je suis un homme, donc je suis sensible à la beauté physique, mais je n'en fais pas une condition *sine qua non*. Ce serait hypocrite, surtout de la part d'un homme qui est lui-même loin d'être beau.

Aline, surprise, étudia les traits réguliers de son frère, son menton énergique, ses yeux noirs et intelligents sous des sourcils bien dessinés.

— Tu es séduisant. Peut-être pas de la même façon que M. Shaw, par exemple... mais rares sont les hommes qui le sont.

— Crois-moi, cela ne change rien. Je n'ai jamais eu l'impression que mon physique me desservait d'une façon ou d'une autre. C'est pourquoi je pense avoir vis-à-vis de la beauté physique un point de vue équilibré. Un point de vue hors de portée de quelqu'un d'exceptionnellement beau, comme toi.

Aline fronça les sourcils. Il poursuivit :

— Ce doit être difficile pour une femme aussi belle que toi de penser qu'une partie d'elle-même est honteuse, et doit être cachée. Tu n'en as jamais pris ton parti, n'est-ce pas ?

La jeune femme posa la tête sur l'accoudoir du canapé avant de répondre.

— Mes cicatrices, je les hais. Pas une seconde ne passe sans que je souhaite en être débarrassée. Mais il n'y a rien à faire.

— Exactement comme McKenna : quoi qu'il fasse, il ne peut changer ses origines.

— Si tu essaies de faire une comparaison, Marcus, tu perds ton temps. Pour moi, les origines de McKenna n'ont jamais compté. Il n'y a rien au monde qui pourrait m'empêcher de l'aimer.

— Eh bien, ne penses-tu pas qu'il pourrait considérer les choses de la même façon, en ce qui concerne tes jambes ?

— Je ne sais pas.

— Pour l'amour du Ciel, dis-lui la vérité. Ce n'est vraiment pas le moment de laisser ta vanité avoir le dessus.

— Cela n'a rien à voir avec de la vanité !

— Enfin ! Tu ne supportes pas l'idée que McKenna te sache imparfaite. Si ce n'est pas de la vanité, c'est quoi ?

— Ce n'est pas si simple.

— Peut-être que le problème n'est pas simple, concéda le comte. Mais la solution l'est. Comporte-toi comme l'adulte que tu es censée être : reconnais le fait que tu as des défauts physiques, et donne à ce pauvre diable l'occasion de prouver qu'il est capable de t'aimer quand même.

— Tu es insupportable, monsieur Je-sais-tout ! s'étrangla-t-elle en se retenant de le gifler.

— Va le trouver, Aline. Ou j'irai moi-même.

— Tu ne ferais pas ça !

— Ma voiture est prête. Je pars pour Londres dans cinq minutes, avec ou sans toi.

— Pour l'amour de Dieu ! explosa-t-elle. Cela ne te fatigue jamais de dire tout le temps aux gens ce qu'ils ont à faire ?

— Franchement, non.

Aline était partagée entre le rire et l'exaspération.

— Jusqu'à ce jour, tu as remué ciel et terre pour entraver ma relation avec McKenna. Pourquoi as-tu changé d'avis ?

— Parce que tu as trente et un ans et que tu es vieille fille. J'ai réalisé que c'était la seule solution pour me débarrasser de toi.

Marcus, hilare, se baissa pour éviter la gifle de sa sœur, puis l'étreignit des deux bras.

— Et, accessoirement, parce que je veux que tu sois heureuse.

Le nez contre l'épaule de son frère, Aline avait les larmes aux yeux.

— J'avais peur que McKenna ne te fasse du mal, poursuivit-il. Je pense que c'était son intention au début. Mais il n'a pu mettre ce projet à exécution. Même en sachant que tu l'avais trahi, il n'a pu s'empêcher de t'aimer. Quand il est parti aujourd'hui, il semblait en quelque sorte... détruit. Et j'ai compris une chose : il a toujours eu plus à craindre de toi que toi de lui. J'ai fini par avoir pitié de ce pauvre bougre, par solidarité masculine en somme : tout homme vit dans la terreur d'être blessé de la sorte.

Marcus sortit un mouchoir de sa poche.

— Tiens, avant que tu n'abîmes mon habit.

Aline se moucha bruyamment. Elle se sentait terriblement vulnérable, comme s'il insistait pour la faire sauter d'une falaise.

— Tu te rappelles la fois où tu m'as dit que tu n'aimais pas prendre de risques ? Eh bien, moi non plus.

— Si ma mémoire est bonne, répondit-il avec douceur, je parlais de risques *inutiles*. Mais celui dont nous parlons est nécessaire, n'est-ce pas ?

La jeune femme savait pertinemment qu'elle passerait le reste de ses jours dévorée de regrets, quelle que soit la façon dont elle allait résoudre le dilemme actuel. Elle ne trouverait pas davantage de paix qu'elle n'en avait goûté depuis douze ans. Ayant compris cela, elle éprouva une sorte de terreur, mêlée à de la jubilation.

Un risque nécessaire…

— Je viens à Londres, trancha-t-elle. Laisse-moi quelques minutes pour mettre des vêtements de voyage.

— Nous n'avons pas le temps.

— Mais je ne suis pas en tenue pour me montrer en public…

— Nous avons tout juste le temps de rejoindre le vapeur avant qu'il n'appareille.

Galvanisée par cet argument, elle se hâta d'enfiler ses pantoufles.

— Marcus, tu as intérêt à ce que nous arrivions à temps.

Malgré le conseil de son frère de dormir durant le trajet, Aline ne réussit pas à fermer l'œil de la nuit.

Elle se demandait si elle allait parvenir à intercepter McKenna avant que le *Britannia* ne parte pour l'Amérique. De temps en temps, le silence était rompu par les ronflements de Marcus, qui sommeillait sur le siège opposé.

Un peu avant l'aube, le sommeil eut raison d'elle. Elle s'endormit assise, la joue contre le rideau de velours qui doublait la paroi. Plongée dans un néant sans rêve, elle s'éveilla avec difficulté quand elle sentit une main secouer son épaule.

— Quoi ? maugréa-t-elle.

— Ouvre les yeux. Nous sommes sur les quais.

Aline s'assit tant bien que mal, tandis que Marcus frappait à la portière de la voiture. Le valet de pied, Peter, qui ne semblait pas non plus très frais, l'ouvrit de l'extérieur. Aussitôt, des odeurs inconnues les assaillirent, un mélange de poisson, de charbon et de tabac. Il y avait le cri des mouettes et le bruit des conversations. On criait des ordres de toute part : « Larguez partout ! », « Soulage ! », « Envoyez ! » et autres phrases incompréhensibles.

Marcus descendit de voiture et Aline écarta une mèche égarée tout en se penchant pour regarder.

Les quais grouillaient d'activité. Une forêt de mâts s'étendait des deux côtés du chenal. Il y avait des allèges chargées de charbon, des vapeurs, et trop de navires de commerce pour qu'on puisse les compter. Des équipes de dockers trapus, ruisselants de sueur, déplaçaient des ballots avec leurs crochets. Des caisses, tonneaux et paquets de toute sorte entraient et sortaient des entrepôts. Des grues en fer gigantesques ne cessaient d'osciller ; chacune avait une flèche métallique guidée par deux hommes pour vider de leur cargaison les cales des navires à quai. C'était un travail brutal, pour ne pas dire dangereux. Aline restait rêveuse en songeant que McKenna avait autrefois gagné sa vie de cette façon.

Au bout du quai, un four servait à brûler les ballots de tabac saisis par la douane. Sa longue cheminée vomissait une épaisse colonne de fumée bleue.

— Ils appellent ça la pipe de la reine, indiqua Marcus en suivant le regard d'Aline.

Après la rangée des hangars, à l'extrémité du quai, elle repéra un énorme vapeur en bois. Il mesurait largement soixante mètres de longueur.

— Est-ce le *Britannia* ?

— Oui. Je vais envoyer quelqu'un chercher McKenna.

Aline ferma les yeux et imagina la tête qu'il allait faire en recevant la nouvelle. Étant donné les dispositions dans lesquelles il se trouvait, il risquait de mal prendre la chose.

— Peut-être devrais-je monter moi-même à bord ?

— Non. Ils sont sur le point de larguer les amarres, je n'ai pas envie de te laisser traverser l'Atlantique.

— Si McKenna rate l'appareillage à cause de moi, il me tuera.

— Écoute, ils risquent de relever l'échelle de coupée, pendant que nous sommes là à nous chamailler. Veux-tu lui parler, oui ou non ?

— Oui !

— Alors ne bouge pas de la voiture. Peter et le cocher vont s'occuper de toi. Je reviens.

— Peut-être refusera-t-il de débarquer. Je lui ai vraiment fait mal, tu sais…

— Il viendra, de gré ou de force.

Aline eut un timide sourire en regardant Marcus partir d'un pas décidé, prêt à se battre contre un adversaire qui avait pratiquement une tête de plus que lui.

Elle se cala au fond de la voiture et ouvrit le rideau. Un peu plus loin, un policier du port montait la garde en faisant les cent pas devant des barils de sucre, empilés sur sept ou huit niveaux. Tandis qu'elle patientait, elle songea qu'elle avait l'air d'avoir traversé une haie à reculons, avec ses vêtements chiffonnés et sa chevelure en bataille. Elle ne portait même pas de vraies chaussures. Quelle image donnait-elle d'une aristocrate de passage en ville ? Elle glissa les orteils dans ses mules brodées.

En quelques minutes, la température dans la voiture devint étouffante. Aline se dit que mieux valait l'odeur du port que l'atmosphère confinée du véhicule. Elle allait frapper pour attirer l'attention de Peter, quand la portière s'ouvrit à la volée. Elle sursauta et resta le poing en l'air.

McKenna apparut dans l'encadrement. Ses larges épaules masquaient la lumière de l'extérieur. Il lui empoigna brutalement le bras, comme s'il voulait l'empêcher de tomber.

Aline grimaça de douleur. Était-ce cette sombre brute qui l'avait couverte de baisers si tendres ?

— Qu'est-ce que tu as ? As-tu vu un docteur ?

— Un docteur ? répéta-t-elle, éberluée. Et pourquoi diable ?

— Tu n'es pas malade ?

— Mais non, quelle idée ! dit-elle en se tournant vers son frère. Marcus, qu'est-ce que tu lui as raconté ?

— C'était le seul moyen de le faire débarquer, expliqua le comte sans une ombre de remords.

Elle foudroya son frère du regard. Comme si la situation n'était pas assez compliquée, Marcus avait trouvé le moyen de s'attirer davantage l'hostilité de McKenna. Il s'écarta de quelques pas pour laisser les amoureux s'expliquer.

— Pardon, implora Aline. Mon frère t'a menti : je ne suis pas malade. La raison pour laquelle je suis ici est que j'ai désespérément besoin de te parler.

— Nous n'avons plus rien à nous dire.

— Si ! Avant-hier, tu m'as dit que tu allais me parler honnêtement car, dans le cas contraire, tu le regretterais jusqu'à ton dernier soupir. J'aurais dû faire de même. J'ai voyagé toute la nuit afin de te joindre avant ton départ d'Angleterre. Je te demande – ou plutôt je te supplie de me laisser une chance de m'expliquer.

— Ils vont retirer la passerelle. Si je ne rembarque pas dans les cinq minutes, ma malle et mes papiers partiront sans moi : je me retrouverai juste avec mes habits sur le dos.

Aline, désespérée, se mordait l'intérieur des joues.

— Dans ce cas, j'embarque avec toi.

— Et tu vas traverser l'Atlantique sans même une brosse à dents ?

— Oui.

McKenna, austère comme un mur, la dévisagea sans mot dire. Aline, incapable de prévoir sa réaction, cherchait les mots justes pour le convaincre… Puis elle remarqua une veine sur sa tempe qui palpitait. Elle reprit espoir : elle ne lui était pas indifférente.

Peut-être que la seule façon d'apaiser son honneur bafoué était de se montrer plus humble. Elle baissa la garde et continua avec une modestie nouvelle pour elle :

— Je t'en prie. Si tu as encore le moindre sentiment pour moi, n'embarque pas. Je te jure de ne plus jamais rien te demander. S'il te plaît, laisse-moi te dire toute la vérité…

Nouveau silence, insoutenable. Enfin, McKenna trancha.

— Tu es insupportable ! siffla-t-il entre ses dents.

Aline comprit, avec un soulagement étourdissant, qu'il acceptait.

— Nous allons à Marsden Terrace ?

— Non ! Je n'ai pas envie d'avoir ton frère collé à mes basques. Il n'a qu'à y aller tout seul. Nous, nous allons au Rutledge, dans la suite de Shaw.

Aline n'osa ajouter un mot, de peur de le voir changer d'avis. Elle acquiesça d'un signe de tête et se cala sur son siège, le cœur battant à lui défoncer les côtes.

McKenna donna ses instructions au cocher et monta en voiture, suivi par Marcus. Celui-ci n'était qu'à moitié ravi, car il aurait préféré surveiller les événements de plus près. Toutefois, il s'abstint de protester, s'assit à côté de sa sœur et croisa les bras.

La voiture quitta les quais. Personne ne desserra les lèvres. Aline était fort mal installée, ses jambes raides la démangeaient, la migraine la tenaillait. Quant à McKenna, il était aimable comme une porte de prison. Elle n'était pas encore sûre de ce qu'elle allait lui dire : elle tenait à lui révéler la vérité, mais elle ne voulait surtout pas provoquer sa pitié ou son dégoût.

Marcus la sentait si inquiète qu'il lui prit les doigts avec affection. Le geste n'échappa pas à McKenna.

— Alors, qu'est-ce que tu attends pour t'expliquer ? lança-t-il d'un air méfiant.

— Un peu plus tard, si cela ne t'ennuie pas.

— Pardi ! J'ai tout mon temps, maintenant.

Cette ironie déplut à Marcus.

— Écoute un peu, McKenna…

— Ça va, coupa Aline en faisant taire son frère d'une bourrade. Tu m'as bien aidée, laisse-moi me débrouiller à présent.

— Quoi qu'il en soit, je déplore que vous descendiez dans un hôtel sans être accompagnés d'un membre de la famille, ni même d'un domestique. C'est prêter le flanc aux ragots et je ne…

— Je me moque des ragots, décréta Aline.

Marcus eut un vague grognement et se tut.

La jeune femme eut l'impression que le trajet durait des heures. Enfin, la voiture vint se ranger dans une ruelle, derrière l'une des quatre maisons composant l'hôtel Rutledge. Aline attendit que McKenna descende de voiture et l'aide à mettre pied à terre. Elle eut un dernier regard pour Marcus. Celui-ci la vit si désespérée qu'il la rassura d'un hochement de tête, puis il apostropha rudement McKenna :

— Attends. J'ai deux mots à te dire.

McKenna, le visage de marbre, s'immobilisa.

— Quoi, encore ?

Marcus tourna le dos à Aline et parla de sorte qu'elle ne l'entende pas.

— J'espère avec ferveur que je ne t'ai pas surestimé, McKenna. Quelle que soit l'issue de ta conversation avec ma sœur, comprends bien une chose : si tu lui fais le moindre mal, tu le paieras de ta vie. Et je pèse mes mots.

Exaspéré, McKenna lâcha quelques jurons, rejoignit Aline puis l'entraîna vers la porte de derrière où le valet de pied avait déjà frappé. Le laquais de Gideon Shaw tressaillit.

— Monsieur McKenna ! s'exclama-t-il. Je croyais que votre bateau avait déjà appareillé…

— En effet, il est parti.

— Si c'est M. Shaw que vous cherchez, sir, il est aux bureaux de la compagnie.

— Ne le dérange pas. J'ai simplement besoin de sa suite quelques minutes. Que l'on ne nous dérange pas.

Avec un tact admirable, le laquais n'eut même pas un coup d'œil pour Aline.

— Bien, sir.

D'un geste brusque, McKenna fit entrer la jeune femme dans cette belle résidence meublée de bois sombre. Les murs étaient couverts de papier peint gaufré couleur prune. Ils allèrent au salon, qui jouxtait la chambre. On avait ouvert les lourdes tentures de velours. Seuls de légers voilages en dentelle filtraient les rayons du soleil qui inondaient la pièce.

Aline était au bord de la crise de nerfs. Elle se mit à trembler, au point de claquer des dents. Elle s'assit dans un énorme fauteuil de cuir, un véritable trône. Après une longue pause, McKenna l'imita et attendit, glacial. Sur le manteau de la cheminée, on entendait le tic-tac lancinant d'une vieille pendulette.

Elle se sentait brusquement vide de toute pensée. Pendant le trajet en voiture, elle était parvenue à structurer un discours cohérent mais, au moment critique, ses phrases mûrement réfléchies l'abandonnaient. Nerveuse, elle s'humecta les lèvres du bout de la langue.

Il fronça les sourcils.

— Je t'écoute.

Aline inspira puis expira profondément et se tamponna le front.

— Oui. Pardon. Je ne sais pas très bien par où commencer. Je suis heureuse que l'occasion se présente enfin de te dire la vérité, sauf que... Mon Dieu, que c'est difficile ! Je suis meilleure comédienne que je ne le croyais, si j'ai réussi à te convaincre que tes origines sociales comptaient pour moi. Rien n'est moins vrai. Les circonstances de ta naissance, tes origines, ton nom même, je m'en fiche et m'en contrefiche. Tu serais clochard que cela me serait indifférent. Je ferais n'importe quoi, j'irais au bout du monde, juste pour être avec toi.

Ses mains se crispèrent sur les accoudoirs, au point de creuser de petits croissants dans le vieux cuir avec ses ongles. Elle ferma les yeux.

— Je t'aime, McKenna. Je t'ai toujours aimé.

La pendule continuait sa cadence obsédante. Tout en parlant, Aline avait l'impression étrange de s'entendre elle-même, de loin.

— Ma liaison avec lord Sandridge n'est pas ce que l'on croit. Les apparences évoquent peut-être des sentiments amoureux – et cela nous rend bien service, tant à lui qu'à moi-même – mais les apparences sont trompeuses. Il n'a pour moi nul désir physique. Il en est d'ailleurs totalement incapable, car... il n'a d'inclination que pour les hommes. Il m'a même demandé ma main pour les avantages pratiques que cette solution présenterait. Un contrat entre amis, en somme. J'ai failli me laisser convaincre, mais j'ai fini par refuser, juste avant ton retour de Londres.

Elle rouvrit les yeux et posa le regard sur ses genoux. Ses idées commençaient à s'éclaircir. Le moment était venu de dire le plus dur, de se rendre vulnérable vis-à-vis de cet homme capable de la détruire d'un seul mot. Un homme qui avait toutes les raisons d'être furieux de la façon dont elle l'avait traité.

— Quant à cette maladie d'autrefois... tu avais raison de soupçonner que je te mentais. Ce n'était pas une fièvre. J'ai été victime d'un incendie et gravement brûlée. J'étais dans la cuisine avec Mme Faircloth, quand une poêle pleine d'huile a mis le feu au panier de charbon, près du fourneau. Je ne me souviens de rien d'autre. On m'a dit que mes vêtements se sont embrasés en un instant, j'ai été couverte par les flammes. Je me suis enfuie en courant, un valet de pied m'a jetée à terre et a étouffé les flammes. Il m'a sauvé la vie. Tu le connais, d'ailleurs : William. Je crois qu'il était second valet de pied alors que tu étais encore à Stony Cross.

De nouveau, elle prit une profonde inspiration. Elle tremblait moins, elle maîtrisait à présent sa voix.

— Mes jambes ont été affreusement brûlées.

McKenna n'était plus vautré dans son fauteuil. Il était penché en avant, tendu. Ses yeux turquoise flamboyaient.

Aline esquiva son regard. Si elle le regardait, elle ne pourrait finir.

— J'étais dans un cauchemar dont je ne pouvais me réveiller. Quand mes brûlures ne me torturaient pas, je délirais sous l'effet de la morphine. Les blessures se sont infectées et m'ont empoisonné le sang. Le médecin ne me donnait pas une semaine à vivre. Mais Mme Faircloth a déniché une guérisseuse qui a un don particulier. Moi, je ne voulais pas guérir : j'appelais la mort de mes vœux. Puis Mme Faircloth m'a montré la lettre.

À ce souvenir, elle se tut. Cet instant resterait à jamais gravé dans sa mémoire : quelques mots griffonnés sur un bout de papier, des mots qui l'avaient ramenée du seuil de la mort.

— Quelle lettre ? s'enquit McKenna d'une voix étranglée.

— Celle que tu lui avais envoyée... où tu demandais de l'argent pour rompre ton contrat d'apprentissage et t'enfuir de chez M. Ilbery. Mme Faircloth m'a lu la lettre... Le fait d'entendre les mots que tu avais écrits m'a fait comprendre que tant que tu serais de ce monde, j'aurais le désir de vivre.

Aline avait les yeux emplis de larmes. Elle battit des paupières pour s'éclaircir la vue.

McKenna se leva avec une sorte de grognement, vint jusqu'à son fauteuil et s'accroupit devant elle. Il haletait comme s'il venait de recevoir un coup en pleine poitrine.

— Je n'aurais jamais cru que tu reviendrais, poursuivit-elle. Je ne voulais surtout pas que tu apprennes mon accident. Mais, une fois que tu t'es installé à Stony Cross, j'ai décidé que le fait d'être près de toi – ne serait-ce qu'une nuit – valait tous les risques. C'est pourquoi... le soir de la fête au village...

Respirant lourdement, McKenna saisit l'ourlet de sa robe. Elle se pencha vivement et lui saisit les poignets.

— Attends !

Il s'immobilisa, les muscles de ses épaules tendus à se rompre.

— Les cicatrices de brûlures, c'est hideux. Mes jambes en sont couvertes, surtout la droite : toute la peau a été détruite ou presque. Les cicatrices sont si tendues que j'ai parfois du mal à allonger la jambe.

Il réfléchit à ce que ces mots impliquaient, puis dégagea ses poignets et déchaussa Aline, une pantoufle après l'autre. Elle déglutit plusieurs fois, les larmes salées lui brûlaient la gorge. Il passa les mains sous la jupe, remonta le long des cuisses jusqu'au cordon de sa culotte. Aline devint écarlate lorsqu'elle sentit qu'il défaisait le nœud de son sous-vêtement.

— Laisse-moi faire, murmura-t-il.

Elle obéit, maladroite, et souleva les hanches tandis qu'il tirait la culotte sous ses fesses, et la descendait jusqu'aux pieds. Puis il remonta la jupe jusqu'en haut des cuisses. L'air rafraîchit sa peau dévoilée. Pourtant, elle transpirait. Du revers de la manche, elle se tamponna les joues et la lèvre supérieure.

À genoux devant elle, McKenna prit un pied glacé entre ses mains chaudes. Du pouce, il frôlait la pointe tendre de ses orteils.

— Tu portais des chaussures quand c'est arrivé, constata-t-il en observant la peau fine et lisse du pied, et le filigrane délicat des veines près de la cheville.

— Oui.

Il monta les mains sur les chevilles, et elle eut comme un spasme.

— Ça te fait mal quand je touche ?

— Non, répondit Aline en tremblant. C'est-à-dire que... personne ne m'a plus jamais touché les jambes, sauf Mme Faircloth. Il y a des endroits où je ne sens rien... et d'autres où la peau est hypersensible.

Le fait de voir les mains de McKenna sur ses mollets ravagés était presque insupportable. Désespérée, tétanisée, elle observait les doigts délicats qui allaient et venaient sur ses cicatrices, d'un rouge violacé.

— Si j'avais su ! murmura-t-il. J'aurais été à tes côtés...

Elle avait envie de sangloter.

— J'aurais tant voulu, reconnut-elle. Je te réclamais sans cesse. Parfois, je croyais que tu étais là, que tu me prenais dans tes bras… Mais Mme Faircloth me raisonnait, me disait que c'était la fièvre.

Il ne bougeait plus. Les mots d'Aline faisaient trembler ses larges épaules, comme s'il avait pris froid. Puis ses paumes continuèrent à monter le long des cuisses.

— Ainsi, c'est cela qui nous séparait ! Voilà pourquoi tu ne voulais pas de moi dans ton lit, et pourquoi tu as refusé ma proposition. Voilà pourquoi il a fallu que j'apprenne la vérité de la bouche de Livia quant à ce qu'avait fait ton père, au lieu de l'apprendre de toi.

— Oui.

McKenna se releva et saisit les accoudoirs du fauteuil d'Aline. Leurs visages n'étaient qu'à quelques centimètres l'un de l'autre.

Elle s'était attendue à du chagrin, à de la compassion, à du dégoût peut-être… et voilà qu'elle trouvait de la fureur. Il avait le rictus d'un homme au bord de la folie.

— Quand je disais que je t'aimais, que crois-tu que je voulais dire ? Qu'est-ce que cela peut me faire, tes cicatrices ?

Interdite, la jeune femme garda le silence.

— Bon Dieu ! continua-t-il en s'empourprant. Imagine que les rôles soient inversés, et que je sois gravement blessé. M'aurais-tu abandonné ?

— Certainement pas !

— Alors pourquoi m'en croire capable ? explosa-t-il.

Elle se ratatina dans son fauteuil. Il se pencha en avant, toujours furieux mais également anxieux.

— Malheureuse ! s'écria-t-il en lui prenant le visage entre ses mains tremblantes. Tu es la moitié de moi-même. Comment as-tu imaginé que je ne voudrais plus de toi ? Tu nous as fait vivre un enfer pour rien.

Il était clair qu'il ne comprenait pas les appréhensions d'Aline. Celle-ci attrapa ses poignets et s'y agrippa.

— C'était une chose de faire l'amour avec moi tant que tu ignorais l'état de mes jambes. Mais maintenant que tu as vu… tu auras du mal, peut-être même que tu ne pourras pas…

Il blêmit sous l'insulte.

— Tu doutes de ma capacité à te faire l'amour ?

Aline se hâta de rabaisser sa robe. Elle était infiniment plus à l'aise, une fois ses jambes couvertes.

— Mes jambes sont hideuses, McKenna.

Il proféra un juron et, lui saisissant la tête à deux mains, l'obligea à le regarder.

— Voilà douze ans que je souffre les pires tourments, que je te désire avec ardeur dans mes bras, et que je crois ce moment impossible. J'ai mille raisons de te désirer… non, c'est plus que ça : je ne te veux pour aucune raison en particulier, je te veux parce que tu es toi. Je veux m'enfoncer en toi le plus profondément possible et y rester des heures… des jours… des semaines. Je veux être avec toi le matin, à midi et le soir. Je veux tes larmes, tes sourires, tes baisers… Je veux l'odeur de tes cheveux, le goût de ta peau, ton haleine sur mon visage. Je veux te voir à la dernière heure de ma vie… Je veux rendre mon dernier soupir dans tes bras.

Il hocha la tête en la regardant comme un condamné qui découvre le visage de son bourreau.

— Aline, soupira-t-il, tu sais ce qu'est l'enfer ?

— Oui, dit-elle tandis que ses larmes jaillissaient. C'est essayer d'exister avec le cœur séparé du corps.

— Non. C'est savoir que tu as si peu confiance en mon amour que tu m'aurais condamné à toute une vie de torture. C'est pire que la mort.

— Pardon, McKenna !

— Demander pardon ne suffit pas.

Il appuya son visage contre le sien. Ses lèvres parcouraient les joues et le menton de la jeune femme, sans savoir s'il voulait l'embrasser ou la dévorer.

— C'est loin de suffire, ajouta-t-il. Tu te plains d'avoir vécu sans ton cœur… Et s'il te fallait vivre sans ton âme ? J'ai maudit chaque jour passé loin de toi, chaque nuit passée dans les bras d'une autre, alors que j'aurais tant voulu que ce fût toi…

— Non ! gémit-elle.

— J'aurais tant voulu pouvoir me débarrasser de ces souvenirs qui m'empoisonnaient jusqu'à ce qu'il ne reste rien. Je n'ai trouvé la paix nulle part, ni le sommeil. Ni même les rêves…

Il se tut pour l'agresser de baisers voraces, frissonnants. Le goût de ses pleurs et de sa bouche désorientait Aline. La tête lui tournait. McKenna semblait en proie à une passion frisant la violence. Il haletait.

— Je te jure que depuis quelques jours je souffre les tourments d'un damné. Alors, ça suffit !

Brusquement, il l'arracha à son fauteuil comme un fétu de paille.

— Que fais-tu ?

— Je t'emmène au lit.

Aline se débattit. Comment lui expliquer qu'il fallait l'apprivoiser, et non se jeter sur elle comme cela ?

— Non, McKenna ! Je ne suis pas prête ! Attends, il faut d'abord que nous parlions…

— Ça suffit, les bla-bla !

— Non, il me faut du temps. Je suis épuisée... Cela fait des jours que je ne dors pas et...

— Aline, coupa-t-il d'un ton catégorique, le ciel et l'enfer mis ensemble ne sauraient m'empêcher de te faire l'amour, et tout de suite.

Voilà qui avait le mérite de la franchise. Elle frissonna.

McKenna lui embrassa la joue.

— N'aie pas peur ! Surtout pas de moi !

C'était plus fort qu'elle. Voilà douze ans qu'elle avait pris l'habitude de la solitude. Le sentiment qu'il ne lui laisserait nulle retraite, nul refuge, lui faisait battre le cœur à se rompre. Il l'emmena dans la chambre voisine à grandes enjambées. Devant le lit, il la déposa sur ses pieds et se pencha pour écarter le dessus-de-lit de brocart. Quand elle vit les draps lisses et blancs, joliment repassés, le cœur lui manqua.

McKenna déboutonna sa robe de haut en bas, et la fit glisser à terre. Il saisit alors la chemise et la lui fit passer par-dessus la tête. Tremblante et nue, Aline resta debout les bras ballants, elle avait la chair de poule. Elle dut se faire violence pour ne pas tenter de se cacher, surtout les parties si abominablement marquées de son corps.

Il lui effleura les seins du dos du doigt, puis s'aventura plus bas. Délicatement, il glissa les bras autour d'elle, bredouillant des mots tendres dans sa chevelure. Elle le saisit par les revers de son habit et posa le visage contre sa chemise. Avec une infinie délicatesse, il retira les épingles de ses cheveux et les laissa choir sur le tapis. Les longues boucles se libérèrent, elles lui chatouillaient le dos de leur douceur soyeuse.

Il posa un doigt sous son menton pour l'inciter à lever la tête, et la gratifia d'un baiser fougueux. Aline sentit ses genoux se dérober. Elle s'agrippa à lui. Les pointes de ses seins raclaient le tissu rêche de son habit. Elle entrouvrit les lèvres sous la pression de sa bouche, et leurs langues s'emmêlèrent dans une danse endiablée.

D'une main possessive, il lui caressa le dos, passa sur les fesses et trouva l'endroit sensible, juste au bas de la colonne vertébrale. Il l'attira contre lui et elle sentit, malgré les pantalons qui le moulaient, la saillie de son membre excité. Il se frottait résolument contre elle, comme pour prouver l'ardeur de sa chair qui aspirait à se joindre à la sienne. Elle eut comme un sanglot.

McKenna descendit les mains sous ses fesses et les glissa entre ses cuisses, qu'il écarta en insinuant sa jambe au milieu. Il la garda solidement plaquée contre lui tandis que, de ses doigts habiles, il écartait les replis de sa féminité.

Aline se cambra légèrement quand il glissa deux doigts en elle. Elle en voulait encore, et encore. Elle ondulait afin qu'il s'enfonce davantage. Elle voulait McKenna partout sur elle, en elle, jusqu'à ne plus faire qu'un avec lui.

Il se positionna de façon que son membre s'applique contre la fente entre ses cuisses. Il l'attira à lui, la caressa selon un rythme lent mais implacable. Il frotta ses lèvres contre ses cheveux. Aline sentit qu'elle basculait. Son plaisir s'intensifiait jusqu'à friser le feu d'artifice final. De nouveau, il captura sa bouche, la pénétra doucement avec sa langue, un baiser éperdu qui emplit Aline d'un bonheur presque douloureux. Oh, oui… *Oui !*

Soudain, McKenna la priva de sa bouche et retira ses doigts.

— Pas encore, chuchota-t-il tandis qu'elle sursautait.

— J'ai besoin de toi, bégaya-t-elle, à peine capable de parler.

— Oui, je sais. Et quand je te laisserai finalement quitter ce lit, tu comprendras exactement combien j'ai besoin de toi, *moi*. Tu sauras toutes les façons dont je te désire… et à quel point tu m'appartiens.

Il la souleva et l'étendit sur le lit. Toujours habillé de pied en cap, il se pencha sur sa nudité. Elle sentit ses lèvres lui toucher le genou.

C'était bien le dernier endroit où elle avait envie de se faire embrasser, sur ses hideuses cicatrices ! Soudain glacée, elle protesta et tenta de s'écarter en roulant sur le lit. Il la rattrapa sans effort et la cloua sur le matelas.

— Tu n'as pas à faire ça, protesta-t-elle. Vraiment, je t'assure. Tu n'as rien à prouver…

— Tais-toi ! rétorqua tendrement McKenna tout en continuant à lui couvrir les jambes de baisers.

Il acceptait ces cicatrices qu'elle n'était jamais parvenue à admettre. Il la touchait partout, il embrassait et caressait cette chair qui la répugnait.

— N'aie pas peur, murmura-t-il. Je t'aime. J'aime tout de toi.

Il remonta vers son ventre et dessina un petit rond sur son nombril avec le pouce, puis il mordilla la peau fragile à l'intérieur de sa cuisse.

— Ouvre-toi, ordonna-t-il, et elle rougit violemment. Allons, ouvre, insista-t-il alors que ses baisers de velours glissaient de plus en plus haut.

En gémissant, elle écarta les jambes. La bouche de McKenna s'attarda sur sa fente dévoilée, sa langue s'appesantit sur son clitoris tout gonflé, puis glissa plus bas pour goûter son nectar. Aline avait l'impression d'être de plus en plus lourde. Ses sens se libéraient, toute sa conscience était polarisée sur ces caresses qui la torturaient divinement.

Il s'écarta un peu et souffla sur sa chair mouillée, puis recommença à agacer la petite éminence avec le bout de sa langue.

Elle serra les poings, renversa la tête, cambra les hanches en prononçant des supplications indistinctes. À l'instant même où elle n'en pouvait plus de ce savant supplice, il glissa trois doigts en elle. Elle ne pouvait ni penser ni bouger, elle était immergée dans le plaisir.

McKenna se leva alors, la laissant pantelante sur le lit. Il se débarrassa de son habit sans la quitter des yeux. Il se déshabilla devant elle, dévoilant son torse musclé et sa poitrine velue. Sa grande silhouette était bâtie en force. Pourtant, il y avait une grâce innée dans la façon dont jouaient ses muscles, ses tendons et ses épaules à chaque inspiration. Il était homme à inspirer confiance à une femme, tout en lui imposant délicieusement sa puissance physique.

Il la rejoignit sur le lit et passa sa grande main derrière sa nuque. Tout en s'allongeant sur elle, il lui écarta les cuisses avec la jambe. Aline eut le souffle coupé au contact de leurs nudités... Ses membres à la toison rêche, l'incroyable largeur de son torse, et cet endroit à la peau de satin, tendue à bloc. McKenna lui empoigna la cuisse droite, et lui cala le genou afin de ne pas tirer sur sa jambe mutilée.

Émerveillée, elle posa la main sur sa joue bien rasée. L'instant était si tendre, si doux, qu'elle en avait les larmes aux yeux.

— McKenna... je n'aurais jamais osé espérer cela !

— Moi, si, répondit-il. Des milliers de nuits, j'ai rêvé que je faisais l'amour avec toi. Personne autant que moi n'a maudit le lever du soleil.

Il se pencha pour l'embrasser sur les lèvres, la gorge, la pointe rose de ses seins. Elle réagit de façon vibrante, et il tendit la main pour se guider en elle. Il la pénétra jusqu'au bout. Tous deux eurent un haut-le-corps à l'instant de cette union.

— Ne doute plus jamais de mon amour, ordonna-t-il, le souffle court.

— Jamais ! assura-t-elle en vibrant à chaque assaut.

Les traits de McKenna, luisants de sueur, reflétaient son émotion.

— Rien de ce que j'ai vécu ne saurait se comparer à ce que je ressens pour toi. Tu es tout ce que je désire... tout ce dont j'ai besoin... Et cela ne changera jamais.

— Jamais... répéta-t-elle alors qu'elle atteignait le sommet de l'extase dans un crépitement de sensations lumineuses, éblouissantes...

Plus tard, Aline était à peine consciente quand McKenna, tendrement, prit un coin du drap pour essuyer les larmes sur son visage. Elle se colla contre son épaule nue. Elle était comblée, épuisée, et immensément soulagée.

— Je suis si fatiguée, McKenna...

— Dors, mon amour, chuchota-t-il en caressant ses cheveux, écartant les boucles humides qui s'étaient collées sur sa nuque. Je veille sur toi.

Elle remonta la main au milieu de son torse.

— Dors, toi aussi...

— Non, rétorqua-t-il, souriant, en lui déposant un petit baiser sur la tempe. Te regarder dormir, c'est un bonheur que je n'avais pas espéré, pas même en rêve.

L'après-midi tirait à sa fin lorsque Gideon rentra au Rutledge. Il était fatigué et maussade : il avait tellement besoin de boire que sa vue se brouillait. Mais il tenait bon.

Alors qu'il pénétrait dans sa résidence, il fut intercepté par son valet.

— Sir ! M. McKenna n'est pas parti pour New York comme prévu. Il est venu ici, en compagnie d'une dame.

Gideon se demanda si son valet avait la berlue. Il réfléchit un instant en se frottant le menton.

— S'agit-il de lady Aline ?

Le valet acquiesça sans hésitation.

— Sont-ils toujours là ?

— Oui, monsieur Shaw.

Gideon sourit en imaginant la façon dont l'affaire avait tourné.

— Ainsi, il a enfin eu ce qu'il voulait, murmura-t-il. Mais il a intérêt à se bouger les fesses pour rentrer à New York en vitesse. Parce qu'elle ne va pas se construire toute seule, cette maudite usine.

— Oui, sir.

Gideon, ne sachant pour combien de temps McKenna aurait besoin de ses appartements, se dirigea vers la chambre, s'arrêta devant la porte et écouta. Il n'y avait pas de bruit à l'intérieur. Au moment où il tournait les talons, il s'entendit héler.

— Shaw ?

Avec précaution, il entrouvrit le battant et glissa la tête à l'intérieur. McKenna était allongé de tout son long, la tête sur un coude. Son torse et ses épaules bronzés faisaient contraste avec la blancheur des draps. De lady Aline, on ne voyait que quelques boucles. Elle dormait comme un bébé.

— Tu as raté le bateau, on dirait ?

— Il le fallait. Figure-toi que j'allais laisser derrière moi quelque chose d'important.

Gideon était frappé par la métamorphose de son ami. Celui-ci n'avait jamais eu l'air si jeune, ni si heureux.

Lady Aline s'étira dans son sommeil, à cause du bruit des voix. McKenna se pencha sur elle pour l'apaiser d'un doux murmure.

Gideon se gratta la tête.

— Bon, puisque tu as pris possession des lieux, je vais trouver un autre endroit où passer la nuit. Toi, je t'aurais expulsé sans remords, mais je ne peux pas faire ça à lady Aline.

— Va donc à Marsden Terrace, suggéra McKenna avec malice.

Il jeta un coup d'œil rapide à sa compagne, comme s'il ne pouvait la quitter du regard plus de quelques secondes consécutives.

— Westcliff est seul, précisa-t-il. Il sera ravi d'avoir de la compagnie.

— Oh, merveilleux ! répondit aigrement Gideon. Nous allons pouvoir échanger nos points de vue sur le fait que je doive tenir mes distances avec sa sœur cadette. De toute façon, c'est sans importance : dans six mois, Livia m'aura oublié.

— J'en doute, rétorqua McKenna. Ne perds pas espoir. Rien n'est impossible : j'en suis la preuve vivante.

Épilogue

Un vent furieux de février sifflait aux fenêtres du petit salon. Livia, distraite de sa lecture, leva un instant les yeux de la lettre qu'elle avait à la main. Elle était pelotonnée au coin d'un canapé, une couverture de cachemire sur les genoux. Une boîte d'acajou était ouverte à côté d'elle : un compartiment contenait une petite pile de lettres bien proprette, et un autre un tas de papiers divers liés par un ruban bleu. La petite pile venait de sa sœur Aline, dont les lettres arrivaient de New York avec régularité.

L'autre paquet de lettres provenait d'une source toute différente : elles étaient gribouillées de la même main masculine. Tour à tour amusantes, touchantes, informatives ou intimes à faire rougir, elles racontaient l'histoire d'un homme aux prises avec des démons, auxquels il tordait le cou l'un après l'autre. Elles racontaient aussi l'histoire d'un amour qui s'approfondissait et mûrissait au fil des mois.

Livia avait l'impression de découvrir un autre homme que celui rencontré à Stony Cross. L'attrait immédiat qu'elle avait éprouvé pour Gideon s'était avéré irrésistible, mais l'ancien débauché se révélait responsable et digne de confiance.

Elle joua du bout des doigts avec la surface satinée du ruban, tout en continuant la lecture de la dernière missive d'Aline.

On dit que d'ici à deux ans, la ville de New York dépassera cinq cent mille habitants. Je veux bien le croire, car il arrive tous les jours de nouveaux étrangers comme moi. Cette multitude de nationalités donne à la ville une atmosphère merveilleusement cosmopolite. Les gens ont l'esprit large, et je me suis parfois surprise à réagir de façon un peu conservatrice. Mais j'ai fini par prendre le rythme et j'ai attrapé un virus typique de New York : le perfectionnement de soi-même. J'apprends donc des tas de choses, par exemple l'art de prendre des décisions et celui de faire des achats avec une rapidité qui ne manquera pas de t'amuser quand nous nous reverrons. Comme tu l'imagines, Mme Faircloth a solidement pris en main notre personnel domestique. Elle s'est découvert une passion pour les marchés dans la partie ouest de Manhattan : on y trouve en effet une variété stupéfiante de produits.

McKenna et moi, nous prenons de temps en temps quelques jours de tranquillité. Hier, nous sommes allés faire du traîneau à Washington Square, il y avait des clochettes aux harnais des chevaux. Puis nous avons passé le reste de la journée au coin du feu. J'avais interdit à McKenna de faire le moindre travail et, naturellement, il m'a obéi. En Amérique, c'est en effet la femme qui est maîtresse chez elle, tout en laissant astucieusement au mari l'impression que c'est lui qui commande. Je me comporte bien sûr en despote éclairé, et mon cher époux semble s'accommoder aisément de cet arrangement...

Livia, un sourire aux lèvres, releva la tête en entendant une voiture arriver. Elle voyait de son sofa les allées et venues sur le chemin. C'était une voiture noire avec quatre occupants – un genre de visite qui n'était pas rare à Stony Cross Park. Toutefois, quand elle remarqua les bouffées blanches qui jaillissaient des naseaux des chevaux, elle fut prise de curiosité. Marcus ne lui avait pas parlé de visite pour la journée. D'ailleurs, il était trop tôt pour une simple visite de courtoisie.

La jeune femme se leva, se drapa dans son plaid et s'approcha de la fenêtre. Un valet se présentait à la porte d'entrée, un autre ouvrait la portière et s'effaçait. Un homme de haute taille descendit d'un bond, sans se servir du marchepied. Il était vêtu d'un habit noir et d'un chapeau élégant, sous lequel apparaissaient des mèches de cheveux blonds.

Brusquement, le cœur de Livia chavira. Elle compta intérieurement. Oui, six mois jour pour jour... Gideon avait promis une chose : il ne reviendrait que s'il était sûr d'être digne d'elle. *Et si je reviens, ce sera avec des intentions honorables*, avait-il écrit. *C'est bien dommage !*

Il n'avait jamais été aussi beau. Ses rides cyniques s'étaient effacées, ainsi que les cernes qui lui mangeaient les yeux. Il était radieux.

Elle ne bougea pas, elle ne fit pas un bruit, mais quelque chose attira l'attention de Gideon vers sa fenêtre. Il la reconnut à travers les carreaux, et resta tétanisé. Ils échangèrent un long, un très long regard. Livia était bouleversée par cette exquise attente. Être de nouveau dans ses bras... songea-t-elle en posant les doigts sur la vitre.

Gideon eut un sourire, ses yeux bleus étincelaient. Il posa la paume sur sa poitrine.

Avec un sourire éclatant, Livia pencha la tête du côté de l'entrée.

— *Vite !* articula-t-elle.

Il acquiesça et s'éloigna vivement, non sans l'avoir gratifiée d'un regard lourd de promesses.

Dès qu'il fut hors de vue, Livia jeta le plaid sur le canapé et s'aperçut qu'elle avait toujours à la main la lettre de sa sœur, vaguement chiffonnée. Elle lissa la feuille de papier et y déposa un baiser. Le reste de sa lecture attendrait.

Plus tard, Aline. Il faut d'abord que je m'occupe de moi.

Et, riant à perdre haleine, elle rangea la lettre dans la boîte d'acajou et se précipita hors de la pièce.

AVENTURES
&PASSIONS

Découvrez les prochaines nouveautés
des différentes collections J'ai lu pour elle

Le 2 mai

Inédit **_Les fantômes de Maiden Lane_ - 3 -**
Désirs enfouis ☙ Elizabeth Hoyt
Silence Hollingbrook aime tous les enfants dont elle s'occupe à l'orphelinat, mais sa préférence va pour Mary Darling, qu'elle a élevée comme sa fille. Un jour, l'enfant est enlevée... par Mickey O'Connor, un voleur sans foi ni loi, qui prétend en être le père ! Si Silence ne veut pas être séparée de Mary, elle doit accepter d'habiter chez Mickey, celui qui, neuf mois plus tôt, l'a compromise et a brisé son mariage...

L'amant de l'ombre ☙ Judith McNaught
Quand Victoria Seaton revient en Angleterre après des années passées en Amérique, elle ne possède pas le moindre sou. Un lointain cousin l'adopte dans l'espoir de la marier à son fils, Jason Fielding. Pour Jason, le refus est formel. Toutefois, il accepte de trouver un mari à Victoria. Commence alors un défilé de prétendants auxquels Jason trouve toujours à redire. Car sous ses airs cyniques, ne cacherait-il pas une passion naissante pour Victoria ?

Inédit **_Sur la soie de ta peau_ ☙ Loretta Chase**
À Londres, Marcelline Noirot est une brillante couturière qui rêve de se faire connaître. Pour cela, elle a une idée bien précise en tête : habiller la future épouse du duc de Cleveton, ce qui signifierait pour Marcelline prestige et renommée. Mais avant tout, elle doit convaincre le duc. Et si ce dernier est réputé pour son exigence extrême, il ne l'est pas moins pour ses mœurs libertines...

Le 16 mai

Inédit *L'Inferno Club - 2 - Baisers maudits* ❧
Gaelen Foley
Kate Madsen a été kidnappée par une bande de vauriens qui décident de l'offrir en cadeau au duc de Warrington. Craint et respecté de tous, le duc habite, paraît-il, un château hanté par les duchesses qui y auraient été assassinées au fil des siècles. Et aux ténèbres qui l'attendent s'ajoute un dangereux secret que Kate protège : elle est liée au Concile de Prométhée, les pires ennemis de l'Inferno Club, auquel appartient Warrington.

Inédit *Les insoumises - 3 - Celia* ❧
Madeline Hunter
Fille illégitime de la plus célèbre courtisane de Londres, Celia Pennifold hérite, à la mort de sa mère, d'une ravissante maison dans la capitale. Celia a des plans bien définis, elle en fera une boutique de fleurs ! Mais à sa plus grande surprise, elle découvre qu'il y a un locataire qui n'a nullement l'intention de s'en aller. Jonathan Albrighton est un homme mystérieux qui, dit-on, était très intime de la défunte...

Le frisson de minuit ❧ **Eloïsa James**
Après avoir repoussé vingt-deux demandes en mariage, Sophie York se résigne à accepter celle de Braddon, comte de Slaslow. Certes, la proposition de Patrick Foakes était bien plus excitante. Entre ses bras, Sophie perdait tout sens des convenances. Mais ce séducteur impénitent l'aurait maintes fois trompée. Quand un inconnu déguisé en Braddon tente de l'enlever, Sophie reconnaît Patrick. Et cède aux caresses de cet amant incomparable...